解説がスバラシク親切な

難関大 理系

数学I・A, II・B, III

テーマ別解法で, 難問がこんなにワカル! スラスラ解ける!

馬場敬之（けいし）

改訂1 revision 1

MATHEMA

マセマ出版社

◆ はじめに ◆

◆だから，テーマ別解法の演習書◆

みなさん，こんにちは。数学の**馬場敬之(ばばけいし)**です。ボクの長年の指導経験から言えることは，ほとんどの受験生が易しい受験問題まではなんとかこなせるんだけれど，本格的な問題になると手が出なくなるということなんだね。
“その理由が何故だか分かる？” それは，**受験問題の多くが複数の分野にまたがる融合形式の問題**だからなんだ。これに対して，ほとんどの参考書は数学**I･A，II･B，III**の各分野に分かれているから，どうしても本格的な問題に対する対策が弱くなるのは当然なんだね。

もちろん，入試基礎力を付ける上で分野別の学習はとても大切だ。でも，難関大を受験する場合には，さらに**ワンランク上の勉強が必要になる**んだね。この受験生の切実な要望に応えるため
この**「難関大理系数学 I･A，II･B，III 改訂 1」**を書き上げたんだね。

これは，東大，京大，東工大，北大，東北大，名大，阪大，九大，早大，慶大…などの難関校が好んで出題してくる融合形式の問題を数学**I･A，II･B，III**の分野にとらわれることなく，**15 のテーマに編集し直して，疑問の余地がないくらい親切な解説を加えた演習書(解説が参考書のように詳しい問題集)**なんだ。だから，本書で学習すれば，これまで難しく感じていた本格的な受験問題でもスラスラ解けるようになるんだよ。楽しみだね。

◆これで最新の受験テーマもマスターできる◆

また，本書で扱う問題も理系では頻出典型の“**バウムクーヘン型積分**：$V=2\pi\int_a^b x\{f(x)-g(x)\}dx$”などだけでなく，難関大が好んで出題する“**論証問題**”や“**傘型積分(斜軸回転の公式)**”や“**空間座標と体積**”，そして定数化が必要な“**定積分と不等式**”の問題…などについても詳しく解説するから，自信を持って受験に臨めると思うよ。

◆問題と解答＆解説による構成◆

本書では，それぞれの融合形式の“**問題**”に対して“**解答＆解説**”を付けている。**ヴィジュアルに，そして体系立ててスバラシク親切に解説**しているので，ジックリ学習することにより，理系の難関大が出題してくる様々な頻出問題の解法のパターンを，これで修得することができるんだね。

◆これが本書の利用法だ！◆

本書は，厳選した**75題の良問だけ**から構成されている。良問とは，キミ達が反復練習することにより，本物の実践力を養うことの出来る問題のことなんだね。

(1) 本書はこの良問の間にさらにストーリー性を設けているから，まだ実力に自信のない人は，まず**物語りや小説を読むように本書の“問題”と“解答＆解説”を流し読みしてみる**ことを勧める。これで，理系全体の難度の高い受験問題の全貌を短期間でつかむことが出来るからだ。

(2) 次に，**“問題”と“解答＆解説”を何回も精読**してくれ。その際，解法のパターンや計算テクニックなど，細かいところまで注意して，完全に理解するように心がけるんだよ。

(3) 自信が付いたら，いよいよ**“解答＆解説”を見ずに，自力で“問題”を解く訓練**を積んでくれ。各問題の**3**つのチェック欄すべてに○が付けられるまで紙とペン(鉛筆)を使って繰り返し解くことだ。本当にマスターするには，この**反復練習は必要不可欠**なんだね。

(4) さらに，**4**周目以降は，(解答＆解説)をかくして，問題文だけを読んで，解答を頭の中で組み立てる，いわゆる頭の中でのシミュレーションを行うといいんだね。このシミュレーションを何周も行うことにより，頭の回転が良くなるので，初見の難問を見ても解答の前半位は浮かぶようになるので，得点力が大幅にアップするんだね。このシミュレーションは，登下校の乗り物の中やちょっとした休み時間でも簡単に行えるため，それ程時間をかけずに**10**周でも**20**周でも行うことができて，文字通り**“数学を楽しみながら強くする”**ことができる。是非，チャレンジしてみよう。

◆キミは，どうせうまくいくに決まってる！◆

本書を手にしたキミが，上記のやり方に従って学習していけば，数学の難問も楽しみながら解けるようになっていくんだね。そして，キミが**“どうせ自分はうまくいくに決まってる！”**と確信を持つとさらに大きな効果が期待できるはずだ！

そんな頑張るキミ達を，マセマ一同，いつも心より応援しています!!

マセマ代表　馬場 敬之（けいし）

この改訂**1**では，新たに補充問題として，京大の論証問題と解答＆解説を加えました。

◆ 目 次 ◆

テーマ 1 論証問題

● これが典型的な論証問題のパターンだ！

「…を計算せよ。」「…を求めよ。」の形ではなく，「…を示せ。」「…を証明せよ。」の形の **"論証問題"** は，受験生が最も苦手とするところなんだね。でも，最難関大は，好んでこの論証問題を出題してくるので，よく練習しておく必要があるんだね。

論証問題を苦手とする理由は，解法のバリエーションが広くて，どこから手をつけていいのか，解法の糸口がなかなか見つけにくいからなんだね。

でも，今回は，試験でよく出題される良問を集めておいたから，これらをシッカリ練習すれば，間違いなく得点力を大きく伸ばせるはずだ。
まず，今回の主要テーマを挙げておこう。

(1) 合同式の応用，連続する **3** 整数の積の応用
(2) 数学的帰納法の応用
(3) シュワルツの不等式の応用
(4) 図形の性質の利用
(5) ガウス記号の応用

(1) は，合同式を利用する応用問題と，連続する **3** 整数の積の応用問題だ。
(2) は，数学的帰納法の応用問題で，$n=k$，$k+1$ のとき成り立つと仮定して $n=k+2$ のときも成り立つことを示せばいい。
(3) では，シュワルツの不等式を，ベクトルの内積の観点でとらえると，分かりやすいことを示す。これも，試験では時々出題されるので，是非慣れておこう。
(4) は，円周率 π に関する問題で，図形的性質を利用して解く，東大の問題だ。
(5) は，ガウス記号 $[x]$ の不等式 $x-1<[x]\leqq x$ を利用する問題で，背理法も利用することになる良問だ。よく練習しよう。

それではここで，不等式の証明に必要な**5**つの公式を下に示しておこう。

不等式の5つの重要公式

(Ⅰ) $A^2 \geqq 0$, $A^2+B^2 \geqq 0$ など（ただし，A, B は実数）

(Ⅱ) **相加・相乗平均の不等式**

(ⅰ) **2** 項問題

$A \geqq 0$, $B \geqq 0$ のとき，$A+B \geqq 2\sqrt{AB}$

（等号成立条件：$A=B$）

(ⅱ) **3** 項問題

$A \geqq 0$, $B \geqq 0$, $C \geqq 0$ のとき，$A+B+C \geqq 3\sqrt[3]{ABC}$

（等号成立条件：$A=B=C$）

(Ⅲ) $|a| \geqq a$（ただし，a は実数）

(Ⅳ) $a > b \geqq 0$ のとき，$a > b \iff a^2 > b^2$

(Ⅴ) シュワルツの不等式

(ⅰ) $(a_1{}^2+a_2{}^2)(b_1{}^2+b_2{}^2) \geqq (a_1b_1+a_2b_2)^2$

（等号成立条件：$a_1 : a_2 = b_1 : b_2$）

(ⅱ) $(a_1{}^2+a_2{}^2+a_3{}^2)(b_1{}^2+b_2{}^2+b_3{}^2) \geqq (a_1b_1+a_2b_2+a_3b_3)^2$

（等号成立条件：$a_1 : a_2 : a_3 = b_1 : b_2 : b_3$）

また，ガウス記号についても，その基本を以下に示そう。

ガウス記号

実数 x を越えない最大の整数を $[x]$ で表し，記号 [ ] をガウス記号という。

(ⅰ) $n \leqq x < n+1$ のとき，$[x]=n$ である。(n：整数)

(ⅱ) 不等式 $x-1 < [x] \leqq x$ が成り立つ。

以上の公式も実践的に利用しながら，これから演習問題を解いていくことにする。みんな，準備はいい？

合同式の応用

演習問題 1	難易度 ★★★★	CHECK1	CHECK2	CHECK3

次の問いに答えよ。

(1) $|x^2-x-23|$ の値が，3 を法として 2 に合同である正の整数 x をすべて求めよ。

(2) k 個の連続した正の整数 $x_1,\ \cdots,\ x_k$ に対して，
$|x_j{}^2-x_j-23|\quad(1\leqq j\leqq k)$ の値がすべて素数になる k の最大値が 5 であることを示し，$x_1,\ x_2,\ x_3,\ x_4,\ x_5$ の値をすべて示せ。
(ただし，$x_1<x_2<x_3<x_4<x_5$ とする。)　　(東京工業大＊)

ヒント！ (1) $f(x)=x^2-x-23\ (x=1,\ 2,\ 3,\ \cdots)$ とおくと，(i) $1\leqq x\leqq 5$ のとき $f(x)<0$，(ii) $6\leqq x$ のとき $f(x)>0$ となるので，2 通りに場合分けして，$|f(x)|\equiv 2\ (\text{mod}3)$ となる自然数 x の値を求めればいいんだね。(2) では，(1) の結果を利用して，考えるとうまくいく。

解答＆解説

(1) $f(x)=x^2-x-23=\left(x-\dfrac{1}{2}\right)^2-\dfrac{93}{4}$

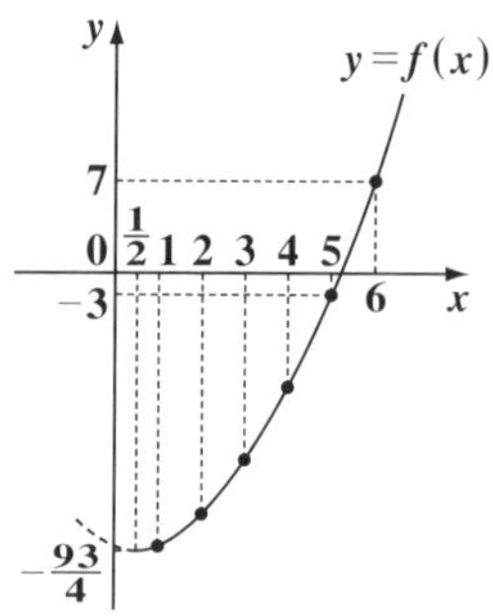

$(x=1,\ 2,\ 3,\ \cdots)$ とおくと，右図より，

(i) $1\leqq x\leqq 5$ のとき，$f(x)<0$

(ii) $6\leqq x$ のとき，$f(x)>0$

$$\therefore |f(x)|=\begin{cases}-f(x) & (1\leqq x\leqq 5)\\ f(x) & (6\leqq x)\end{cases}\quad \text{である。}$$

(i) $1\leqq x\leqq 5$ のとき，

・$|f(1)|=|1-1-23|=23$ より，
　$|f(1)|\equiv \underline{\underline{2}}\ (\text{mod}3)$ となる。同様に，

・$|f(2)|=|4-2-23|=21\equiv 0\ (\text{mod}3)$

・$|f(3)|=|9-3-23|=17\equiv \underline{\underline{2}}\ (\text{mod}3)$

・$|f(4)|=|16-4-23|=11\equiv \underline{\underline{2}}\ (\text{mod}3)$

・$|f(5)|=|25-5-23|=3\equiv 0\ (\text{mod}3)$

> $x\geqq 6$ のとき，
> (ア) $x\equiv 0\ (\text{mod}3)$
> (イ) $x\equiv 1\ (\text{mod}3)$
> (ウ) $x\equiv 2\ (\text{mod}3)$
> の 3 通りに場合分けして調べる。

(ii) $6\leqq x$ のとき，

(ア) $x\equiv 0\ (\text{mod}3)$ のとき，← $x=6,\ 9,\ 12,\ 15,\ \cdots$ のとき

$|f(x)|\equiv f(6)=7\equiv 1\ (\text{mod}3)$ ← $f(6)\equiv f(9)\equiv f(12)\equiv\cdots\equiv 1\ (\text{mod}3)$ となる。

（$f(6)$：$36-6-23=7>0$）

(イ) $x \equiv 1 \pmod{3}$ のとき， ← $x = 7,\ 10,\ 13,\ 16,\ \cdots$ のとき

$|f(x)| \equiv \underset{49-7-23=19}{f(7)} = 19 \equiv 1 \pmod{3}$ ← $f(7) \equiv f(10) \equiv f(13) \equiv \cdots \equiv 1 \pmod{3}$ となる。

(ウ) $x \equiv 2 \pmod{3}$ のとき， ← $x = 8,\ 11,\ 14,\ 17,\ \cdots$ のとき

$|f(x)| \equiv \underset{64-8-23=33}{f(8)} = 33 \equiv 0 \pmod{3}$ ← $f(8) \equiv f(11) \equiv f(14) \equiv \cdots \equiv 0 \pmod{3}$ となる。

↑ これが，(2)を解くためのポイントとなる！

以上 (i)(ii) より，$|f(x)| \equiv 2 \pmod{3}$ をみたす正の整数 x は，
全部で，$x = 1,\ 3,\ 4$ のみである。 ……………………………………………(答)

(2) k 個の連続した正の整数 $x_1,\ x_2,\ \cdots,\ x_k$ に対して，$|f(x_j)|\ (j = 1,\ 2,\ \cdots,\ k)$ がすべて素数となる最大の k の値が $k = 5$ であることを示す。

(1)の (ii) $x \geqq 6$ において，(ウ) $x \equiv 2 \pmod{3}$ のとき，$|f(x)| \equiv 0 \pmod{3}$

↑ $x = 8,\ 11,\ 14,\ 17,\ 20,\ \cdots$ のこと

となるので，具体的には，$f(8) \equiv f(11) \equiv f(14) \equiv f(17) \equiv f(20) \equiv \cdots \equiv 0 \pmod{3}$ となる。よって，$|f(x)| = f(8),\ f(11),\ f(14),\ f(17),\ f(20),\ \cdots$ は 3 の倍数となるので，素数ではない。よって，素数となる可能性があるものは，$f(6),\ f(7)$，または，$f(9),\ f(10)$，または，$f(12),\ f(13)$，または，$f(15),\ f(16)$，または，$f(18),\ f(19)$，または，…となって，連続的に素数になる可能性があるものは，高々 2 個 $(x_1,\ x_2)$ である。

よって，$x = 1, 2, 3, 4, 5, 6, 7$ のときの $|f(x)|$ を調べると，以下のようになる。

$|f(1)| = |1-1-23| = 23$ (素数)

$|f(2)| = |4-2-23| = 21\ (=3\times7)$ (素数でない)

$|f(3)| = |9-3-23| = 17$ (素数)

$|f(4)| = |16-4-23| = 11$ (素数)

$|f(5)| = |25-5-23| = 3$ (素数)

$|f(6)| = |36-6-23| = 7$ (素数)

$|f(7)| = |49-7-23| = 19$ (素数)

← ($f(3)$～$f(7)$) 連続する 5 個の素数が現われた！

以上より，k 個の連続した正の整数 $x_1,\ x_2,\ \cdots,\ x_k$ に対して，$|f(x_j)|\ (j = 1,\ 2,\ \cdots,\ k)$ の値がすべて素数となる k の最大値は 5 である。 ………(終)

また，そのときの $x_j\ (j = 1,\ 2,\ \cdots,\ 5)$ の値をすべて示すと，

$x_1 = 3,\ x_2 = 4,\ x_3 = 5,\ x_4 = 6,\ x_5 = 7$ である。…………………………(答)

連続する 3 整数の積の問題

演習問題 2　難易度 ★★★　CHECK 1　CHECK 2　CHECK 3

整数 n に対して，$P(n) = n^3 - n$ とする。

(1) $P(n)$ は 6 の倍数であることを示せ。

(2) n が奇数ならば，$P(n)$ は 24 の倍数であることを示せ。

(3) $P(n)$ が 48 の倍数となる偶数 n をすべて求めよ。　（愛媛大）

Baba のレクチャー

連続する 3 つの整数の積 $m(m+1)(m+2)$ （m：整数）は必ず 6 の倍数になる。これは，次のように証明できるけれど，試験では知識として使ってもいいと思うよ。

（Ⅰ）連続する 2 整数の積 $m(m+1)$ の m または $m+1$ のいずれか 1 つは必ず偶数となる。よって，$m(m+1)$ は，2 の倍数である。

（Ⅱ）$m = 3k,\ 3k+1,\ 3k+2$ （k：整数）とおくと， ← $m \equiv 0,\ 1,\ 2 \pmod{3}$ のこと。3 で割った余りで整数を 3 通りに場合分けして調べる。

（ⅰ）$m = 3k$ のとき，m は 3 の倍数

（ⅱ）$m = 3k+1$ のとき，$m+2 = 3k+1+2 = 3(k+1)$ は 3 の倍数

（ⅲ）$m = 3k+2$ のとき，$m+1 = 3k+2+1 = 3(k+1)$ は 3 の倍数

（ⅰ）（ⅱ）（ⅲ）より，$m,\ m+1,\ m+2$ のいずれか 1 つが必ず 3 の倍数となる。よって，連続する 3 整数の積 $m(m+1)(m+2)$ は 3 の倍数。

以上（Ⅰ），（Ⅱ）より，$m(m+1)(m+2)$ は $2 \times 3 = 6$ の倍数となるんだね。

解答＆解説

(1) $P(n) = n^3 - n = n(n^2 - 1) = (n-1)n(n+1)$ ……①

（n：整数）　← 連続する 3 整数の積だ！

（ⅰ）連続する 2 つの整数の積は 2 の倍数である。

（ⅱ）連続する 3 つの整数の積は 3 の倍数である。

以上（ⅰ）（ⅱ）より，$P(n)$ は $2 \times 3 = 6$ の倍数である。 ………………（終）

(2) n が奇数のとき，$n=2k+1$ ……② (k：整数) とおける。

②を①に代入して，

$$P(2k+1)=(2k+\cancel{1}-\cancel{1})\cdot(2k+1)(2k+1+1)$$
$$=2k(2k+1)(2k+2)$$
$$=4k(k+1)(2k+1)$$

ここに細工をして，連続する3整数の積の形に持ち込むのがコツだ！

$(k-1)+(k+2)$

$$=4k(k+1)\{(k-1)+(k+2)\}$$
$$=4\{(k-1)k(k+1)+k(k+1)(k+2)\}$$

6の倍数 ← 連続する3整数の積 → 6の倍数

$$=4\{(6\text{の倍数})+(6\text{の倍数})\}\quad ((1)\text{の結果より})$$

∴ $n=2k+1$ (奇数) のとき，$P(n)$ は 24 の倍数である。……………(終)

注意

$$P(2k+1)=(2k+1-1)(2k+1)(2k+1+1)$$ ← 連続する3整数の積より 6の倍数

4の倍数

$$=4k(k+1)(2k+1)\cdots\cdots㋐$$

これから，$P(2k+1)$ が $4\times6=24$ の倍数とするのは誤りだ！

㋐の係数 $4=2\times2$ の 2 に，$6=2\times3$ の 2 が含まれている可能性があるからだ。だから，これで言えるのは，$P(2k+1)$ が $2\times2\times3=12$ の倍数ということだけだ！

(3) $P(n)=(n-1)n(n+1)$ が 48 の倍数となる偶数 n を調べる。

(奇)(偶)(奇)

ここで，n は偶数より，$n-1$，$n+1$ は奇数である。

$48=2^4\times3$ より，n は $2^4=16$ の倍数でなければならない。

(偶)　奇数 $n-1$ と $n+1$ は 16 の倍数になり得ない。

逆に，n が 16 の倍数のとき，$n-1$，n，$n+1$ のいずれかは必ず 3 の倍数であるから，$P(n)$ は，$16\times3=48$ の倍数である。

よって，$P(n)$ が 48 の倍数となる偶数 n は，

$n=16m$ (m：整数) である。……………………………………(答)

16の倍数ということだ。

演習問題 3	難易度 ★★★	CHECK1	CHECK2	CHECK3

2 次方程式 $x^2-3x+5=0$ の 2 つの解 α, β に対し，$\alpha^n+\beta^n-3^n$ はすべての正の整数 n について 5 の整数倍となることを示せ。 (東京工大)

Babaのレクチャー

解と係数の関係より，$\alpha+\beta=3$，$\alpha\beta=5$ となるのはいいね。ここで，数学的帰納法を使って，$n=k$ のとき $\alpha^k+\beta^k-3^k$ が 5 の倍数と仮定して，$n=k+1$ のときを調べると，

$\alpha^{k+1}+\beta^{k+1}-3^{k+1}=(\alpha+\beta)(\alpha^k+\beta^k)-\alpha\beta\underline{\underline{(\alpha^{k-1}+\beta^{k-1})}}-3^{k+1}$ となって，$\underline{\underline{\alpha^{k-1}+\beta^{k-1}}}$ の式が現れるので，うまくいかないんだね。

よって，作戦を変更して，次のようにすればいいよ。

(i) $n=1$，2 のとき，$\alpha+\beta-3$ と $\alpha^2+\beta^2-3^2$ が 5 の倍数であることを示す。

(ii) $n=k$，$k+1$ ($k=1$，2，3，…) のとき，$\alpha^k+\beta^k-3^k$ と $\alpha^{k+1}+\beta^{k+1}-3^{k+1}$ が 5 の倍数であると仮定して，$n=k+2$ のときの $\alpha^{k+2}+\beta^{k+2}-3^{k+2}$ が 5 の倍数であることを示す。

数学的帰納法は，ドミノ倒し理論で考えればいいんだね。

今回のやり方は，

・$n=1$，2 のときのドミノが倒れれば，$n=3$ のドミノが倒れる。
・$n=2$，3 のときのドミノが倒れれば，$n=4$ のドミノが倒れる。
・$n=3$，4 のときのドミノが倒れれば，$n=5$ のドミノが倒れる。

……以下同様……

このメカニズムで，$n=1$，2，3，…のすべてのドミノが倒せるんだね。大丈夫？

解答＆解説

2 次方程式 $1\cdot x^2-3x+5=0$ の 2 つの解を α, β とおくと，解と係数の関係より，

$\alpha+\beta=3$ …① $\alpha\beta=5$ …② となる。

> 2 次方程式
> $ax^2+bx+c=0$ $(a\neq 0)$
> の解が α と β のとき，
> 解と係数の関係より，
> $\alpha+\beta=-\dfrac{b}{a}$，$\alpha\beta=\dfrac{c}{a}$
> となる。

ここで，

命題「すべての正の整数 n に対して，$\alpha^n+\beta^n-3^n$ は 5 の倍数である。」…$(*1)$

とおいて，$(*1)$ が成り立つことを数学的帰納法により示す。

(i) $n=1,\ 2$ のときについて調べる。

・$n=1$ のとき，$\underbrace{\alpha^1+\beta^1}_{3\ (①より)}-3^1=3-3=0=5\cdot 0$　（①より）

・$n=2$ のとき，$\underbrace{\alpha^2+\beta^2}_{(\alpha+\beta)^2-2\alpha\beta=3^2-2\cdot 5\ (①,\ ②より)}-3^2=\cancel{3^2}-2\cdot 5-\cancel{3^2}=-2\cdot 5$　（①，②より）

よって，$n=1,\ 2$ のとき，$\alpha^n+\beta^n-3^n$ は，いずれも 5 の倍数である。

(ii) $n=k,\ k+1\ (k=1,\ 2,\ 3,\ \cdots)$ のとき $(*1)$ が成り立つと仮定すると，

$\alpha^k+\beta^k-3^k=5L$ ……③　$\alpha^{k+1}+\beta^{k+1}-3^{k+1}=5M$ ……④

$(L,\ M$：共に整数$)$ とおける。

ここで，$n=k+2$ のときについて調べると，

$$\underbrace{\alpha^{k+2}+\beta^{k+2}}_{(\alpha+\beta)(\alpha^{k+1}+\beta^{k+1})-(\alpha\beta^{k+1}+\beta\alpha^{k+1})}-3^{k+2}=\underbrace{(\alpha+\beta)}_{3\ (①より)}\underbrace{(\alpha^{k+1}+\beta^{k+1})}_{5M+3^{k+1}\ (④より)}-\underbrace{\alpha\beta}_{5\ (②より)}\underbrace{(\alpha^k+\beta^k)}_{5L+3^k\ (③より)}-3^{k+2}$$

$$=3\cdot(5M+\cancel{3^{k+1}})-5(5L+3^k)\cancel{-3^{k+2}}$$

$$=5\underbrace{(3M-5L-3^k)}_{整数}$$

ここで，$3M-5L-3^k$ は整数より，$\alpha^{k+2}+\beta^{k+2}-3^{k+2}$ も 5 の倍数である。よって，$n=k+2$ のときも $(*1)$ は成り立つ。

以上(i)(ii)より，すべての正の整数 n に対して $\alpha^n+\beta^n-3^n$ は 5 の倍数である。すなわち $(*1)$ は成り立つ。 ……………………………………(終)

シュワルツの不等式とベクトル

演習問題 4　難易度 ★★★　CHECK1　CHECK2　CHECK3

(1) a_i, b_i ($i=1$, 2, 3) を実数とするとき，次の不等式を証明せよ。

$$(a_1^2+a_2^2+a_3^2)(b_1^2+b_2^2+b_3^2) \geqq (a_1b_1+a_2b_2+a_3b_3)^2$$

(2) 実数 x_i, y_i, z_i ($i=1$, 2) が

$$x_1^2+y_1^2-z_1^2+1=0,\quad x_2^2+y_2^2-z_2^2+1=0,\quad z_1z_2>0$$

を満たしているとする。このとき不等式

$$x_1x_2+y_1y_2-z_1z_2+1 \leqq 0$$

が成り立つことを証明せよ。また等号が成立するのは $x_1=x_2$, $y_1=y_2$, $z_1=z_2$ のときに限ることを示せ。　(信州大)

Baba のレクチャー

シュワルツの不等式 $(a_1^2+a_2^2)(b_1^2+b_2^2) \geqq (a_1b_1+a_2b_2)^2$ ……(ア)

は，(左辺)－(右辺)$=(a_1b_2-a_2b_1)^2 \geqq 0$ と証明してもいいけれど，次のように，成分表示されたベクトルで考えると分かりやすい。

$\vec{a}=(a_1, a_2)$, $\vec{b}=(b_1, b_2)$ とおくと，(ただし，$\vec{a} \neq \vec{0}$, $\vec{b} \neq \vec{0}$ とする)

$|\vec{a}|^2=a_1^2+a_2^2$, $|\vec{b}|^2=b_1^2+b_2^2$, $\vec{a}\cdot\vec{b}=a_1b_1+a_2b_2$ だね。

ここで，$|\vec{a}|^2\cdot|\vec{b}|^2 \geqq |\vec{a}|^2\cdot|\vec{b}|^2\cos^2\theta$ ……(イ)　(θ：$\vec{a}$ と $\vec{b}$ のなす角)

($|\vec{a}|^2\cdot|\vec{b}|^2\cos^2\theta$ は $(\vec{a}\cdot\vec{b})^2$ のこと)

が成り立つのは明らかだね。$\cos^2\theta \leqq 1$ だからだ。よって，(イ) は，

$|\vec{a}|^2\cdot|\vec{b}|^2 \geqq (\vec{a}\cdot\vec{b})^2$ となる。

これを成分で表示すると，シュワルツの不等式

$$(a_1^2+a_2^2)(b_1^2+b_2^2) \geqq (a_1b_1+a_2b_2)^2 \text{……(ア)}$$

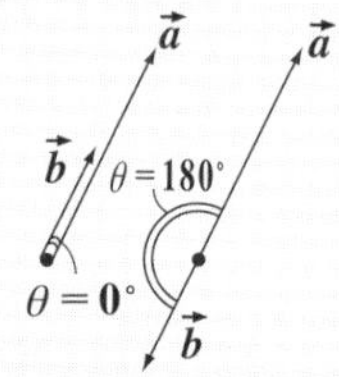

が出てくるんだ。納得いった？

等号が成り立つのは，$\cos\theta=\pm 1$，すなわち $\theta=0^\circ$ または 180° のときだから，$\vec{a}/\!/\vec{b}$ (平行)，つまり $\vec{a}=k\vec{b}$ のときなんだね。

また，$\vec{a}=\vec{0}$, $\vec{b}=\vec{0}$ のときも (ア) は成り立つね。

これは平面ベクトルだったんだけれど，この空間ベクトル・ヴァージョンが，今回の問題だったんだ。同様に解けばいいんだね。

解答＆解説

(1) $\vec{a}=(a_1,\ a_2,\ a_3)$，$\vec{b}=(b_1,\ b_2,\ b_3)$ $(\vec{a}\neq\vec{0},\ \vec{b}\neq\vec{0})$ とおくと，

$|\vec{a}|^2=a_1{}^2+a_2{}^2+a_3{}^2$ ……①，$|\vec{b}|^2=b_1{}^2+b_2{}^2+b_3{}^2$ ……②

$(\vec{a}\cdot\vec{b})^2=(a_1b_1+a_2b_2+a_3b_3)^2$ ……③

ここで，明らかに次式が成り立つ。

$|\vec{a}|^2\cdot|\vec{b}|^2\geqq|\vec{a}|^2|\vec{b}|^2\cos^2\theta=(\vec{a}\cdot\vec{b})^2$ ……④

(θ：$\vec{a}$ と $\vec{b}$ のなす角)

①，②，③を④に代入すると，与不等式

$(a_1{}^2+a_2{}^2+a_3{}^2)(b_1{}^2+b_2{}^2+b_3{}^2)\geqq(a_1b_1+a_2b_2+a_3b_3)^2$ …………(＊)

が成り立つ。等号成立条件は，$\vec{a}=k\vec{b}$ (k：0 でない実数)

また，$\vec{a}=\vec{0}$，または $\vec{b}=\vec{0}$ のときも(＊)は成り立つ。

以上より，(＊)の成立が証明された。 ……………………………………(終)

(2) $x_1{}^2+y_1{}^2+1=z_1{}^2$ ……⑤，$x_2{}^2+y_2{}^2+1=z_2{}^2$ ……⑥

これから $\vec{u}=(x_1,\ y_1,\ 1)$　これから $\vec{v}=(x_2,\ y_2,\ 1)$ を考える！

よって，$|\vec{u}|^2\cdot|\vec{v}|^2\geqq(\vec{u}\cdot\vec{v})^2$ ………(＊)が言えるんだね。

ここで，(＊)より次式が成り立つ。

$(x_1{}^2+y_1{}^2+1^2)(x_2{}^2+y_2{}^2+1^2)\geqq(x_1x_2+y_1y_2+1\cdot1)^2$ ……⑦

（$=z_1{}^2$，$=z_2{}^2$）

⑤，⑥を⑦に代入して，

$(x_1x_2+y_1y_2+1)^2\leqq(z_1z_2)^2$ （⊕）

ここで，$z_1z_2>0$ より，

$-z_1z_2\leqq\boxed{x_1x_2+y_1y_2+1\leqq z_1z_2}$

$A^2\leqq2^2$ のとき，$-2\leqq A\leqq2$ だからね。

$\therefore\ x_1x_2+y_1y_2-z_1z_2+1\leqq0$ …………(＊＊) が成り立つ。………………(終)

等号が成り立つとき，$(x_1,\ y_1,\ 1)=k(x_2,\ y_2,\ 1)=(kx_2,\ ky_2,\ k)$

両辺の z 成分を比較して，$k=1$

$\therefore\ x_1=x_2$，$y_1=y_2$

このとき，⑤，⑥より，$z_1{}^2=z_2{}^2$

$\therefore\ z_1=z_2$ ($\because\ z_1z_2>0$ より，z_1 と z_2 は同符号。$\therefore\ z_1\neq-z_2$)

以上より，(＊＊)の等号成立条件は，$x_1=x_2$，$y_1=y_2$，$z_1=z_2$ …(終)

図形的な性質を利用する論証問題

演習問題 5	難易度 ★★★	CHECK1	CHECK2	CHECK3

円周率が **3.05** より大きいことを証明せよ。　　（東京大）

Baba のレクチャー

円周率 π が $\pi = 3.14159\cdots$ という無理数であることは，みんな知っての通りだ。ここで，$\pi > 3$ を示したかったら，図ア（i）のように半径 **1** の円とそれに内接する正六角形の周の長さを比較すればいい。円周の長さ $2\pi \times 1 = 2\pi$ は正六角形の周長 $6 \times 1 = 6$ より大きいので，

$2\pi > 6$　　$\therefore \pi > 3$ が導ける。

（これは，図ア（ii）に示すように，円弧の長さは必ず弦の長さより大きくなるからなんだね。）

図ア（i）

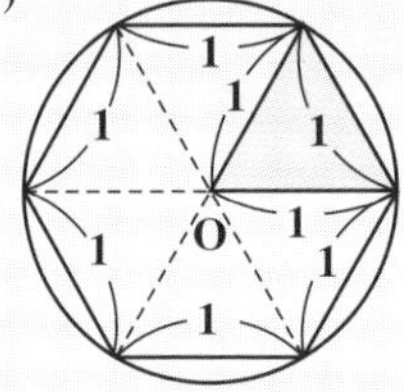

（ii）

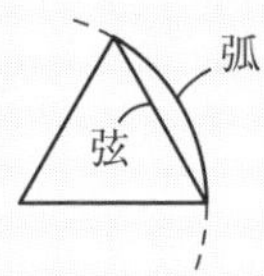

今回の問題では，$\pi > 3.05$ を示したいわけだから，円に内接する正六角形をさらに細密にして，正八角形でうまくいくんじゃないかと考えた人，正解だ！ もちろん，それでうまくいかなかったら正十二角形，正十六角形，… とさらに円に近い正多角形を利用すればいいだけだ。今回は正八角形でうまくいくよ。

図 **1** に示すように，中心 **O** をもつ半径 **1** の円と，それに内接する正八角形 $A_1A_2A_3\cdots A_8$ を考える。二等辺三角形 OA_1A_2 について，**O** から線分 A_1A_2 に下した垂線の足を **H** とおく。直角三角形 OA_1H について $\angle A_1OH = \frac{\pi}{8}$ より，

$A_1H = \sin\frac{\pi}{8}$ となる。← $\left(\frac{A_1H}{1} = \sin\frac{\pi}{8}\text{ より}\right)$

また，$A_1A_2 = 2A_1H = 2\sin\frac{\pi}{8}$ より，この正八角形の周長は，$8 \cdot A_1A_2 = 16\sin\frac{\pi}{8}$ となる。

図 1

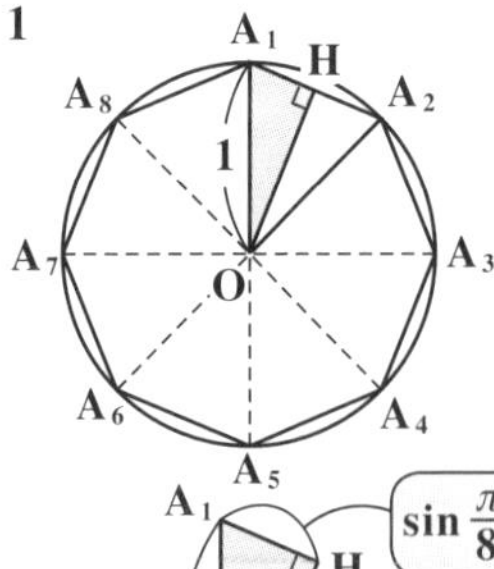

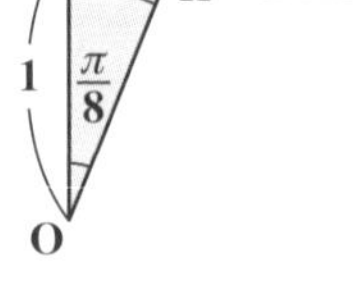

この正八角形の周長より，この円の周の長さ 2π は明らかに大きい。

よって，$2\pi > 16\sin\frac{\pi}{8}$　　$\pi > 8\sin\frac{\pi}{8}$ ……①が成り立つ。

ここで，$\sin^2\frac{\pi}{8} = \frac{1-\cos\frac{\pi}{4}}{2} = \frac{1-\frac{\sqrt{2}}{2}}{2} = \frac{2-\sqrt{2}}{4}$

①の両辺は正より，この両辺を 2 乗して，

$\pi^2 > 64\cdot\sin^2\frac{\pi}{8} = 64\cdot\frac{2-\sqrt{2}}{4} = 16(2-\sqrt{2})$ ……②が成り立つ。

ここで，$16(2-\sqrt{2}) > 3.05^2$ ……③が成り立つことが示せればよい。

$(③の左辺)-(③の右辺) = 16(2-\sqrt{2}) - 3.05^2$

$= 32 - 16\sqrt{2} - 9.3025$

$= 22.6975 - 16\sqrt{2}$

ここで，$\frac{22.6975}{16} = 1.418\cdots > \sqrt{2}$ となるので，（$\sqrt{2}$ = 1.414…）

$22.6975 > 16\sqrt{2}$ となる。

$\therefore$ $(③の左辺)-(③の右辺) > 0$ より，③は成り立つ。

よって，②，③より，

$\pi^2 > 16(2-\sqrt{2}) > 3.05^2$ となるから，

$\pi^2 > 3.05^2$

$\therefore$ $\pi > 3.05$ は成り立つ。……………………………………………………(終)

円に内接する正八角形のイメージがつかめれば，多少計算がメンドウではあるけれど，東大の問題の中では解きやすい問題だったと思う。確実に得点しよう。

ガウス記号と論証問題

演習問題 6	難易度 ★★★★	CHECK1	CHECK2	CHECK3

実数 x に対して，x 以下の整数のうちで最大のものを $[x]$ と書くことにする。$c>1$ として，$a_n=\dfrac{[nc]}{c}$ $(n=1,\ 2,\ 3,\ \cdots)$ とおく。

以下の (1)，(2)，(3) を証明せよ。

(1) すべての n に対して，$[a_n]$ は n または $n-1$ に等しい。

(2) c が有理数のとき，$[a_n]=n$ となる n が存在する。

(3) c が無理数のときは，すべての n に対して $[a_n]=n-1$ となる。

(北海道大)

Babaのレクチャー

実数 x が整数 n に対して，

$n\leqq x<n+1$ ……㋐ ならば，

$[x]=n$ …………㋑ となるんだね。

(たとえば，$3\leqq 3.2<4$ ならば，$[3.2]=3$ となるからね。)

㋑を㋐に代入すると，$\underbrace{[x]\leqq x}_{(\text{i})}<[x]+1$ より，（(ii)：$x<[x]+1$）

(i) $[x]\leqq x$，かつ (ii) $x<[x]+1$　この (ii) より，$x-1<[x]$

以上 (i)(ii) より，ガウス記号 $[x]$ について最も重要な不等式

$x-1<[x]\leqq x$ が導ける。これはガウス記号の入った式の

極限の“**はさみ打ち**”のときでも威力を発揮する重要公式だ！

解答＆解説

$a_n=\dfrac{[nc]}{c}$ $(n=1,\ 2,\ 3,\ \cdots,\ \ c>1)$ とおく。

(1) 一般に，

$nc-1<[nc]\leqq nc$ ……①　（ガウス記号の重要公式 $x-1<[x]\leqq x$ を使った！）

が成り立つ。ここで，$c>1$ より，①の各辺を c で割って，

$n-\dfrac{1}{c}<\dfrac{[nc]}{c}\leqq n$　（$\dfrac{[nc]}{c}=a_n$）

ここで，$0<1<c$ より，この各辺を正の数 c で割って，$0<\frac{1}{c}<1$ となる。

$\therefore\ n-1<n-\frac{1}{c}<a_n\leqq n$ となる。

よって，$[a_n]=n$ または $n-1$ となる。……………………………………(終)

$a_n=n$ のときのみ，$[a_n]=n$ だね。それ以外のときは，
$n-1<a_n<n$ より，$[a_n]=n-1$ となる。

(2) $[a_n]=n$ となるとき，(1) より，$a_n=n$　　よって，$a_n=\frac{[nc]}{c}=n$ から，

$[nc]=nc$ ……② となる。

②は，nc が整数であることを表している。←（たとえば，$[5]=5$ だね。）

ここで，c が有理数のとき，$c=\frac{l}{k}$ (k，l は互いに素な整数) とおけるので，

$nc=n\times\frac{l}{k}$ となる。

よって，n を k の倍数となるようにとれば，nc は整数となる。逆に，有理数 c が与えられたとき，このように n をとれば，$[nc]=nc$ から，$[a_n]=n$ となる。

以上より，c が有理数のとき，$[a_n]=n$ となる整数 n が存在する。…(終)

(3) c が無理数のとき，ある n に対して，$[a_n]=n$ となると仮定しよう。

これから，矛盾を導いて $[a_n]\neq n$ を示せば，(1) の結果から，c が無理数のとき，すべての n に対して，$[a_n]=n-1$ が導ける！ これは背理法だ！

このとき $[nc]=nc$ となって，$nc=m$ (整数) とおけるので，

$c=\frac{m}{n}$ (有理数) となる。これは，c が無理数であることに矛盾する。

$\therefore\ c$ が無理数のとき，$[a_n]\neq n$ より，(1) の結果から，
すべての n に対して，$[a_n]=n-1$ となる。……………………………(終)

結構難しかった？ そうだね。論証問題は慣れるまで時間がかかるものなんだ。繰り返し練習して，思考回路を頭の中に作ることが大切だ！ 頑張ろうな！

テーマ2 確率と確率分布

● 確率と，漸化式や極限の融合までマスターしよう！

今回は，“**確率と確率分布**”について，詳しく解説しよう。一般に確率計算を苦手とする人は結構多いんだけど，理系の受験問題の場合，これにさらに，$\sum$ 計算や漸化式，それに数列の極限などの要素が加わってくるので，複雑に感じられるんだね。

エッ？ 前途多難だって？ 大丈夫だよ。だからこそ，また良問を選んでおいたんだからね。星の数ほどある毎年の受験問題の中から，キミ達に本当に役に立つ問題を厳選して，それをていねいに解説していくから，心配はいらないよ。この講義を信じて練習に励んでくれ。

それでは，今回取り扱うメインテーマを下に書いておこう。

(1) 確率分布と期待値，および $\sum$ 計算

(2) 確率と無限等比級数の融合

(3) 確率と漸化式の融合

(4) 確率と漸化式，および期待値と無限等比級数の融合

(1) では，期待値 $E(X)$ の計算が出てくる。当然，期待値は，次の公式を使って計算するんだね。

期待値の公式

期待値 $E(X)=\sum_{k=1}^{n} x_k\cdot p_k$ $[=\sum(\text{確率変数})\times(\text{確率})]$

また，この $\sum$ 計算も正確に迅速に行うことがポイントだね。

(2) の確率計算では，余事象の確率も利用する。また，後半の確率 a_k は，等比数列 $a_k = a_1 \cdot r^{k-1}$ の形になるので，この無限等比級数の計算では，当然次の公式が有効だ。

無限等比級数

$$\sum_{k=1}^{\infty} a_k = \sum_{k=1}^{\infty} a_1 \cdot r^{k-1} = \frac{a_1}{1-r} \quad (\text{ただし，} \underline{-1 < r < 1})$$

（収束条件）

(3)，(4) は，確率と漸化式の融合問題で，第 n 回目（第 n 日目，第 n 項目までの和などなど）に事象 A の起こる確率 p_n を求めるんだね。この場合，第 n 回目と第 $n+1$ 回目の関係図（模式図）を用いると，p_n と p_{n+1} との間の関係式，つまり漸化式が求まるので，後は，この漸化式を解いて，一般項 p_n を求めるんだよ。典型例を下に示す。

確率と漸化式の解法パターン

第 n 回目にある事象 A の起こる確率 p_n を，次の模式図で考える。

（第 n 日目，第 n 項目までの和など，なんでもかまわない。）

第 n 回目　　　　　　　　　第 $n+1$ 回目

p_n（起こる）$\xrightarrow{\ a\ }$ p_{n+1}（起こる）

$1-p_n$（起こらない）$\xrightarrow{\ b\ }$ p_{n+1}

（i）a：第 n 回目に事象 A が起こったという条件の下で，第 $n+1$ 回目も事象 A が起こる確率

（ii）b：第 n 回目に事象 A が起こらなかったという条件の下で，第 $n+1$ 回目に事象 A が起こる確率

以上より，$p_{n+1} = ap_n + b(1-p_n)$（漸化式）が導ける。これと初項 p_1（または p_0）の値から，一般項 p_n を求めることができる。

それでは，演習問題で，自分の腕をどんどん磨いていくといいね！

演習問題 7 難易度 ★★★ CHECK1 CHECK2 CHECK3

n を 3 以上の自然数とする。2 つの箱 X と Y があり，どちらの箱にも 1 から n までの n 枚の番号札が入っている。

A と B の 2 人のうち，A は箱 X から札を 1 枚取り出し，取り出した札の番号を得点とする。B は箱 Y から札を 1 枚取り出し，もし取り出した札の番号が 3 から n までのいずれかであればその番号を得点とし，もし取り出した札の番号が 1 または 2 のいずれかであれば，その札を箱 Y に戻し，再び箱 Y から札を 1 枚取り出し，取り出した札の番号を B の得点とする。

(1) m を n 以下の自然数とする。B の得点が m になる確率を $P(m)$ とおく。確率分布 $P(m)$ $(m=1, 2, 3, \cdots, n)$ を求め，m の期待値 $E(m)$ を求めよ。

(2) A の得点より B の得点が大きくなる確率 Q_n を求めよ。

(北海道大＊)

ヒント！ (1) 確率 $P(m)$ は，(i) $m=1, 2$ のときと，(ii) $m=3, 4, \cdots, n$ の 2 通りに場合分けして求め，m の期待値は，公式 $E(m)=\sum_{m=1}^{n} m\cdot P(m)$ を使って求めよう。(2) の確率 Q_n も，(1) と同様に m による場合分けをして求め，その和を Σ 計算により集計すればいいんだね。

解答＆解説

(1) B は 1, 2, 3, …, n $(n \geqq 3)$ の番号の付いた札の入った箱 Y から 1 枚を取り出し，取り出した札の番号が，

(i) 1, 2 のときは，その札を箱 Y に戻し，もう 1 度箱から取り出した札の番号を B の得点 m とし，

(ii) 3, 4, …, n のときは，その番号を B の得点 m とする。

よって，B の得点が m となる確率 $P(m)$ $(m=1, 2, 3, \cdots, n)$ を求めると，

(i)・$m=1$ となる確率 $P(1)$ は，$P(1)=\frac{2}{n}\times\frac{1}{n}=\frac{2}{n^2}$ となり，

（1 回目に，1 または 2 の札を引き）（2 回目に 1 の札を引く）

・$m=2$ となる確率 $P(2)$ も同様に，$P(2)=\frac{2}{n}\times\frac{1}{n}=\frac{2}{n^2}$ となる。

（1 回目に，1 または 2）（2 回目に 2 を引く）

(ii) $m = 3, 4, \cdots, n$ のとき，

$$P(m) = \underbrace{\frac{1}{n}}_{\text{1回目に}m\text{を引く}} + \underbrace{\frac{2}{n} \times \frac{1}{n}}_{\text{1回目に1または2を引き，2回目に}m\text{を引く}} = \frac{1}{n} + \frac{2}{n^2} = \frac{n+2}{n^2}$$ となる。

以上 (i)(ii) より，確率分布 $P(m)$ は，

$$P(m) = \begin{cases} \dfrac{2}{n^2} & (m = 1, 2 \text{ のとき}) \\ \dfrac{n+2}{n^2} & (m = 3, 4, \cdots, n \text{ のとき}) \end{cases}$$ となる。 ……① ………(答)

$$\sum_{m=1}^{n} P(m) = P(1) + P(2) + \sum_{m=3}^{n} P(m) = \frac{2}{n^2} + \frac{2}{n^2} + \sum_{m=3}^{n} \underbrace{\frac{n+2}{n^2}}_{m\text{から見たら，定数扱い}}$$

$$= \frac{4}{n^2} + \frac{n+2}{n^2} \times \overbrace{(n-2)}^{\text{項数}} = \frac{4}{n^2} + \frac{n^2-4}{n^2} = \frac{n^2}{n^2} = 1 \text{ (全確率)}$$

となって**OK**だ！

①より，Bの得点 m の期待値 $E(m)$ を求めると，

$$E(m) = \sum_{m=1}^{n} m \cdot P(m) = 1 \cdot P(1) + 2 \cdot P(2) + \sum_{m=3}^{n} m \cdot P(m)$$

$$= 1 \cdot \frac{2}{n^2} + 2 \cdot \frac{2}{n^2} + \sum_{m=3}^{n} m \cdot \underbrace{\frac{n+2}{n^2}}_{m\text{から見たら，定数扱い}}$$

$$= \frac{6}{n^2} + \frac{n+2}{n^2} \sum_{m=3}^{n} m = \frac{6}{n^2} + \frac{n+2}{n^2} \times \frac{1}{2}(n+3)(n-2)$$

$$3 + 4 + \cdots + n = \frac{1}{2}(\underbrace{3}_{\text{初項}} + \underbrace{n}_{\text{末項}}) \cdot (\underbrace{n-2}_{\text{項数}(=n-3+1)})$$

$$= \frac{12 + (n+3)(n^2-4)}{2n^2} = \frac{\cancel{12} + n^3 + 3n^2 - 4n - \cancel{12}}{2n^2}$$

$$= \frac{n^2 + 3n - 4}{2n}$$ である。…………………………………………(答)

(2) B の得点が $m(=1, 2, 3, \cdots, n)$ のとき，(A の得点) < (B の得点 m) となる確率を $q(m)$ とおくと，

$$P(m)=\begin{cases}\dfrac{2}{n^2} & (m=1,\ 2)\\[2mm] \dfrac{n+2}{n^2} & (m=3,\ 4,\ \cdots,\ n)\end{cases}$$

(i) ・$m=1$ のとき，(A の得点) < (B の得点 1) となることはない。よって，$q(1)=0$ である。

・$m=2$ のとき，$q(2)=\underbrace{\dfrac{1}{n}}_{\text{A が X から 1 を引く}}\times\underbrace{P(2)}_{\text{B の得点が } m=2 \text{ となる。}}=\dfrac{1}{n}\times\dfrac{2}{n^2}=\dfrac{2}{n^3}$ である。

(ii) $m=3, 4, \cdots, n$ のとき，

$$q(m)=\underbrace{\frac{m-1}{n}}_{\text{A が X から 1, 2, …, } m-1 \text{ のいずれかを引く}}\times\underbrace{P(m)}_{\text{B の得点が, } m(=3, 4, \cdots, n) \text{ になる。}}=\frac{m-1}{n}\times\frac{n+2}{n^2}=\frac{n+2}{n^3}\cdot(m-1)$$ となる。

以上 (i)(ii) より，(A の得点) < (B の得点) となる確率 Q_n は，(i)(ii) の確率 $q(m)\ (m=1, 2, 3, \cdots, n)$ の総和として求められる。

よって，求める Q_n は，

$$Q_n=\sum_{m=1}^{n}q(m)=\underbrace{q(1)}_{0}+\underbrace{q(2)}_{\frac{2}{n^3}}+\sum_{m=3}^{n}\underbrace{q(m)}_{\frac{n+2}{n^3}(m-1)}$$

（$\dfrac{n+2}{n^3}$：m から見たら，定数扱い）

$$=\frac{2}{n^3}+\frac{n+2}{n^3}\sum_{m=3}^{n}(m-1)=\frac{2}{n^3}+\frac{n+2}{n^3}\cdot\frac{1}{2}(n+1)(n-2)$$

$$2+3+\cdots+(n-1)=\frac{1}{2}(\underbrace{2}_{\text{初項}}+\underbrace{n-1}_{\text{末項}})(\underbrace{n-2}_{\text{項数}(=n-1-2+1)})$$

$$=\frac{4+(n+1)(n^2-4)}{2n^3}=\frac{\cancel{4}+n^3+n^2-4n-\cancel{4}}{2n^3}$$

$$=\frac{n^2+n-4}{2n^2}$$ である。 ……………………………………………………(答)

確率と無限級数

演習問題 8 難易度 ★★★ CHECK1 CHECK2 CHECK3

Aが持っている箱の中には，1からMまでの番号がついたカードがそれぞれ1枚ずつ，全部でM枚入っている。Bが持っている箱の中には，1からNまでの番号がついたカードがそれぞれ1枚ずつ，全部でN枚入っている。ただし，$1<M<N$とする。この2人が同時に自分の箱の中から無作為に1枚ずつカードを取り出し，番号の大きさを比べてから，もとの箱に戻す，という試行を繰り返す。各回の試行において，番号の大きいカードを取り出した方を「勝ち」とし，同じ番号の場合は「引き分け」とする。1回の試行において，引き分けとなる確率をp，Aが勝つ確率をq，Bが勝つ確率をrとおく。次の問いに答えよ。

(1) 特に，$M=3$，$N=5$の場合に，p，q，rを求めよ。

(2) p，q，rを，M，Nを用いて表せ。

(3) この試行をk回繰り返す。k回目に初めて勝ち負けが生じる確率a_kを求めよ。

(4) 無限級数$\sum_{k=1}^{\infty} a_k$を求めよ。　　　　(九州大＊)

ヒント！ (1)，(2)は共に，(ある事象の場合の数)÷(全事象の場合の数)で計算できる。余事象の確率をうまく使ってくれ。(3)，(4)は，等比数列と無限等比級数の問題になるから，公式通りに解くといいよ。

解答＆解説

(1) ・$M=3$より，Aが取り出すカードの番号をaとおくと，
$a=1, 2, 3$の3通り。

・$N=5$より，Bが取り出すカードの番号をbとおくと，
$b=1, 2, 3, 4, 5$の5通り。

以上より，全場合の数は，$3\times5=15$通り。

(i) このうち，引き分けとなるのは，$(a, b)=(1, 1), (2, 2), (3, 3)$の3通りより，$p=\frac{3}{15}=\frac{1}{5}$ ……………………(答)

(ⅱ) A が勝つのは，$(a, b)=(2, 1)$，$(3, 1)$，$(3, 2)$ の 3 通りより，

$$q=\frac{3}{15}=\frac{1}{5} \quad \cdots\cdots\cdots(\text{答})$$

(ⅲ) B が勝つ確率 r は，余事象の確率 $p+q$ を用いて，

$$r=\underbrace{1}_{\text{全確率}}-\underbrace{(p+q)}_{\text{余事象の確率}}=1-\left(\frac{1}{5}+\frac{1}{5}\right)=\frac{3}{5} \quad \cdots\cdots\cdots(\text{答})$$

(2) (1) と同様に，カードを取り出す全場合の数は，$M \times N$ 通り。

(ⅰ) このうち引き分けとなるのは，$(a, b)=(1, 1)$，$(2, 2)$，……，(M, M) の M 通りより，

$$p=\frac{M}{MN}=\frac{1}{N} \quad \cdots\cdots\cdots(\text{答})$$

(ⅱ) A が勝つのは，$(a, b)=(2, \underset{1}{b})$，$(3, \underset{1,\,2}{b})$，$(4, \underset{1,\,2,\,3}{b})$，…，$(M, \underset{1,\,2,\,\cdots,\,M-1}{b})$ より，$1+2+3+\cdots+(M-1)=\frac{1}{2}M\cdot(M-1)$ 通り。

よって，$q=\dfrac{\frac{1}{2}\cdot M(M-1)}{M\cdot N}=\dfrac{M-1}{2N}$ ………(答)

(ⅲ) B が勝つ確率 r は，余事象の確率 $p+q$ を用いて，

$$r=1-(p+q)=1-\left(\frac{1}{N}+\frac{M-1}{2N}\right)=\frac{2N-M-1}{2N} \quad \cdots\cdots\cdots(\text{答})$$

(3) はじめの $k-1$ 回が引き分けで，k 回目に勝敗が決まる確率 a_k は，

$$a_k=p^{k-1}\cdot(1-p)=\left(\frac{1}{N}\right)^{k-1}\cdot\left(1-\frac{1}{N}\right) \cdots\cdots\cdots(\text{答})$$

(4) $a_k=\left(\underset{a_1}{1-\frac{1}{N}}\right)\cdot\left(\underset{r}{\frac{1}{N}}\right)^{k-1}$ $(k=1, 2, 3, \cdots)$

数列 $\{a_k\}$ は，初項 $a_1=1-\frac{1}{N}$，公比 $r=\frac{1}{N}$ の等比数列で，

収束条件：$-1<r<1$ をみたすので，求める無限等比級数は，

$$\sum_{k=1}^{\infty} a_k=\frac{a_1}{1-r}=1 \quad \cdots\cdots\cdots(\text{答})$$

確率と漸化式(Ⅰ)

演習問題 9 難易度 ★★★ CHECK1 CHECK2 CHECK3

点 **P** が数直線上の整数点(座標が整数である点)を次の規則に従って，正の方向に移動していく。

(ⅰ) 最初の時点での **P** の座標は **0** である(**P** は原点 **O** の上にある)。

(ⅱ) ある時点での **P** の座標が k のとき，次の時点で **P** は座標 $k+1$ の点か，または座標 $k+2$ の点のどちらかに，それぞれ $\frac{1}{2}$ の確率で移動する。

正の整数 n に対して，ある時点で **P** の座標が n となる確率(すなわち，**P** が座標 n の点を飛びこえてしまわない確率)を $p_n\ (n=1,\ 2,\ 3,\ \cdots)$ とおく。

(1) p_1，p_2 を求め，p_n を n の式で表せ。

(2) $\lim_{n\to\infty} p_n$ を求めよ。　　(慶応大＊)

ヒント！ 点 **P** は初め原点にあるので，確率 $p_0=1$ となる。よって，$p_1=\frac{1}{2}\cdot p_0$，$p_2=\frac{1}{2}p_1+\frac{1}{2}p_0$ となる。同様に，$p_{n+2}=\frac{1}{2}p_{n+1}+\frac{1}{2}p_n$ の漸化式が導けるので，これを解けばいいね。

解答＆解説

(1) 初め点 **P** は原点 **O** にあるので，$p_0=1$

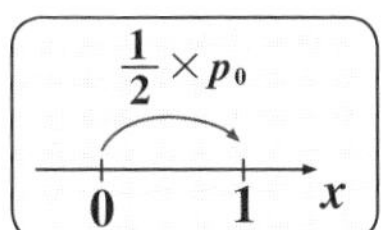

よって，点 **P** が座標 **1** にくる確率 p_1 は，$p_1=\frac{1}{2}\cdot \underset{1}{p_0}=\frac{1}{2}$ …………(答)

また，点 **P** が座標 **2** にくる確率 p_2 は，

$$p_2=\underbrace{\frac{1}{2}\times \overset{\frac{1}{2}}{p_1}}_{\text{隣りの1から来る}}+\underbrace{\frac{1}{2}\times \overset{1}{p_0}}_{\text{0から1をまたいで来る}}=\frac{1}{4}+\frac{1}{2}=\frac{3}{4}$$ となる。

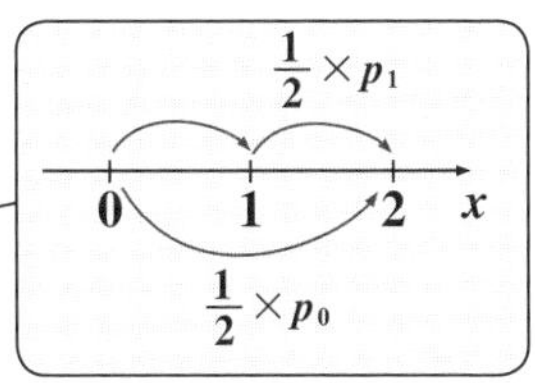

……………………………………(答)

同様に考えて，p_{n+2} と p_{n+1} と p_n の関係式は，

$$p_{n+2}=\frac{1}{2}p_{n+1}+\frac{1}{2}p_n$$ となる。

隣の $n+1$ から来る　　n から $n+1$ をまたいで来る

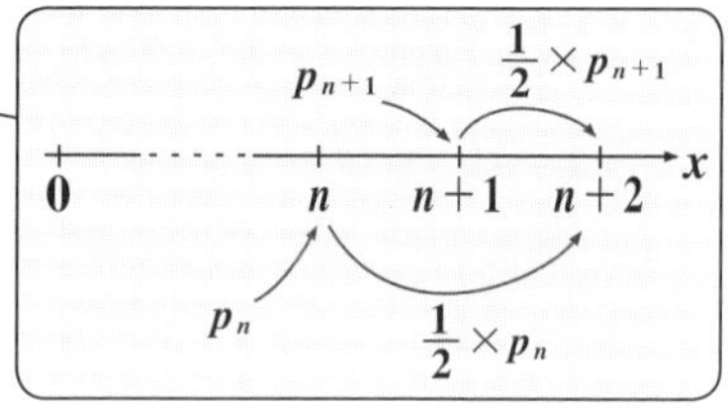

これを変形して，

$$2p_{n+2}-p_{n+1}-p_n=0$$ ← 3項間の漸化式

以上より，確率 p_n は，次の式で定義される。

$$\begin{cases} p_1=\frac{1}{2},\ p_2=\frac{3}{4} \\ 2p_{n+2}-p_{n+1}-p_n=0 \ \cdots\cdots ① \ (n=1,\ 2,\ \cdots) \end{cases}$$

3項間の漸化式の解法
①の特性方程式
$2x^2-x-1=0$
$(2x+1)(x-1)=0$
の解 $x=-\frac{1}{2}$ と 1 を
用いて解く。

①を変形して，

$$\begin{cases} p_{n+2}-1\cdot p_{n+1}=-\frac{1}{2}(p_{n+1}-1\cdot p_n) & \left[F(n+1)=-\frac{1}{2}F(n)\right] \\ p_{n+2}+\frac{1}{2}\cdot p_{n+1}=1\cdot\left(p_{n+1}+\frac{1}{2}p_n\right) & [G(n+1)=1\cdot G(n)] \end{cases}$$

これから，

$$\begin{cases} p_{n+1}-p_n=(\underbrace{p_2}_{\frac{3}{4}}-\underbrace{p_1}_{\frac{1}{2}})\left(-\frac{1}{2}\right)^{n-1} & \left[F(n)=F(1)\cdot\left(-\frac{1}{2}\right)^{n-1}\right] \\ p_{n+1}+\frac{1}{2}p_n=\left(\underbrace{p_2}_{\frac{3}{4}}+\frac{1}{2}\underbrace{p_1}_{\frac{1}{2}}\right)\cdot 1^{n-1} & [G(n)=G(1)\cdot 1^{n-1}] \end{cases}$$

$$\therefore \begin{cases} p_{n+1}-p_n=\frac{1}{4}\left(-\frac{1}{2}\right)^{n-1} \ \cdots\cdots ② \\ p_{n+1}+\frac{1}{2}p_n=1 \ \cdots\cdots\cdots\cdots\cdots\cdots ③ \end{cases}$$

③－②より，$\frac{3}{2}p_n=1-\frac{1}{4}\left(-\frac{1}{2}\right)^{n-1}$

$$\therefore p_n=\frac{2}{3}\left\{1-\frac{1}{4}\left(-\frac{1}{2}\right)^{n-1}\right\}=\frac{1}{3}\left\{2+\left(-\frac{1}{2}\right)^n\right\}$$ となる。…………………(答)

$\left(-\frac{1}{2}\right)^n = -\frac{1}{2}\cdot\left(-\frac{1}{2}\right)^{n-1}$

Babaのレクチャー

今回の確率 p_n は，2項間の漸化式から求めることもできるんだよ。

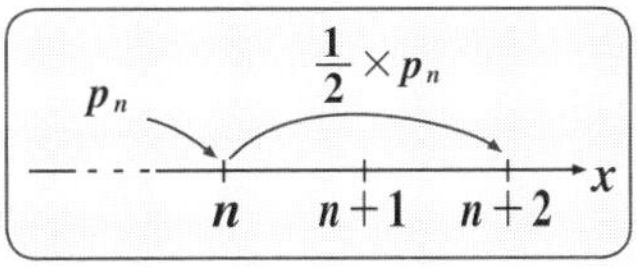

点Pが，座標 $n+1$ にこない確率 $(=1-p_{n+1})$ は，点Pが座標 n にきた後，座標 $n+1$ をまたいで，座標 $n+2$ にいく確率 $\left(=\frac{1}{2}p_n\right)$ に等しいので，

$1-p_{n+1}=\frac{1}{2}p_n \quad \therefore p_{n+1}=-\frac{1}{2}p_n+1$

（n から，$n+1$ をまたいで，$n+2$ に行く）

よって，

$p_1=\frac{1}{2}$，$p_{n+1}=-\frac{1}{2}p_n+1$ ……㋐ $(n=1,\ 2,\ \cdots)$

> 2項間の漸化式の解法
> ㋐の特性方程式
> $x=-\frac{1}{2}x+1$
> $\frac{3}{2}x=1 \quad \therefore x=\frac{2}{3}$
> これを使って解く。

㋐を変形して，

$p_{n+1}-\frac{2}{3}=-\frac{1}{2}\left(p_n-\frac{2}{3}\right) \quad \left[F(n+1)=-\frac{1}{2}F(n)\right]$

$p_n-\frac{2}{3}=\left(\underset{\frac{1}{2}}{p_1}-\frac{2}{3}\right)\cdot\left(-\frac{1}{2}\right)^{n-1} \quad \left[F(n)=F(1)\cdot\left(-\frac{1}{2}\right)^{n-1}\right]$

$\therefore p_n=\frac{2}{3}-\frac{1}{6}\left(-\frac{1}{2}\right)^{n-1}=\frac{1}{3}\left\{2+\left(-\frac{1}{2}\right)^n\right\}$ と，同じ結果が導けた！

どう？ 考え方が面白かっただろう？

(2) $p_n=\frac{1}{3}\left\{2+\left(-\frac{1}{2}\right)^n\right\}$ $(n=1,\ 2,\ 3,\ \cdots)$ より，

求める p_n の極限の値は，

$\lim_{n\to\infty}p_n=\lim_{n\to\infty}\frac{1}{3}\left\{2+\underbrace{\left(-\frac{1}{2}\right)^n}_{\to 0}\right\}=\frac{2}{3}$ となる。 ……………………(答)

確率と漸化式(Ⅱ)

演習問題 10　難易度★★★★　CHECK1　CHECK2　CHECK3

つぼA，Bがあり，はじめに，つぼAには赤玉1個と白玉1個が，つぼBには白玉のみが4個入っている。次の一連の操作をまとめて1回の試行とし，この試行を繰り返し行う。
つぼAから無作為に玉を1個取り出し，つぼBに入れ，次に，
つぼBから無作為に玉を1個取り出し，つぼAに入れる。
n 回目の試行の直後に，つぼAに入っている赤玉が1個である確率を P_n とする。以下に答えよ。

(1) 数列 $\{P_n\}$ に関する漸化式を求め，P_n を n を用いて表せ。

(2) 確率変数 X_k は，k 回目の試行の直後につぼAに入っている赤玉が1個であれば2，つぼAに入っている赤玉が0個であれば -1 の値をとるものとする。X_k の期待値 E_k を求め，さらに $\sum_{k=1}^{\infty} E_k$ を求めよ。

(九州工業大＊)

ヒント！ (1)は確率と漸化式の問題だから，模式図を使って，P_n と P_{n+1} との関係式を求めるんだね。(2)の期待値 E_k は，$E_k = 2 \times P_k + (-1) \times (1 - P_k)$ で計算できるよ。頑張れ！

解答＆解説

(1) はじめ，つぼAには，赤玉，白玉が1個ずつ，つぼBには，白玉4個が入っていて，次の操作を繰り返し行う。

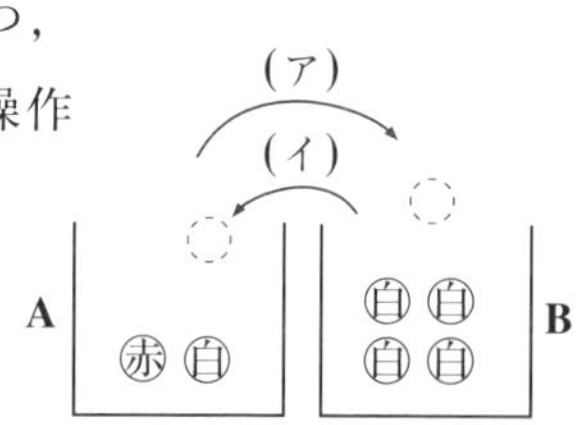

(ア) Aから，無作為に1個の玉を取り出して，Bに入れ，次に，
(イ) Bから，無作為に玉を1個取り出して，Aに入れる。

ここで，

P_n：n 回目の試行の直後，Aに入っている赤玉が1個の確率
$1 - P_n$：n 回目の試行の直後，Aに入っている赤玉が0個の確率

とおく。このとき，n 回目と $n+1$ 回目の確率を次の模式図で示す。

n 回目 $\qquad\qquad\qquad\qquad$ $n+1$ 回目

P_n (赤玉 1 個) $\xrightarrow{a=\frac{3}{5}}$ P_{n+1} (赤玉 1 個)

$1-P_n$ (赤玉 0 個) $\xrightarrow{b=\frac{1}{5}}$ P_{n+1} (赤玉 1 個)

(I) $a : P_n \to P_{n+1}$ となる確率

(i)

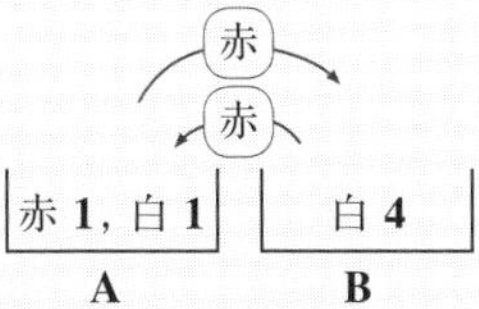

$$a=\frac{1}{2}\times\frac{1}{5}+\frac{1}{2}\times 1=\frac{3}{5}$$

(i) A から B へ赤を入れ，次に B から A に赤を戻す。

(ii) A から B へ白を入れ，次に B から A に白を戻す。

(ii)

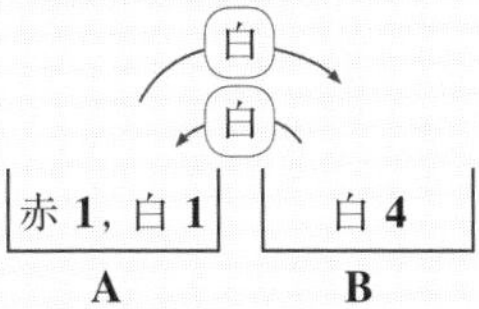

(II) $b : 1-P_n \to P_{n+1}$ となる確率

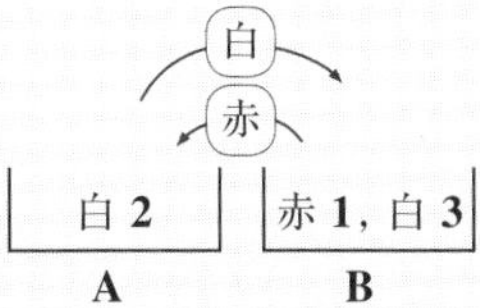

$$b=1\times\frac{1}{5}=\frac{1}{5}$$

A から B へ白を入れ，次に B から A に赤を戻す。

以上より，求める漸化式は，$P_{n+1}=\frac{3}{5}P_n+\frac{1}{5}(1-P_n)$

$\therefore\ P_0=1,\quad P_{n+1}=\frac{2}{5}P_n+\frac{1}{5}$ ……① $(n=0,\ 1,\ 2,\ \cdots)$

……………(答)

特性方程式
$x=\frac{2}{5}x+\frac{1}{5}$
$\frac{3}{5}x=\frac{1}{5}\quad\therefore\ x=\frac{1}{3}$

①を変形して，

$$P_{n+1}-\frac{1}{3}=\frac{2}{5}\left(P_n-\frac{1}{3}\right)$$

$$\left[\ F(n+1)=\frac{2}{5}\cdot\ F(n)\ \right]$$

一般に，$F(n+1)=r\cdot F(n)$
$F(n)=F(1)\cdot r^{n-1}$ ← $n=1$ スタート
$\quad=F(0)\cdot r^{n}$ ← $n=0$ スタート
$\quad=F(2)\cdot r^{n-2}$ ← $n=2$ スタート

$$P_n-\frac{1}{3}=\left(\overset{1}{P_0}-\frac{1}{3}\right)\cdot\left(\frac{2}{5}\right)^n$$

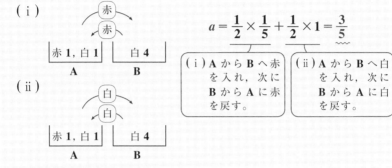

$$\left[\ F(n)=\ F(0)\ \cdot\left(\frac{2}{5}\right)^n\ \right]$$

$\therefore P_n = \frac{2}{3}\cdot\left(\frac{2}{5}\right)^n + \frac{1}{3}$ ……② ……………………………………………(答)

$(n = 0,\ 1,\ 2,\ \cdots)$

(2) k 回目の試行後に，確率変数 X_k を次のように定義する。

$$X_k = \begin{cases} 2 & (A \text{ に赤玉 } 1 \text{ 個}) \\ -1 & (A \text{ に赤玉 } 0 \text{ 個}) \end{cases}$$

確率分布

確率変数 X_k	2	-1
確率 P	P_k	$1-P_k$

この X_k の確率分布により，求める期待値 E_k は，

$E_k = 2\times P_k + (-1)\cdot(1-P_k)$ ←（$E_k = \sum$（確率変数）×（確率）だ！）

$= 3P_k - 1$

$= 3\cdot\left\{\frac{2}{3}\cdot\left(\frac{2}{5}\right)^k + \frac{1}{3}\right\} - 1$ （②より）

$= 2\cdot\left(\frac{2}{5}\right)^k$

（$k=1$ からスタートなので，$E_k = E_1\cdot r^{k-1}$ の形にまとめた！）

$\therefore E_k = \underset{E_1}{\frac{4}{5}}\cdot\left(\underset{r}{\frac{2}{5}}\right)^{k-1}$ $(k = 1,\ 2,\ 3,\ \cdots)$ ……………………………(答)

数列 $\{E_k\}$ は，初項 $E_1 = \frac{4}{5}$，公比 $r = \frac{2}{5}$ の等比数列で，

収束条件：$-1 < r < 1$ をみたす。

∴求める無限等比級数の値は，

$$\sum_{k=1}^{\infty} E_k = \frac{E_1}{1-r}$$

（$a_n = a_1\cdot r^{n-1}$ で，$-1 < r < 1$ ならば，無限等比級数 $\sum_{k=1}^{\infty} a_k$ は $\sum_{k=1}^{\infty} a_k = \frac{a_1}{1-r}$ と一発だね。）

$$= \frac{\frac{4}{5}}{1-\frac{2}{5}}$$

$= \frac{4}{3}$ ……………………………………………………(答)

確率と漸化式(Ⅲ)

演習問題 11 　難易度 ★★★★ 　CHECK1 　CHECK2 　CHECK3

図のように，正三角形を**9**つの部屋に辺で区切り，部屋**P**，**Q**を定める。**1**つの球が部屋**P**を出発し，**1**秒ごとに，そのままその部屋にとどまることなく，辺を共有する隣の部屋に等確率で移動する。球がn秒後に部屋**Q**にある確率を求めよ。 (東京大)

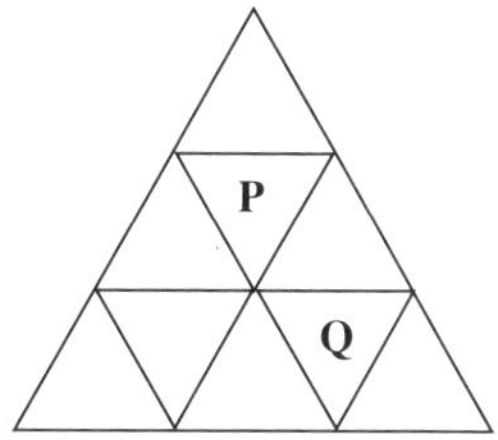

ヒント！ 左右の対称性を考慮に入れると，**9**つの部屋は**P**，**Q**，**A**，**B**，**C**，**D**の**6**つの部屋に分類できる。よって，n秒後に球がそれぞれの部屋に存在する確率をp_n，q_n，a_n，b_n，c_n，d_nとおいて，漸化式にもち込めばいいんだね。

解答＆解説

図と確率の対称性を考慮に入れると，**9**つの部屋は右図のように，**P**，**Q**，**A**，**B**，**C**，**D**の**6**通りの部屋に分類できる。また，それぞれの部屋にn秒後に球が存在する確率をp_n，q_n，a_n，b_n，c_n，d_n $(n=0,\ 1,\ 2,\ \cdots)$とおき，q_nを求める。

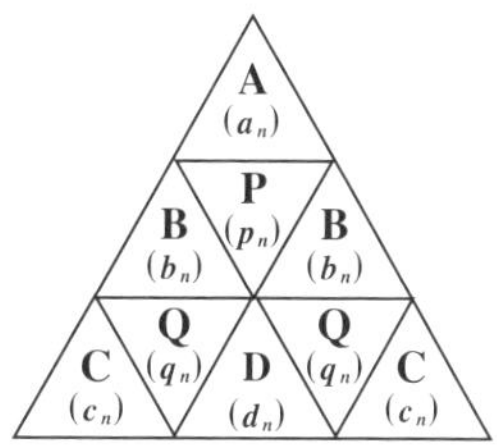

初め，球は**P**にあるので$p_0=1$である。これから，**1**秒毎に球は，隣接する部屋に等確率で移動するので，

(ⅰ) nが偶数のとき，n秒後に球は**P**，**Q**のいずれかにあり，

(ⅱ) nが奇数のとき，n秒後に球は**A**，**B**，**C**，**D**のいずれかにある。

(Ⅰ) よって，nが奇数のとき，$q_n=0$ $(n=1,\ 3,\ 5,\ 7,\ \cdots)$である。

(Ⅱ) nが偶数のとき，q_nの一般項を求める。

ここで，n秒後から$n+1$秒後の関係を調べると，p_{n+1}とq_{n+1}は，次のようになる。

$$p_{n+1}=1\cdot a_n+2\cdot\frac{1}{2}b_n \quad \cdots\cdots①$$

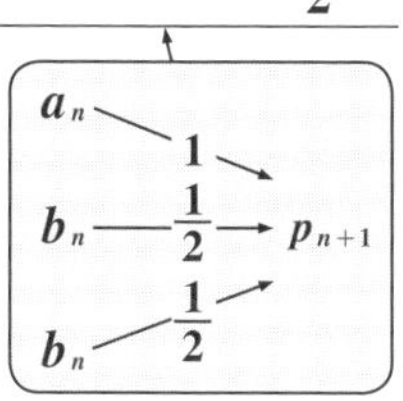

$$q_{n+1}=\frac{1}{2}b_n+1\cdot c_n+\frac{1}{2}d_n \quad \cdots\cdots②$$

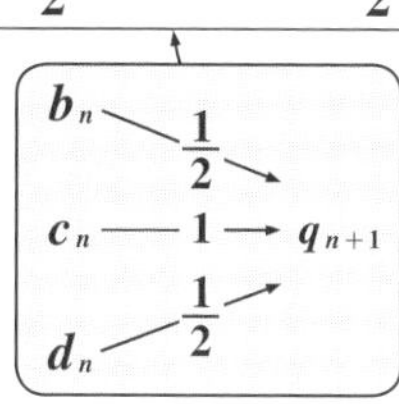

同様に，a_{n+1}，b_{n+1}，c_{n+1}，d_{n+1} は次のようになる。

$$a_{n+1}=\frac{1}{3}p_n \quad \cdots\cdots ③$$

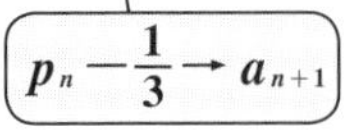

$$b_{n+1}=\frac{1}{3}p_n+\frac{1}{3}q_n \quad \cdots\cdots ④$$

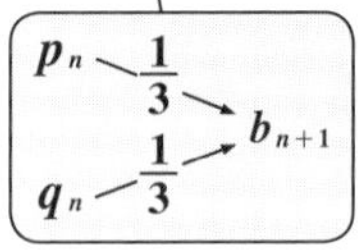

$$c_{n+1}=\frac{1}{3}q_n \quad \cdots\cdots ⑤$$

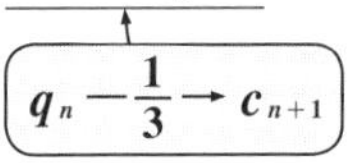

$$d_{n+1}=2\cdot\frac{1}{3}q_n \quad \cdots\cdots ⑥$$

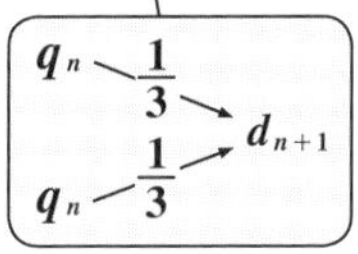

よって，$p_{n+1}=a_n+b_n \cdots ①$，$q_{n+1}=\frac{1}{2}b_n+c_n+\frac{1}{2}d_n \cdots ②$ $(n=0,\ 1,\ 2,\ \cdots)$

を $p_{n+2}=a_{n+1}+b_{n+1} \cdots ①'$，$q_{n+2}=\frac{1}{2}b_{n+1}+c_{n+1}+\frac{1}{2}d_{n+1} \cdots ②'$ として，

①′，②′ に③，④，⑤，⑥を代入してまとめると

$$\begin{cases} p_{n+2}=\dfrac{2}{3}p_n+\dfrac{1}{3}q_n \quad \cdots\cdots ⑦ \\ q_{n+2}=\dfrac{1}{6}p_n+\dfrac{5}{6}q_n \quad \cdots\cdots ⑧ \end{cases}$$ となる。

> $\cdot\ p_{n+2}=\frac{1}{3}p_n+\frac{1}{3}p_n+\frac{1}{3}q_n$
> $\cdot\ q_{n+2}=\frac{1}{2}\left(\frac{1}{3}p_n+\frac{1}{3}q_n\right)+\frac{1}{3}q_n+\frac{1}{2}\cdot\frac{2}{3}q_n$

⑧より，$p_n=6q_{n+2}-5q_n \quad \cdots\cdots ⑧'$

また，$p_{n+2}=6q_{n+4}-5q_{n+2} \quad \cdots\cdots ⑧''$

⑧′，⑧″ を⑦に代入してまとめると

> ボクたちは，q_n の漸化式を求めたいわけだから，⑧′と⑧″を⑦に代入すればいいんだね。

$$6q_{n+4}-5q_{n+2}=\frac{2}{3}(6q_{n+2}-5q_n)+\frac{1}{3}q_n$$

> $6q_{n+4}-5q_{n+2}=4q_{n+2}-3q_n$
> $6q_{n+4}-9q_{n+2}+3q_n=0$

$$2q_{n+4}-3q_{n+2}+q_n=0 \quad \cdots\cdots ⑨$$

> ⑨の漸化式を見て，ビビってはいけない。ボク達は今 $n=0,\ 2,\ 4,\ 6,\ \cdots$ のときの q_n を求めようとしているわけだから，$n=2k\ (k=0,\ 1,\ 2,\ \cdots)$ とおいて，さらに，$q_n=q_{2k}=y_k$ とおくと，$q_{n+2}=q_{2(k+1)}=y_{k+1}$，$q_{n+4}=q_{2(k+2)}=y_{k+2}$ となるので，⑨は，$2y_{k+2}-3y_{k+1}+y_k=0$ となって，見慣れた **3** 項間の漸化式になるんだね。さァ，後 **1** 歩だ！

ここで，$n=2k$，$q_{2k}=y_k\ (k=0,\ 1,\ 2,\ \cdots)$ とおく。

$y_0 = q_0 = 0$，$y_1 = q_2 = \underset{\text{P→B}}{\frac{1}{3}} \times \underset{\text{B→Q}}{\frac{1}{2}} = \frac{1}{6}$ となり，また⑨は次のようになる。

3項間の漸化式の解法
特性方程式
$2x^2 - 3x + 1 = 0$，$(2x-1)(x-1) = 0$
$\therefore x = \frac{1}{2}, 1$

$2y_{k+2} - 3y_{k+1} + y_k = 0$ ……⑨′

⑨′を変形して，

$$\begin{cases} y_{k+2} - \frac{1}{2} \cdot y_{k+1} = 1 \cdot \left(y_{k+1} - \frac{1}{2} \cdot y_k\right) & [F(k+1) = 1 \cdot F(k)] \\ y_{k+2} - 1 \cdot y_{k+1} = \frac{1}{2} \cdot \left(y_{k+1} - 1 \cdot y_k\right) & \left[G(k+1) = \frac{1}{2} \cdot G(k)\right] \end{cases}$$

アッ！という間だね！

これから，

$$\begin{cases} y_{k+1} - \frac{1}{2} y_k = \left(\underset{\frac{1}{6}}{y_1} - \frac{1}{2} \underset{0}{y_0}\right) \cdot 1^k & [F(k) = F(0) \cdot 1^k] \\ y_{k+1} - y_k = \left(\underset{\frac{1}{6}}{y_1} - \underset{0}{y_0}\right) \cdot \left(\frac{1}{2}\right)^k & \left[G(k) = G(0) \cdot \left(\frac{1}{2}\right)^k\right] \end{cases}$$

よって，

$$\begin{cases} y_{k+1} - \frac{1}{2} y_k = \frac{1}{6} & \cdots\cdots⑩ \\ y_{k+1} - y_k = \frac{1}{6} \cdot \left(\frac{1}{2}\right)^k & \cdots\cdots⑪ \end{cases}$$

⑩－⑪より，$\frac{1}{2} y_k = \frac{1}{6} - \frac{1}{6}\left(\frac{1}{2}\right)^k$ $\therefore y_k = q_{2k} = \frac{1}{3}\left\{1 - \left(\frac{1}{2}\right)^k\right\}$ となる。

最後に，$n = 2k$ より，$q_n = \frac{1}{3}\left\{1 - \left(\frac{1}{2}\right)^{\frac{n}{2}}\right\}$
と表せばいいんだね。

以上より，n 秒後に球が部屋 Q に存在する確率 q_n は，次のようになる。

$$\begin{cases} n \text{ が奇数のとき，} q_n = 0 \\ n \text{ が偶数のとき，} q_n = \frac{1}{3}\left\{1 - \left(\frac{1}{2}\right)^{\frac{n}{2}}\right\} \end{cases}$$ ……………………………………(答)

東大の理系の問題だったんだけれど，それ程難しく感じなかったって!?
いいね！その調子で頑張ろう!!

テーマ3 領域の応用と最大・最小

● ヴァリエーション豊富な応用問題をこなそう！

これから，“**領域の応用と最大・最小**”の解説に入ろう。これは“図形と方程式”の**1**分野なんだけど，思考力・応用力を試すのに最適な分野なので，受験では頻出分野の**1**つなんだ。領域と最大・最小の基本的な考え方はシンプルなので，まず例題で示しておこう。

領域と最大・最小の解法パターン

連立不等式などによって，図(i)のような領域Dが与えられたとするよ。この領域D上の点$(x,\ y)$に対して，

(i) 例えば，$x+y$の最大値・最小値を求めてみよう。

$x+y=k$ ……㋐ とおくと，

$y=-x+k$ ……㋑ と，見かけ上の直線ができる。㋑の直線は，本当は，領域D上の$(x,\ y)$でしか定義されていないから，見かけ上と言ったんだ。よって，図(i)ののように㋑と領域Dが共有点をもつように，㋑をギリギリまで動かして，k，すなわち$x+y$の最大値・最小値が求まるんだね。

図(i) 見かけ上の直線の利用

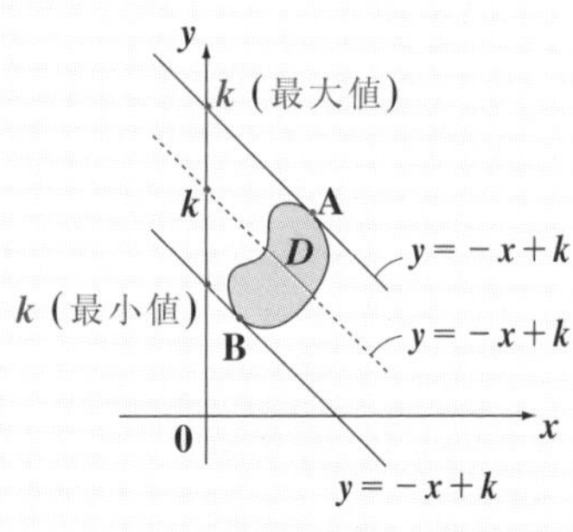

(ii) また，x^2+y^2の最大値・最小値は，$x^2+y^2=r^2$…㋒ $(r>0)$とおいて，見かけ上の円を作り，これが領域Dと共有点をもつギリギリのrの値を求め，r^2の最大値・最小値を求めればいいよ。

図(ii) 見かけ上の円の利用

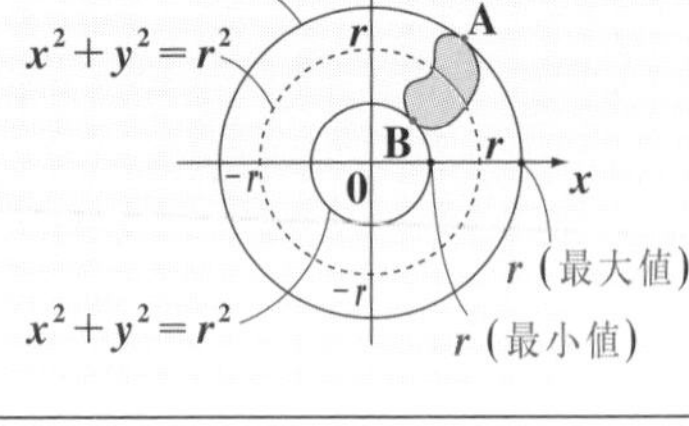

見かけ上の直線や円だけでなく，さまざまな図形を利用して，与えられた領域とギリギリ接するところまで変化させることにより，式の値の最大値や最小値が求まるんだね。

また，領域の方も，網目部で示す図形とは限らず，曲線や直線の一部が領域となることもあるから，要注意だ。このヴァリエーションの豊富さが，受験問題を作る側からみると，面白いんだろうね。

今回も，良問を **6** 題選んでおいたから，頭をシッカリ使って考えていくといいよ。それでは，今回の **6** つのメインテーマを下にまとめておこう。

(1) 領域内の格子点数と極限の応用問題

(2) **2** 重の絶対値の不等式による領域と最大・最小

(3) 基本対称式・対称式，領域と最大・最小の融合

(4) 領域と最大・最小の応用

(5) 見かけ上の円の方程式と最大・最小

(6) 見かけ上の長方形の方程式と最大・最小

どの問題も，標準的な入試問題だけれど，どれも，はじめの解法の糸口を見つけるのに苦労するかも知れない。なかなか受験問題って，手ゴワイものなんだね。だから，うまい手が浮かばない人は，はじめにヒントや解答＆解説を見てもいいよ。そして，納得したら，今度は解答を見ずに問題だけを見て，自力で解く訓練をするといいんだね。

それで，ある程度解けるようになっても，常にこの演習書を持ち歩いて，見る習慣をつけてくれ。電車やバスの中でもかまわない。パッと開いたページの問題を見て，どう解くか解法の糸口が浮かぶかどうかの練習をしておくと，数学がスバラシク強くなるんだね。是非，頑張ってくれ！

領域内の格子点の数

演習問題 12	難易度 ☆☆☆☆	CHECK1	CHECK2	CHECK3

a，m は自然数で a は定数とする。xy 平面上の点 $(a,\ m)$ を頂点とし，原点と点 $(2a,\ 0)$ を通る放物線を考える。この放物線と x 軸で囲まれる領域の面積を S_m，この領域の内部および境界線上にある格子点の数を L_m とする。このとき極限値 $\displaystyle\lim_{m\to\infty}\frac{L_m}{S_m}$ を求めよ。ただし，xy 平面上の格子点とはその点の x 座標と y 座標がともに整数となる点のことである。

(京都大)

ヒント！ まず，放物線の式を決定して，x 軸と放物線で囲まれる領域の面積を面積公式から求める。次に，この領域内の直線 $x=k$ 上の格子点数を求め，$k=0,\ 1,\ 2,\ \cdots,\ 2a$ と変化させた和 L_m を求めるんだよ。

解答＆解説

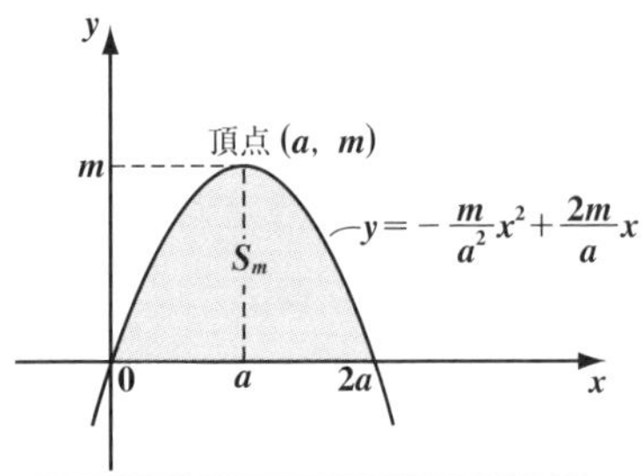

題意の 2 次関数を，$y=f(x)=px(x-2a)$ とおく。これは頂点 $(a,\ m)$ を通るので，

$$m=f(a)=pa\cdot(-a)\qquad p=-\frac{m}{a^2}$$

$$\therefore\ f(x)=-\frac{m}{a^2}x^2+\frac{2m}{a}x\quad(a,\ m:\text{自然数})$$

放物線 $y=f(x)$ と x 軸とで囲まれる部分の面積 S_m は

$$S_m=\int_0^{2a}\left(\underbrace{-\frac{m}{a^2}x^2+\frac{2m}{a}x}_{f(x)}\right)dx$$

$$=\left[-\frac{m}{3a^2}x^3+\frac{m}{a}x^2\right]_0^{2a}=\frac{4}{3}am$$

> 放物線と直線（x 軸）とで囲まれる部分の面積 S_m は，面積公式より，
> $$S_m=\frac{|p|}{6}(2a-0)^3$$
> $$=\frac{m}{6a^2}(2a)^3=\frac{4}{3}am$$
> と，すぐ求まる。

この領域内における直線 $x=k$ 上の格子点数を l_k とおくと，右図より，

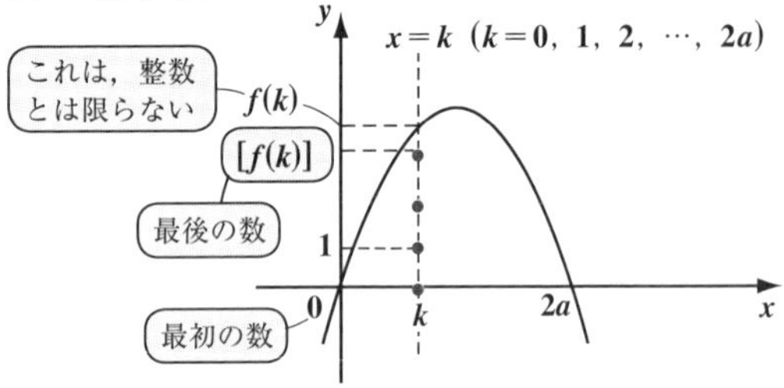

$$l_k = [f(k)] - 0 + 1 = [f(k)] + 1$$

（最後の数）（最初の数）
（$0, 1, 2, \cdots, [f(k)]$ の個数）
（$f(k)$ は整数とは限らないので，これが $x=k$ 上の格子点数だ！）

ここで，$f(k)-1 < [f(k)] \leqq f(k)$ ← （ガウスの不等号 $x-1<[x]\leqq x$ だ！）

よって，$f(k) < l_k \leqq f(k)+1 \quad (k=0,\ 1,\ \cdots,\ 2a)$　（$l_k = [f(k)]+1$）

$$\sum_{k=0}^{2a} f(k) < \sum_{k=0}^{2a} l_k \leqq \sum_{k=0}^{2a}\{f(k)+1\} \quad \cdots\cdots ①$$

（$\sum_{k=0}^{2a} l_k = L_m$）

（この不等式は，すべての $k=0,\ 1,\ \cdots,\ 2a$ について成り立つので，その和をとっても大小関係は変わらない。）

(i) $\displaystyle\sum_{k=0}^{2a} f(k) = \sum_{k=0}^{2a}\left(-\frac{m}{a^2}k^2 + \frac{2m}{a}k\right)$

$$= -\frac{m}{a^2}\sum_{k=0}^{2a}k^2 + \frac{2m}{a}\sum_{k=0}^{2a}k$$

（$\sum_{k=0}^{2a}k = 0+1+2+\cdots+2a = \frac{1}{2}\cdot 2a\cdot(2a+1)$）
（$\sum_{k=0}^{2a}k^2 = 0^2+1^2+2^2+\cdots+(2a)^2 = \frac{1}{6}\cdot 2a\cdot(2a+1)(4a+1)$）

$$= -\frac{m}{a^2}\cdot\frac{1}{3}a(2a+1)(4a+1) + \frac{2m}{a}\cdot a(2a+1)$$

$$= \frac{m(4a^2-1)}{3a}$$

(ii) $\displaystyle\sum_{k=0}^{2a}\{f(k)+1\} = \sum_{k=0}^{2a}f(k) + \sum_{k=0}^{2a}1$

（$\sum_{k=0}^{2a}f(k) = \frac{m(4a^2-1)}{3a}$）
（$\sum_{k=0}^{2a}1 = \underbrace{1+1+\cdots+1}_{2a+1\text{項}} = 2a+1$）

$$= \frac{m(4a^2-1)}{3a} + 2a + 1$$

以上 (i)(ii) より，①は，

$$\frac{m(4a^2-1)}{3a} \leqq L_m \leqq \frac{m(4a^2-1)}{3a} + 2a + 1$$

各辺を $S_m = \frac{4}{3}am$ で割って，まとめると

$$\frac{4a^2-1}{4a^2} \leqq \frac{L_m}{S_m} \leqq \frac{4a^2-1}{4a^2} + \frac{3(2a+1)}{4am}$$

（$\frac{3(2a+1)}{4am} \to 0$ （$m\to\infty$ のとき））

ここで $m\to\infty$ のとき，$\displaystyle\lim_{m\to\infty}\frac{3(2a+1)}{4am} = 0$ より，はさみうちの原理を用いて，

$$\lim_{m\to\infty}\frac{L_m}{S_m} = \frac{4a^2-1}{4a^2}$$ ……………………………………(答)

x, y 軸に対称な領域と最大・最小

演習問題 13　難易度 ☆☆☆　CHECK1　CHECK2　CHECK3

実数 x，y が不等式 $1 \leqq ||x|-2|+||y|-2| \leqq 3$ ……① をみたすとき，①の表す領域 D を xy 平面上に図示し，y の最大値と最小値を求めよ。

（大阪大＊）

ヒント！ まず，①の表す領域 D が，x 軸と y 軸の両方に関して対称な図形となることに気付くことが鍵だ。さらに，平行移動も利用すると，早く D の概形が分かる。

解答＆解説

領域 $D : 1 \leqq ||x|-2|+||y|-2| \leqq 3$ ……① とおく。

(i) $|-x|=|x|$ より，①の x に $-x$ を代入しても変化しない。

よって，領域 D は y 軸に関して対称な図形である。

(ii) $|-y|=|y|$ より，①の y に $-y$ を代入しても変化しない。

よって，領域 D は x 軸に関して対称な図形である。

これから，D は，$x \geqq 0$，$y \geqq 0$ の範囲のもののみをまず調べ，その結果を，x 軸と y 軸に関して折り返して求めればいいんだね。

以上 (i)(ii) より，まず，領域 D の $x \geqq 0$，$y \geqq 0$ の範囲の図形を調べる。

$x \geqq 0$，$y \geqq 0$ より，$|x|=x$，$|y|=y$ となるので，①は，

$1 \leqq |x-2|+|y-2| \leqq 3$ ……② $(x \geqq 0,\ y \geqq 0)$ となる。

ここでさらに②は，$1 \leqq |x|+|y| \leqq 3$ ……③ を，x 軸方向に 2，y 軸方向に 2 だけ平行移動したものなので，まず，③の表す領域を求めると，

(i) $x \geqq 0$，$y \geqq 0$ のとき，③は，

$1 \leqq x+y \leqq 3$

$\therefore -x+1 \leqq y \leqq -x+3$

(ii) $x \leqq 0$，$y \geqq 0$ のとき，③は，

$1 \leqq -x+y \leqq 3$

$\therefore x+1 \leqq y \leqq x+3$

(iii) $x \leqq 0$，$y \leqq 0$ のとき，③は，

$1 \leqq -x-y \leqq 3$

$\therefore -x-3 \leqq y \leqq -x-1$

(iv) $x \geqq 0$，$y \leqq 0$ のとき，③は，

$1 \leqq x-y \leqq 3$

$\therefore x-3 \leqq y \leqq x-1$

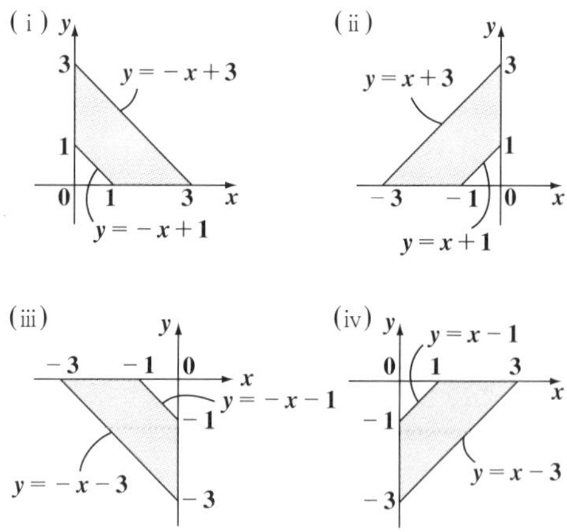

以上 (i) ~ (iv) より，③の表す領域を図 **1** に網目部で示す。そして，この領域を D_0 とおく。次に，この領域 D_0 を，x 軸方向に **2**，y 軸方向に **2** だけ平行移動して，$x \geqq 0$，$y \geqq 0$ の範囲の部分のみとした領域を図 **2** に網目部で示す。これは，

$1 \leqq |x-2|+|y-2| \leqq 3$ ……②　$(x \geqq 0,\ y \geqq 0)$

の表す領域で，この領域を D_1 とおく。

最後に，この領域 D_1 を，x 軸，および y 軸に関して対称移動して加えたものが，不等式 $1 \leqq ||x|-2|+||y|-2| \leqq 3$ ……①で表される領域 D で，これを図 **3** の網目部で示す。

…………(答)

図 **3** より明らかに，①をみたす実数 y は，

・$x = \pm 2$ のときに
　最大値 **5** をとり，
・$x = \pm 2$ のとき
　最小値 -5 をとる。……………………(答)

図 1

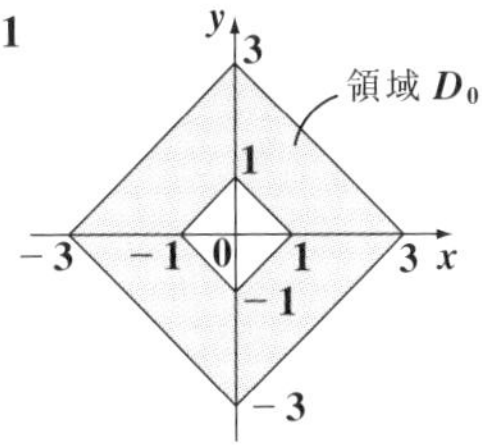

図 2

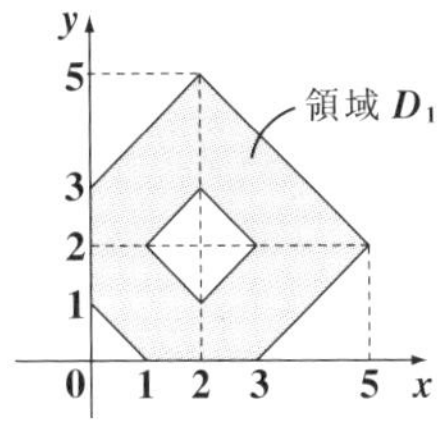

図 3 領域 D

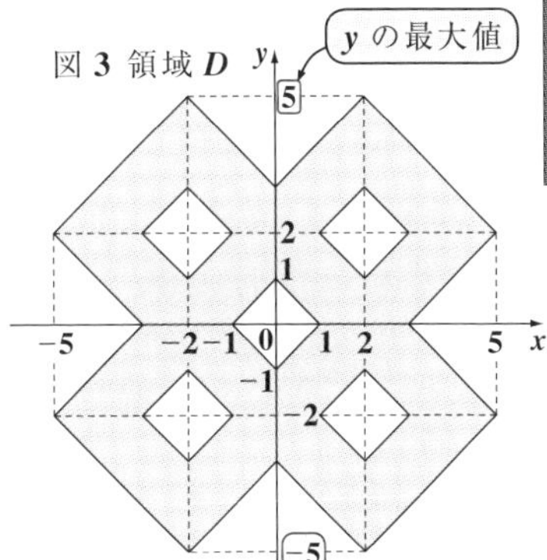

基本対称式，領域と最大・最小

演習問題 14　難易度 ☆☆☆　CHECK1　CHECK2　CHECK3

実数 x，y が $x^2+y^2-2(x+y)-6=0$ ……① をみたすとき，

(1) $x+y$ の取り得る値の範囲を示せ。

(2) $x+y-2xy$ の最大値を求めよ。　(日本女子大)

ヒント！ ①を xy 平面上の円の方程式とみると，(1) は見かけ上の直線の式 $x+y=k$ を使えば一発だけど，(2) がムム…となってしまうね。ここで，発想の転換！ 与式はすべて，x と y の対称式だから，$x+y=u$，$xy=v$ とおいて，すべて，u，v で考えるといい。x，y は実数だから，x，y を解にもつ t の 2 次方程式：$t^2-ut+v=0$ を作って，実数条件を使うことも忘れないでくれ。

解答＆解説

$x^2+y^2-2(x+y)-6=0$ ……① を変形して，

(対称式)　(対称式は，基本対称式 $(x+y,\ xy)$ で表せる！)

$(x+y)^2-2xy-2(x+y)-6=0$ ……①′

ここで，$x+y=u$ ……②，$xy=v$ ……③ とおいて，← (uv 平面で考える！)

これを①′に代入すると，$u^2-2v-2u-6=0$

$\therefore\ v=\dfrac{1}{2}u^2-u-3=\dfrac{1}{2}(u-1)^2-\dfrac{7}{2}$ ……④

次に，x と y を解にもつ t の 2 次方程式は，$t^2-ut+v=0$

($t^2-(x+y)t+xy=0$
$(t-x)(t-y)=0$
$\therefore t=x,\ y$ の解をもつ。)

ここで，x，y は実数より，これは実数解をもつ。よって，判別式 $D_1=\boxed{(-u)^2-4v\geqq 0}$

(これが，実数条件だ！)

$v\leqq\dfrac{1}{4}u^2$ ……⑤

④，⑤より，点 $(u,\ v)$ の存在領域を右に示す。　(今回は，放物線の一部が領域だ！)

($v=\dfrac{1}{2}u^2-u-3$，$v=\dfrac{1}{4}u^2$ より v を消去して，
$u^2-4u-12=0$，$(u+2)(u-6)=0$
$\therefore$ 交点 $(-2,\ 1)$，$(6,\ 9)$ となる！)

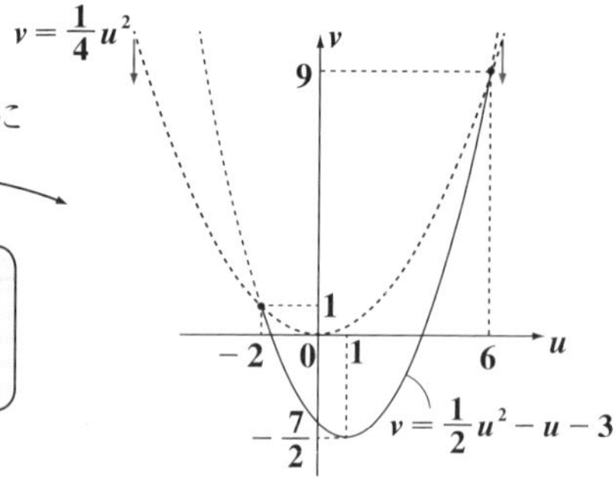

(1) $x+y=u$ ……②

よって，右図より，u，すなわち $x+y$ のとり得る値の範囲は，

$-2 \leqq x+y \leqq 6$ ……………………………(答)

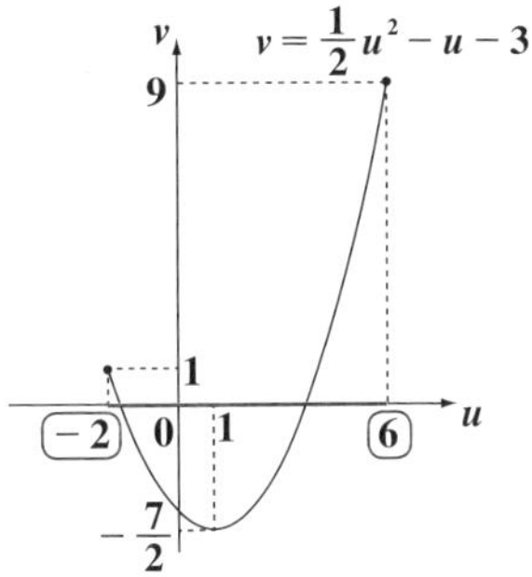

(2) $x+y-2xy=u-2v$ (②，③より)

$u-2v=k$ とおくと，

$v=\frac{1}{2}u-\frac{k}{2}$ …………⑥　（$-\frac{k}{2}$ → Max／min）

これが，uv 平面上での，見かけ上の直線だね。
これと，(1) の領域(放物線の一部)とが共有点をもつギリギリの値から，$-\frac{k}{2}$ のとり得る値の範囲が分かるんだね。
今回は，右図のように④と⑥が接するとき，$-\frac{k}{2}$ は最小に，すなわち k は最大になるんだね。

k に $-\frac{1}{2}$ がかかっていることに注意

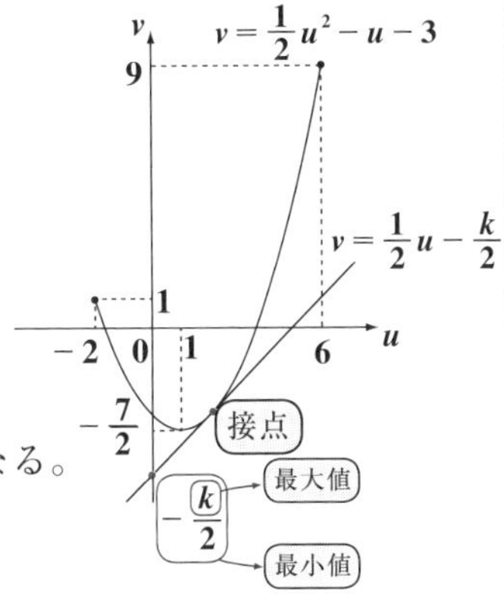

右図より，④と⑥が接するとき k は最大になる。

④，⑥より v を消去して，

$\frac{1}{2}u^2-u-3=\frac{1}{2}u-\frac{k}{2}$，　$u^2-3u+k-6=0$

よって，この判別式を D とおくと，

$D=(-3)^2-4(k-6)=0$，　$4k=33$　　$\therefore\ k=\frac{33}{4}$

∴求める k，すなわち $x+y-2xy$ の最大値は，

最大値 $x+y-2xy=\frac{33}{4}$ ……………………………(答)

別解

この問題は，次のように，t の 2 次方程式の実数条件，u の 2 次関数の最大値の問題として，解くこともできるよ。

(1) ①を変形して，

$$(x+y)^2-2xy-2(x+y)-6=0 \quad \cdots\cdots ①'$$

ここで，$x+y=u$ ……②，$xy=v$ ……③ とおいて，

これを①′に代入すると，

$$u^2-2v-2u-6=0$$

$$\therefore\ v=\frac{1}{2}(u^2-2u-6) \quad \cdots\cdots ④$$

これと③より，

$$xy=\frac{1}{2}(u^2-2u-6) \quad \cdots\cdots ⑤$$

②と⑤より，x，y は次の t の 2 次方程式の実数解である。

$$t^2-u\cdot t+\frac{1}{2}(u^2-2u-6)=0$$

$$2t^2-2u\cdot t+u^2-2u-6=0$$

これが実数解 x，y をもつから，判別式を D として，

$$\frac{D}{4}=u^2-2(u^2-2u-6)\geqq 0$$

$$-u^2+4u+12\geqq 0$$

$$u^2-4u-12\leqq 0$$

$$(u+2)(u-6)\leqq 0$$

$$\therefore\ -2\leqq \boxed{u}\leqq 6 \quad (u = x+y)$$

よって，$x+y$ のとり得る値の範囲は，

$$-2\leqq x+y\leqq 6 \quad \cdots\cdots\cdots\cdots(答)$$

(2) $x+y-2xy$ に②と③を代入して，

$$x+y-2xy=u-2v$$

これに④を代入して v を消去し，さらにこれを $f(u)$ とおくと，

$$\begin{aligned} f(u) &= x+y-2xy \\ &= u-2v \\ &= u-(u^2-2u-6) \\ &= -u^2+3u+6 \\ &= -\left(u^2-3u+\frac{9}{4}\right)+6+\frac{9}{4} \end{aligned}$$

2で割って2乗

$$= -\left(u-\frac{3}{2}\right)^2+\frac{33}{4}$$

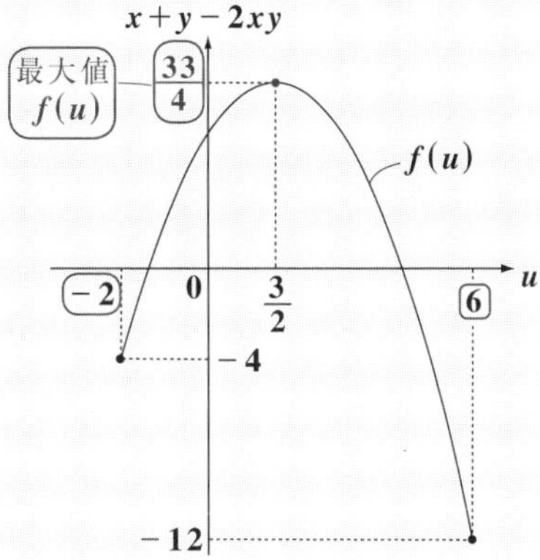

(1) より，$-2 \leqq u \leqq 6$ だから，

右図から，

最大値 $x+y-2xy=f\left(\frac{3}{2}\right)=\frac{33}{4}$ ……………………………(答)

曲線の移動によりできる領域

演習問題 15	難易度 ★★★★	CHECK 1	CHECK 2	CHECK 3

a, t は実数で，a は 1 以上とする。座標平面上の 3 点 $O(0,\ 0)$，$A(a,\ a-1)$，$P(t,\ t^2+1)$ を頂点とする三角形の重心 G の座標を $(X,\ Y)$ とする。

(1) X と Y を，a と t を用いて表せ。

(2) $a=1$ とする。t が実数全体を動くとき，G の軌跡を求め，座標平面上に図示せよ。

(3) a が 1 以上の実数全体を，t が実数全体を動くとき，G が通過する範囲を座標平面上に図示せよ。　　　　（北海道大）

ヒント！ (1) は簡単だね。(2) では，$a=1$ と固定されているので，媒介変数 t を消去して，x と y の関係式を求めると，放物線の方程式が導ける。(3) では，a を $a \geqq 1$ の範囲で変化させると，G の描く放物線が移動して，G の通過領域が描かれるんだね。ここで，a の 2 次方程式を考えることがポイントになる。

解答＆解説

(1) 3 点 $O(0,\ 0)$，$A(a,\ a-1)$，$P(t,\ t^2+1)$ からなる $\triangle OAP$ の重心 G を $G(X,\ Y)$ とおくと，

$$\begin{cases} X=\dfrac{0+a+t}{3}=\dfrac{a+t}{3} \quad \cdots\cdots ① \\[2mm] Y=\dfrac{0+a-\cancel{1}+t^2+\cancel{1}}{3}=\dfrac{a+t^2}{3} \quad \cdots\cdots ② \end{cases} \quad \cdots\cdots(答)$$

$A(x_1,\ y_1)$，$B(x_2,\ y_2)$，$C(x_3,\ y_3)$ のとき，$\triangle ABC$ の重心 G は，$G\left(\dfrac{x_1+x_2+x_3}{3},\ \dfrac{y_1+y_2+y_3}{3}\right)$ となる。

$(a,\ t$：実数，$a \geqq 1)$ となる。

(2) $a=1$ のとき，①，②より，$X=\dfrac{t+1}{3}$ ……①′，$Y=\dfrac{t^2+1}{3}$ ……②′ となるので，①′より，$t=3X-1$ ……①″　①″を②′に代入して，

（t を消去した。）

$$Y=\frac{1}{3}\{(3X-1)^2+1\}=\frac{1}{3}(9X^2-6X+2)$$

$$=3X^2-2X+\frac{2}{3}=3\left(X^2-\frac{2}{3}X+\frac{1}{9}\right)+\frac{1}{3}$$

（最後は，x と y の関係式で表した。）

$\therefore$ G の軌跡の方程式は，$y=3\left(x-\dfrac{1}{3}\right)^2+\dfrac{1}{3}$

となる。……………………………………(答)

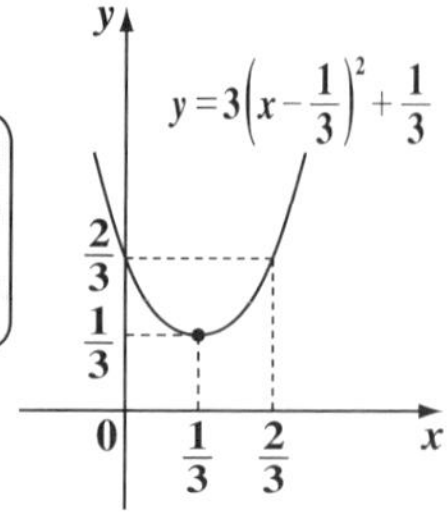

よって，G の軌跡のグラフを右に示す。……(答)

(3) $a \geqq 1$ で，t が実数全体を動くとき，①，②より t を消去すると，

①より，$t = 3X - a$ ……③ となるので，③を②に代入して，

$Y = \frac{1}{3}\{(3X-a)^2+a\} = \frac{1}{3}(9X^2-6aX+a^2+a)$ となる。

$\therefore Y = 3X^2 - 2aX + \frac{1}{3}(a^2+a)$ ……④ $(a \geqq 1)$ となる。

参考

④の G の描く放物線は，パラメータ（変数）a を含んでいるため，a が $a \geqq 1$ の範囲で変化すると，右図のイメージのように次々に放物線が描かれて，G が描く放物線が通過する領域が形成されていくんだね。この領域を D と呼ぶことにしよう。

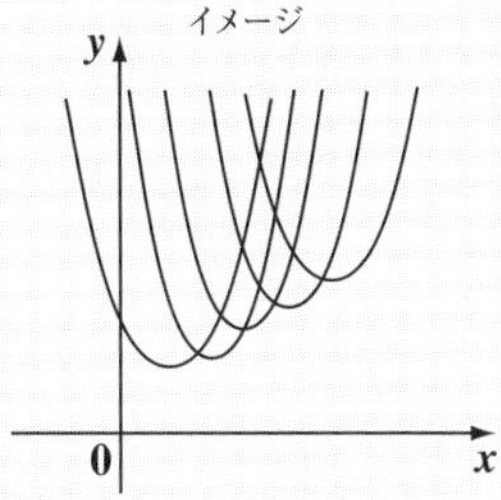

　では，この領域 D を求めるためには，どうすればよいのか？ここでは，発想を切り替えて，④を a の2次方程式と考えて，この a の2次方程式が，$a \geqq 1$ の範囲に少なくとも1つの実数解をもつような，X と Y の条件を求めれば，それが XY 平面（xy 平面）上の領域 D を示す，X と Y の不等式になるんだね。

④を a の2次方程式として書き換えると，

$3Y = 9X^2 - 6aX + a^2 + a$ より，

$a^2 + (1-6X)a + 9X^2 - 3Y = 0$ ……⑤ $(a \geqq 1)$ となる。

（⑤の X と Y は，まず定数扱いとする。）

ここでさらに，⑤の左辺を a の2次関数として，

$b = g(a) = a^2 + (1-6X)a + 9X^2 - 3Y$ ……⑥

とおくと，

$b = g(a) = \left(a - \frac{6X-1}{2}\right)^2 + 3X - 3Y - \frac{1}{4}$ …⑥′

（$\frac{6X-1}{2}$，$3X-3Y-\frac{1}{4}$：定数扱い）

$$g(a) = \left\{a^2+(1-6X)a+\frac{(1-6X)^2}{4}\right\} + 9X^2 - 3Y - \frac{1}{4}(1-6X)^2 = \left(a+\frac{1-6X}{2}\right)^2 + 3X - 3Y - \frac{1}{4}$$

となるので，この放物線 $g(a)$ の軸は，

$a = \frac{6X-1}{2} = 3X - \frac{1}{2}$ ……⑦ である。

よって，$\boldsymbol{a}$ の $\mathbf{2}$ 次方程式 $g(\boldsymbol{a})=\mathbf{0}$ ……⑤ が $\boldsymbol{a}\geqq\mathbf{1}$ の範囲に少なくとも $\mathbf{1}$ つの実数解をもつための係数 $\boldsymbol{X}$ と $\boldsymbol{Y}$ との条件を求めることにする。

> a の 2 次方程式：$g(a)=0$ …⑤ $(a\geqq 1)$
> $b=g(a)=a^2+(1-6X)a+9X^2-3Y$ …⑥ の軸 $a=3X-\dfrac{1}{2}$ …⑦

> $\boldsymbol{X}$ と $\boldsymbol{Y}$ との不等式のこと。これから $\boldsymbol{a}\geqq\mathbf{1}$ のときに，$\mathbf{G}$ の描く放物線が通過する領域 $\boldsymbol{D}$ が表される。

$\mathbf{2}$ 次関数 $\boldsymbol{b}=g(\boldsymbol{a})=\boldsymbol{a}^2+(\mathbf{1}-\mathbf{6}\boldsymbol{X})\boldsymbol{a}+\mathbf{9}\boldsymbol{X}^2-\mathbf{3}\boldsymbol{Y}$ の軸は，$\boldsymbol{a}=\mathbf{3}\boldsymbol{X}-\dfrac{\mathbf{1}}{\mathbf{2}}$ ……⑦ より，(ⅰ) $\mathbf{3}\boldsymbol{X}-\dfrac{\mathbf{1}}{\mathbf{2}}\geqq\mathbf{1}$ と (ⅱ) $\mathbf{3}\boldsymbol{X}-\dfrac{\mathbf{1}}{\mathbf{2}}<\mathbf{1}$ の $\mathbf{2}$ 通りに場合分けして考える。

(ⅰ) $\mathbf{3}\boldsymbol{X}-\dfrac{\mathbf{1}}{\mathbf{2}}\geqq\mathbf{1}$ のとき，すなわち，

$\boldsymbol{X}\geqq\dfrac{\mathbf{1}}{\mathbf{2}}$ のとき，

$\boldsymbol{a}$ の $\mathbf{2}$ 次方程式 $g(\boldsymbol{a})=\mathbf{0}$ ……⑤ が $\boldsymbol{a}\geqq\mathbf{1}$ の範囲に少なくとも $\mathbf{1}$ つの実数解をもつための条件は，⑤の判別式を $\boldsymbol{D}$ とおくと，

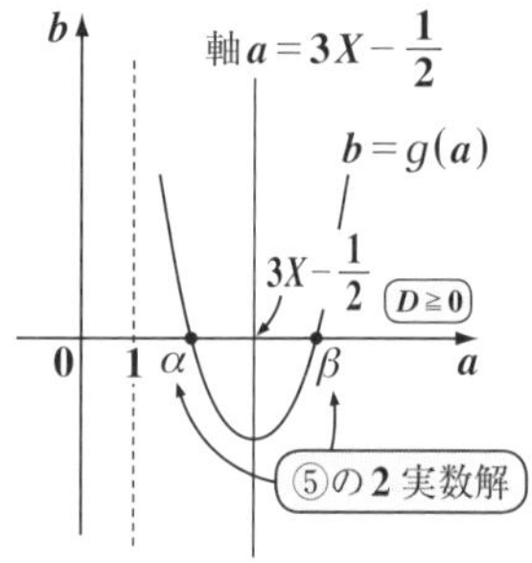

$\boldsymbol{D}=\boxed{(\mathbf{1}-\mathbf{6}\boldsymbol{X})^2-\mathbf{4}(\mathbf{9}\boldsymbol{X}^2-\mathbf{3}\boldsymbol{Y})\geqq\mathbf{0}}$ ……⑧

である。⑧より，

$\mathbf{1}-\mathbf{12}\boldsymbol{X}+\cancel{\mathbf{36}\boldsymbol{X}^2}-\cancel{\mathbf{36}\boldsymbol{X}^2}+\mathbf{12}\boldsymbol{Y}\geqq\mathbf{0}$

$\therefore\ \boldsymbol{Y}\geqq\boldsymbol{X}-\dfrac{\mathbf{1}}{\mathbf{12}}$ ……⑨ となる。

> $\boldsymbol{D}\geqq\mathbf{0}$ のとき，$\alpha<\mathbf{1}$ となる可能性はあるが，軸 $\boldsymbol{a}=\mathbf{3}\boldsymbol{X}-\dfrac{\mathbf{1}}{\mathbf{2}}\geqq\mathbf{1}$ より解 β は必ず $\beta\geqq\mathbf{1}$ となるので，$\boldsymbol{a}\geqq\mathbf{1}$ の範囲に少なくとも $\mathbf{1}$ つの実数解 β が存在する。

(ⅱ) $\mathbf{3}\boldsymbol{X}-\dfrac{\mathbf{1}}{\mathbf{2}}<\mathbf{1}$ のとき，すなわち，

$\boldsymbol{X}<\dfrac{\mathbf{1}}{\mathbf{2}}$ のとき，

$\boldsymbol{a}$ の $\mathbf{2}$ 次方程式 $g(\boldsymbol{a})=\mathbf{0}$ ……⑤ が

$\boldsymbol{a}\geqq\mathbf{1}$ の範囲に $\mathbf{1}$ つの実数解 β をもつための条件は，右上図より明らかに

$g(\mathbf{1})=\boxed{\mathbf{1}+\mathbf{1}-\mathbf{6}\boldsymbol{X}+\mathbf{9}\boldsymbol{X}^2-\mathbf{3}\boldsymbol{Y}\leqq\mathbf{0}}$ ……⑩ である。⑩より，

$$3Y \geqq 9X^2 - 6X + 2$$

$$Y \geqq 3X^2 - 2X + \frac{2}{3}$$

$Y = 3\left(X^2 - \frac{2}{3}X + \frac{1}{9}\right) + \frac{1}{3}$

$\therefore\ Y \geqq 3\left(X - \frac{1}{3}\right)^2 + \frac{1}{3}$ ……⑪ となる。

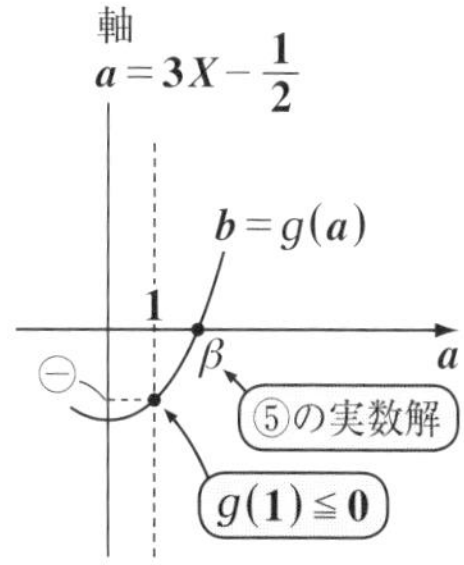

$g(1) \leqq 0$ のとき，⑤は $a \geqq 1$ の範囲にただ1つの実数解 β をもつ。

以上(i)(ii)より，$a \geqq 1$ で，かつ t がすべての実数全体を動くとき，重心 G が通過する領域 D

Gが描く放物線が通過する領域のこと

は，⑨，⑪より，

$$\begin{cases} x \geqq \dfrac{1}{2} \text{のとき，} y \geqq x - \dfrac{1}{12} \cdots\cdots ⑨' \\ x < \dfrac{1}{2} \text{のとき，} y \geqq 3\left(x - \dfrac{1}{3}\right)^2 + \dfrac{1}{3} \cdots\cdots ⑪' \end{cases}$$ となる。

最終結果は，X と Y の式の代わりに，x と y の式で表した。

ここで，$y = f(x) = 3x^2 - 2x + \frac{2}{3}\ \left(= 3\left(x - \frac{1}{3}\right)^2 + \frac{1}{3}\right)$

とおいて，これを x で微分すると，$f'(x) = 6x - 2$ より，$x = \frac{1}{2}$ のときの

微分係数 $f'\left(\frac{1}{2}\right) = 6 \times \frac{1}{2} - 2 = 1$ となるので，$y = f(x)$ 上の点 $\left(\frac{1}{2},\ \frac{5}{12}\right)$

$f\left(\frac{1}{2}\right) = \frac{3}{4} - 1 + \frac{2}{3} = \frac{5}{12}$

における接線の方程式は，$y = 1 \cdot \left(x - \frac{1}{2}\right) + \frac{5}{12} = x - \frac{1}{12}$ となって，⑨′の境界線と一致する。

以上より，⑨′，⑪′で表される重心 G の通過領域 D を xy 平面上に描くと，右図の網目部のようになる。(境界線上の点を含む。)………………(答)

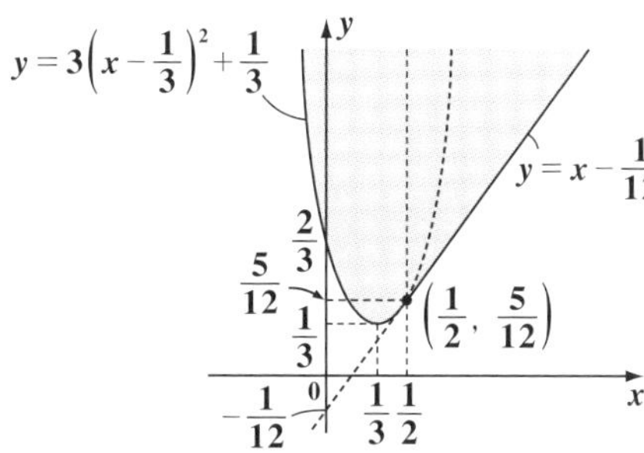

見かけ上の円と最大・最小

演習問題 16　難易度 ★★★　CHECK 1　CHECK 2　CHECK 3

(1) $0 \leqq x \leqq 2$, $0 \leqq y \leqq 2$ の範囲において $(x-1)(y-x)(y-x^2) \geqq 0$ をみたす点 $(x,\ y)$ の存在範囲を図示せよ。

(2) 点 $(x,\ y)$ が (1) で求めた範囲を動くとき $x^2+y^2-\frac{5}{2}y+1$ の最小値を求めよ。　（東京薬大）

ヒント！ (1) の不等式の表す領域は，レクチャーで示すように，境界線（海岸線）を求めて，海・陸・海と塗り分けていけばいいんだよ。(2) では，見かけ上円の方程式に持ち込むと話が見えてくるはずだ。

Baba のレクチャー

$(x-1)(y-x)(y-x^2) \geqq 0$ ……㋐について，この左辺の x, y に xy 座標平面上の任意の点の座標を代入して，これが正となれば，海抜○○メートルの陸地，また負となれば，水深○○メートルの海だと考えると分かりやすい。ここでは，まず，$(x-1)(y-x)(y-x^2)=0$ とおいて，海抜 0 メートルの海岸線（境界線）を調べると，

海岸線（境界線）
$$\begin{cases} x=1 \\ y=x \\ y=x^2 \end{cases}$$
(ただし，$0 \leqq x \leqq 2$, $0 \leqq y \leqq 2$)　←これは与えられた条件

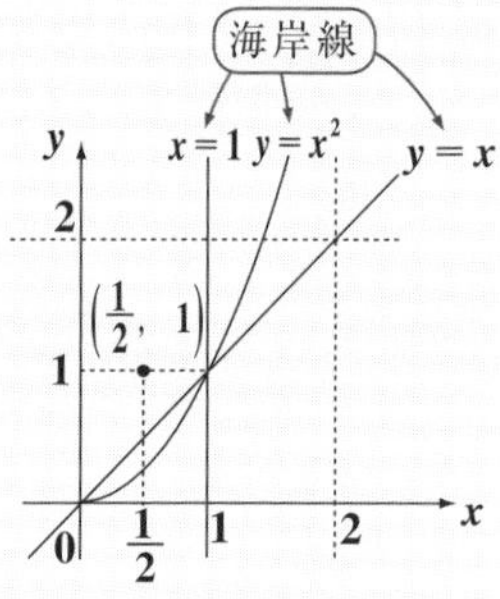

ここで海岸線上にない点，たとえば $\left(\frac{1}{2},\ 1\right)$ を㋐の左辺に代入すると，

$$\left(\frac{1}{2}-1\right)\left(1-\frac{1}{2}\right)\left\{1-\left(\frac{1}{2}\right)^2\right\}=-\frac{1}{2}\cdot\frac{1}{2}\cdot\frac{3}{4}<0$$

となって，ここは海だね。㋐では，0 以上すなわち陸を求めたいので，海岸線を境にして，海・陸・海と塗り分けて，㋐の表す領域が，簡単に求まるんだね。面白かっただろう。

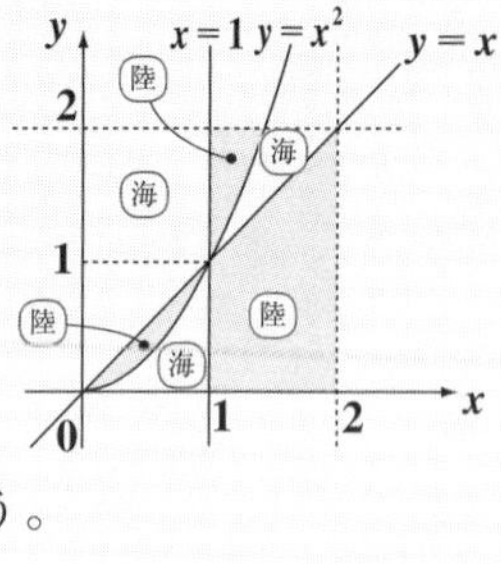

解答＆解説

(1) $(x-1)(y-x)(y-x^2) \geqq 0$ ……①

$(0 \leqq x \leqq 2,\quad 0 \leqq y \leqq 2)$

をみたす点 $(x,\ y)$ の存在領域を右に網目部で示す。……………………(答)

(ただし，境界線はすべて含む。)

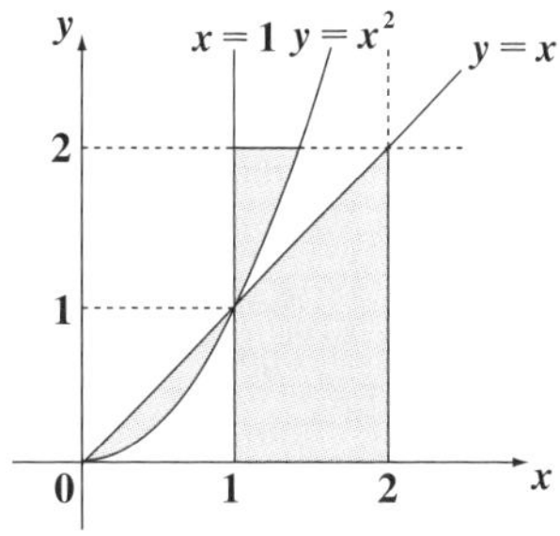

(2) 点 $(x,\ y)$ が (1) で求めた領域上の点であるとき，$x^2+y^2-\frac{5}{2}y+1$ ……② の最小値を求める。

②を変形して，

$$x^2+\left(y^2-\frac{5}{2}y+\frac{25}{16}\right)+1-\frac{25}{16}=x^2+\left(y-\frac{5}{4}\right)^2-\frac{9}{16}$$

2で割って2乗

これを r^2 とおいて，見かけ上の円の方程式を作って，まず，この r^2 の最小値を求めるよ。

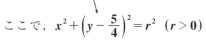

中心 $\left(0,\ \frac{5}{4}\right)$，半径 r の見かけ上の円

ここで，$x^2+\left(y-\frac{5}{4}\right)^2=r^2\quad(r>0)$

とおいて，これが (1) の領域と共有点をもつための r の最小値は，

右図より，

$r=\frac{5}{4\sqrt{2}}$ である。

r の最小値は，右図より 1 または $\frac{5}{4\sqrt{2}}$ だね。ここで，$\sqrt{2} \fallingdotseq 1.4$ より，$\frac{5}{4\sqrt{2}}<1$ だ！

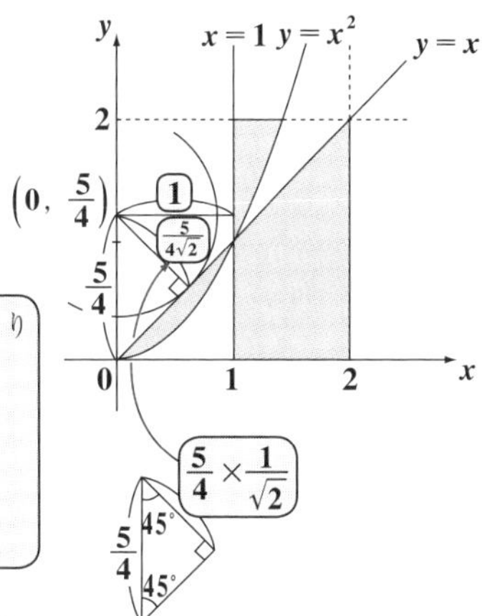

以上より，求める $x^2+y^2-\frac{5}{2}y+1$ ……②

の最小値は，

$$\left(\frac{5}{4\sqrt{2}}\right)^2-\frac{9}{16}=\frac{25-18}{32}=\frac{7}{32}$$ である。……………………………………(答)

r^2 の最小値

見かけ上の長方形と最大・最小

演習問題 17　難易度 ★★★　CHECK 1　CHECK 2　CHECK 3

$(x-4)^2+(y-8)^2 \leqq 5$ で表される領域 D 上の点 $(x,\ y)$ に対して，
$|y+2x|+|y-2x|$ の最大値および最小値を求めよ。　(上智大＊)

Babaのレクチャー

この問題では，$|\underline{y+2x}|+|\underline{y-2x}|=k$ ……㋐ とおいて，見かけ上の図形を作り，これが，領域 D とギリギリの共有点をもつ条件から，k の最大・最小を調べるんだね。この㋐の表す図形は，2つの絶対値記号内の式の正・負を考慮して，4つに場合分けすると分かる。

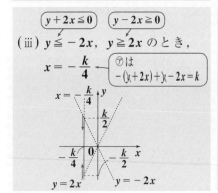

(下線部はそれぞれ ⊕または⊖)

(i) $y \geqq -2x$，$y \geqq 2x$ のとき，($y+2x \geqq 0$，$y-2x \geqq 0$)

$y=\dfrac{k}{2}$ ← ㋐は $y+2x+y-2x=k$

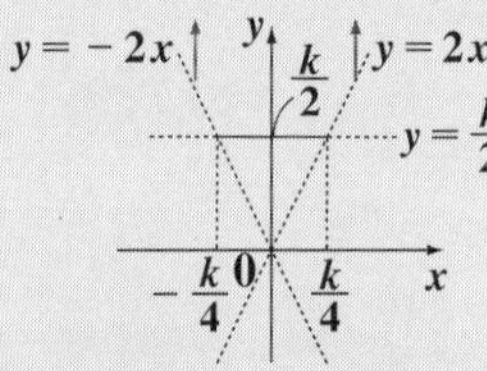

(ii) $y \geqq -2x$，$y \leqq 2x$ のとき，($y+2x \geqq 0$，$y-2x \leqq 0$)

$x=\dfrac{k}{4}$ ← ㋐は $y+2x-(y-2x)=k$

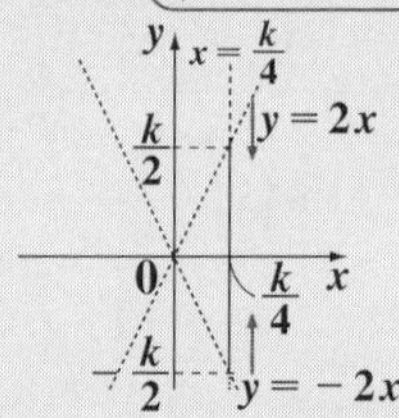

(iii) $y \leqq -2x$，$y \geqq 2x$ のとき，($y+2x \leqq 0$，$y-2x \geqq 0$)

$x=-\dfrac{k}{4}$ ← ㋐は $-(y+2x)+y-2x=k$

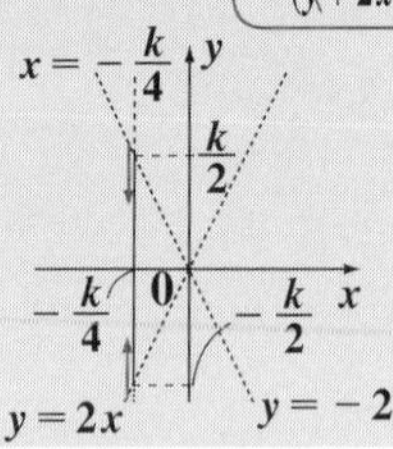

(iv) $y \leqq -2x$，$y \leqq 2x$ のとき，($y+2x \leqq 0$，$y-2x \leqq 0$)

$y=-\dfrac{k}{2}$ ← ㋐は $-(y+2x)-(y-2x)=k$

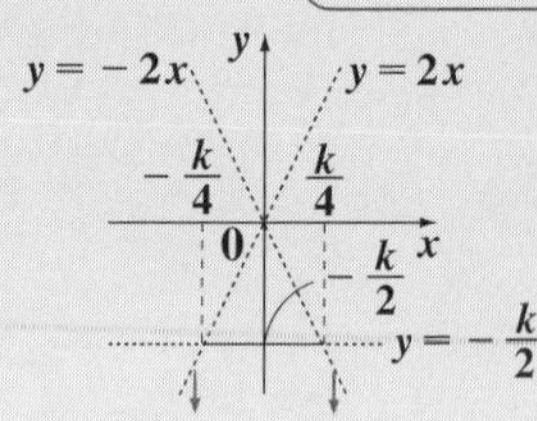

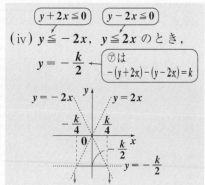

以上(i)(ii)(iii)(iv)より，㋐は，xy 座標平面上で長方形を表すんだね。

解答＆解説

領域 D：$(x-4)^2+(y-8)^2 \leqq 5$ ……① より，D は，中心 $(4, 8)$，半径 $\sqrt{5}$ の円の周および内部を表す。

ここで，（これは見かけ上の長方形）

$|y+2x|+|y-2x|=k$ ……②

とおくと，②が表す図形は，

（ i ）$y \geqq -2x$，$y \geqq 2x$

（ ii ）$y \geqq -2x$，$y \leqq 2x$

（ iii ）$y \leqq -2x$，$y \geqq 2x$

（ iv ）$y \leqq -2x$，$y \leqq 2x$ の 4 つに場合分けして調べると，図 1 のような，原点を中心とする，横の長さ $\frac{k}{2}$，たての長さ k の長方形になる。

図 1

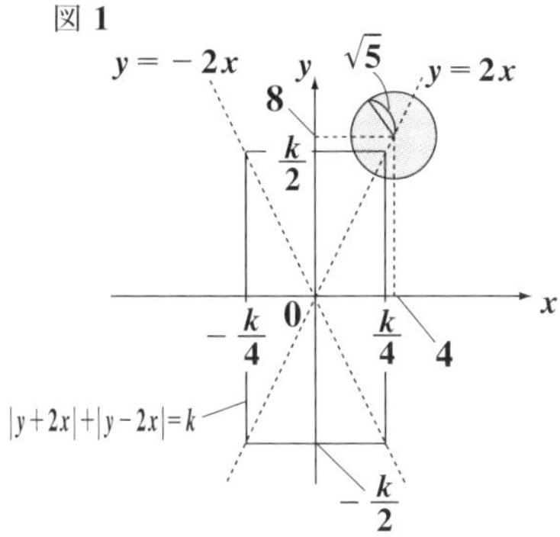

（Ⅰ）図 2 に示すように，②が領域 D と点 $(3, 6)$ で接するとき，

k，すなわち $|y+2x|+|y-2x|$ は最小になる。よって，

最小値 $|y+2x|+|y-2x|=12$ ……………（答）

図 2

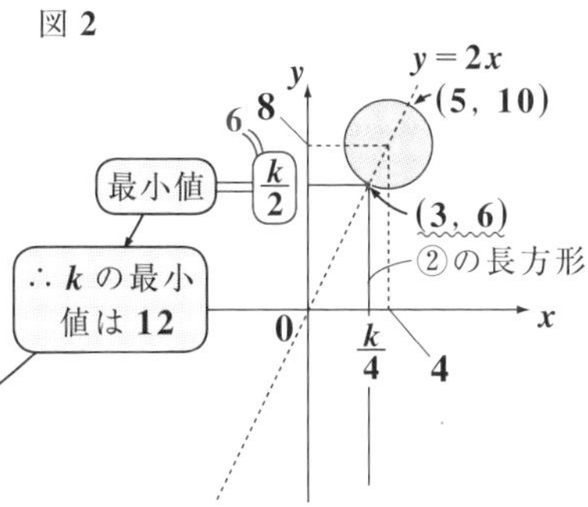

$(x-4)^2+(y-8)^2=5$…㋐ と $y=2x$ から y を消去して，$(x-4)^2+(2x-8)^2=5$，$(x-4)^2+4(x-4)^2=5$，$(x-4)^2=1$，$x-4=\pm 1$ ∴ $x=3$，5
よって，円㋐と直線 $y=2x$ は 2 点 $(3, 6)$，$(5, 10)$ で交わる。

（Ⅱ）図 3 に示すように，②が領域 D と点 $(4+\sqrt{5}, 8)$ で接するとき，

k，すなわち $|y+2x|+|y-2x|$ は最大になる。よって，

最大値 $|y+2x|+|y-2x|=16+4\sqrt{5}$ ……………（答）

図 3

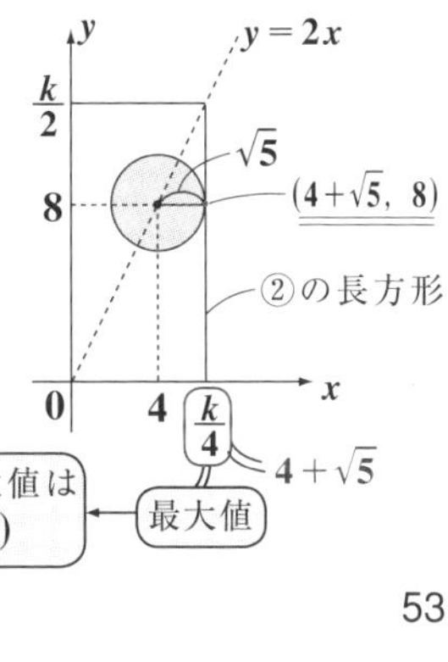

テーマ4 ベクトルの応用

● 他分野との融合問題にも，チャレンジしよう！

これから，“**ベクトルの応用**”の解説に入るよ。ベクトルは，大きく分けて平面ベクトルと空間ベクトルの**2**分野からなり，さまざまな図形問題を解く上で，中心的な役割を演じるんだね。

でも，ここではさらに，他分野との融合問題についても，取り扱おう。エッ？ 難しそうだって？ 確かに，ベクトルだけでも苦しんでいるのに，さらに，他の内容が加わって大変と思うかも知れないけれど，テーマ別演習では，むしろこのような融合問題に力を入れることを勧める。

数学の様々な分野を横断的に学習することにより，個々の単元の内容が有機的に結びつけられて，さらに実力アップが図れるんだね。

それでは，今回扱うメインテーマを書いておこう。

(1) ベクトルと確率の漸化式との融合

(2) 空間ベクトルと空間座標の融合

(3) ベクトルと平面図形・空間図形の融合

(4) 円すいの方程式と面積の融合

(1) の大阪大の問題は，ランダムウォークのテーマも入った面白い問題だ。

(2) の上智大の問題は，空間座標における球面や直線が出てくるよ。受験では頻出のテーマだから是非マスターしておこう。

(3) も上智大の問題で，ベクトル方程式により表される図形の面積や体積を求める問題だ。これは，図形的なセンスが必要な問題だよ。

(4) はベクトルの内積を利用して，円すいの方程式を求める面白い問題だ。

ベクトルと確率の極限

演習問題 18 難易度 ★★★★ CHECK1 CHECK2 CHECK3

$\overrightarrow{x_1}=(1,\ 0)$, $\overrightarrow{x_2}=\left(-\frac{1}{2},\ \frac{\sqrt{3}}{2}\right)$, $\overrightarrow{x_3}=\left(-\frac{1}{2},\ -\frac{\sqrt{3}}{2}\right)$, $\vec{0}=(0,\ 0)$ とおく。3 つのベクトル $\overrightarrow{x_1}$, $\overrightarrow{x_2}$, $\overrightarrow{x_3}$ の中から等確率 $\frac{1}{3}$ で 1 つのベクトルを取り出す試行を n 回繰り返す。ただし，各試行は互いに無関係に行われるものとする。このとき，ベクトル $\overrightarrow{x_1}$, $\overrightarrow{x_2}$, $\overrightarrow{x_3}$ が取り出された回数をそれぞれ n_1, n_2, n_3 とする。$(n_1+n_2+n_3=n)$

次の問いに答えよ。

(1) a, b, c を実数とする。このとき，$a\overrightarrow{x_1}+b\overrightarrow{x_2}+c\overrightarrow{x_3}=\vec{0}$ となるための必要十分条件は $a=b=c$ であることを示せ。

(2) $n=3m$ (m は自然数) のとき，$n_1\overrightarrow{x_1}+n_2\overrightarrow{x_2}+n_3\overrightarrow{x_3}=\vec{0}$ となる確率を P_m とする。

(イ) P_1 を求めよ。

(ロ) 一般に，自然数 m に対して，P_m を求めよ。

(3) $m>1$ に対して，$P_m<\frac{m}{m+1}P_{m-1}$ であることを示せ。さらに，$\lim_{m\to\infty}P_m=0$ を示せ。 (大阪大)

Baba のレクチャー

今回の問題は図 1 に示すような 3 つのベクトルの向きに，ランダムに進んでいくランダムウォーク(酔っぱらいの千鳥足)の問題なんだね。

図 2 のように，原点 O を出発点として $\frac{1}{3}$ の確率で毎回，$\overrightarrow{x_1}$, $\overrightarrow{x_2}$, $\overrightarrow{x_3}$ のいずれかのベクトルを選んで歩いていく酔っぱらいは，原点からドンドン遠ざかっていくから，$\lim_{m\to\infty}P_m=0$ となるんだよ。

図 1

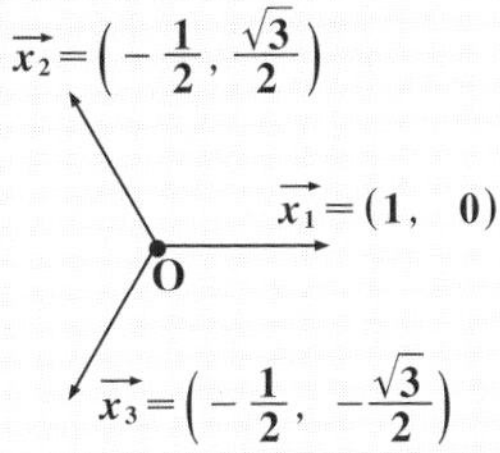

図 2

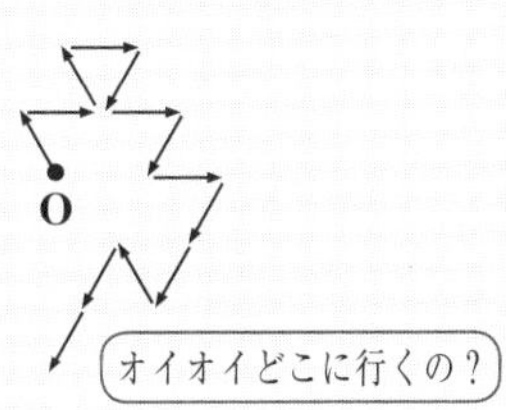

解答＆解説

(1) $\overrightarrow{x_1}=(1,\ 0)$, $\overrightarrow{x_2}=\left(-\frac{1}{2},\ \frac{\sqrt{3}}{2}\right)$, $\overrightarrow{x_3}=\left(-\frac{1}{2},\ -\frac{\sqrt{3}}{2}\right)$ とおく。このとき，

$a\overrightarrow{x_1}+b\overrightarrow{x_2}+c\overrightarrow{x_3}=\vec{0}$

$\Longleftrightarrow a(1,\ 0)+b\left(-\frac{1}{2},\ \frac{\sqrt{3}}{2}\right)+c\left(-\frac{1}{2},\ -\frac{\sqrt{3}}{2}\right)=(0,\ 0)$

$\Longleftrightarrow (a,\ 0)+\left(-\frac{1}{2}b,\ \frac{\sqrt{3}}{2}b\right)+\left(-\frac{1}{2}c,\ -\frac{\sqrt{3}}{2}c\right)=(0,\ 0)$

$\Longleftrightarrow \left(a-\frac{1}{2}b-\frac{1}{2}c,\ \frac{\sqrt{3}}{2}b-\frac{\sqrt{3}}{2}c\right)=(0,\ 0)$

$\Longleftrightarrow$ を使うことにより，同値（必要・十分）な変形をしていったことを示せるんだね。

$\Longleftrightarrow \underline{a-\frac{1}{2}(b+\boxed{c})=0}$ かつ $\underline{\frac{\sqrt{3}}{2}(b-c)=0}$

（c の上に「b」）

$b=c$ より，$a-b=0$　$\therefore a=b$

これから $b=c$

$\Longleftrightarrow a=b=c$

$\therefore\ a\overrightarrow{x_1}+b\overrightarrow{x_2}+c\overrightarrow{x_3}=\vec{0}$ となるための必要十分条件は，

$a=b=c$ である。……………………………………………………………（終）

(2) $n=n_1+n_2+n_3=3m$ （m：自然数）のとき，

$n_1\overrightarrow{x_1}+n_2\overrightarrow{x_2}+n_3\overrightarrow{x_3}=\vec{0}$

となる確率を P_m とおくと，(1) の結果より，

$n_1=n_2=n_3=m$ となる確率が P_m となる。

$n=3m$ 回の移動後に，酔っぱらい(?)が原点 O に戻ってくる確率が P_m なんだね。

Babaのレクチャー

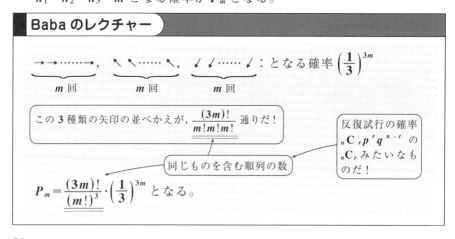

$\underbrace{\rightarrow\rightarrow\cdots\cdots\rightarrow}_{m\text{回}}$, $\underbrace{\nwarrow\nwarrow\cdots\cdots\nwarrow}_{m\text{回}}$, $\underbrace{\swarrow\swarrow\cdots\cdots\swarrow}_{m\text{回}}$：となる確率 $\left(\frac{1}{3}\right)^{3m}$

この 3 種類の矢印の並べかえが，$\frac{(3m)!}{m!m!m!}$ 通りだ！

同じものを含む順列の数

反復試行の確率 ${}_n\mathrm{C}_r p^r q^{n-r}$ の ${}_n\mathrm{C}_r$ みたいなものだ！

$P_m=\frac{(3m)!}{(m!)^3}\cdot\left(\frac{1}{3}\right)^{3m}$ となる。

(イ) $P_1=\dfrac{3!}{(1!)^3}\cdot\left(\dfrac{1}{3}\right)^3=\dfrac{2}{9}$ …(答)　　(ロ) $P_m=\dfrac{(3m)!}{(m!)^3}\cdot\left(\dfrac{1}{3}\right)^{3m}$ …(答)

(3) $m>1$ のとき，$P_m<\dfrac{m}{m+1}P_{m-1}$ ……(＊) を示すには，$\dfrac{P_m}{P_{m-1}}<\dfrac{m}{m+1}$

すなわち，$\dfrac{m}{m+1}-\dfrac{P_m}{P_{m-1}}>0$ を示せばよい。

$$\frac{m}{m+1}-\frac{P_m}{P_{m-1}}=\frac{m}{m+1}-\frac{\dfrac{(3m)!}{(m!)^3}\cdot\dfrac{1}{3^{3m}}}{\dfrac{\{3(m-1)\}!}{\{(m-1)!\}^3}\times\dfrac{1}{3^{3(m-1)}}}$$

$\dfrac{5!}{6!}=\dfrac{5\cdot4\cdot3\cdot2\cdot1}{6\cdot5\cdot4\cdot3\cdot2\cdot1}=\dfrac{1}{6}$ だからね。

$$=\frac{m}{m+1}-\underbrace{\frac{(3m)!}{(3m-3)!}}_{3m(3m-1)(3m-2)}\times\Big\{\underbrace{\frac{(m-1)!}{m!}}_{\frac{1}{m}}\Big\}^3\times\underbrace{\frac{3^{3m-3}}{3^{3m}}}_{\frac{1}{27}}$$

$\dfrac{6!}{3!}=\dfrac{6\cdot5\cdot4\cdot3\cdot2\cdot1}{3\cdot2\cdot1}=6\cdot5\cdot4$ だからね。

$$=\frac{m}{m+1}-\frac{3m(3m-1)(3m-2)}{27\cdot m^3}=\frac{m}{m+1}-\frac{9m^2-9m+2}{9m^2}$$

$$=\frac{9m^3-(m+1)(9m^2-9m+2)}{9m^2(m+1)}$$

$9m^3-(9m^3-7m+2)$

$$=\frac{7m-2}{9m^2(m+1)}>0\quad(\because\ m>1)$$

∴ (＊) は成り立つ。 ……………………………………………………(終)

(＊) の m に $m+1$ を代入して変形すると，

$(m+2)P_{m+1}<1\cdot(m+1)P_m$

$[\ F(m+1)<1\cdot F(m)\ ]$

$P_m<\dfrac{m}{m+1}P_{m-1}$ より，$P_{m+1}<\dfrac{m+1}{m+2}P_m$

$(m+1)P_m<(1+1)\cdot P_1\cdot1^{m-1}=2\times\dfrac{2}{9}=\dfrac{4}{9}$

$[\ F(m)<F(1)\cdot1^{m-1}\ ]$

∴ $0\leqq P_m\leqq\dfrac{4}{9(m+1)}$ より，$0\leqq\displaystyle\lim_{m\to\infty}P_m\leqq\lim_{m\to\infty}\frac{4}{9(m+1)}=0$

この等号はつける。

よって，はさみ打ちの原理より，$\displaystyle\lim_{m\to\infty}P_m=0$ ……………………………(終)

演習問題 19　難易度 ★★★★　CHECK1　CHECK2　CHECK3

座標空間において，点 $\mathbf{C}(0,\ 0,\ 2)$ を中心とする半径 $\mathbf{1}$ の球面を S とする。S 上の点 $\mathbf{P}$ と xy 平面上の点 $\mathbf{P}'$ が条件「直線 $\mathbf{PP}'$ はベクトル $(2,\ 0,\ -1)$ に平行で，球面 S と点 $\mathbf{P}$ で接する」を満たしながら動くとき，線分 $\mathbf{PP}'$ の動いてできる面を T とする。

(1) xy 平面上の点 $\mathbf{P}'(a,\ b,\ 0)$ の軌跡の方程式を $a,\ b$ の式で表せ。

(2) 線分 $\mathbf{PP}'$ の長さの最大値と最小値を求めよ。

(3) 点 $\mathbf{P}$ の軌跡を含む平面を α とする。平面 α，面 T および xy 平面で囲まれてできる立体の体積 V を求めよ。　(上智大＊)

ヒント！ xy 平面を地面と考えると，空中に浮かんだ半径 $\mathbf{1}$ の球面 S に斜めから射した夕日によりできる影の周の曲線が点 $\mathbf{P}'(a,\ b,\ 0)$ の軌跡となるんだね。図を描きながら考えていくことがポイントだね。

解答＆解説

(1) 中心 $\mathbf{C}(0,\ 0,\ 2)$，半径 $r=1$ の球面 S の方程式は，

$x^2+y^2+(z-2)^2=1$ ……① であり，

この球面 S 上の点 $\mathbf{P}$ を $\mathbf{P}(x,\ y,\ z)$ とおくと，これは，①を満たす。

図(i)

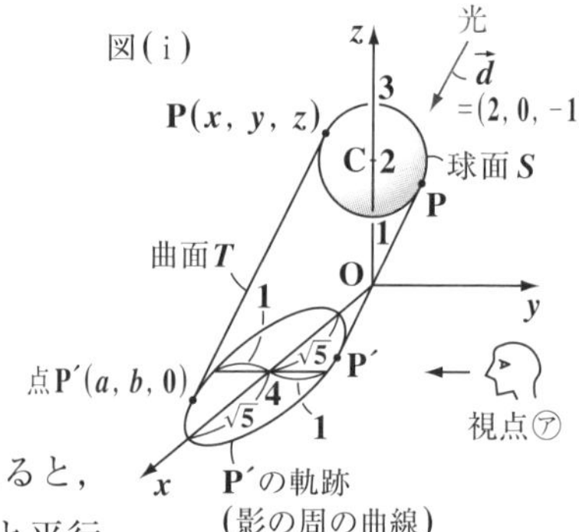

次に，xy 平面上の点 $\mathbf{P}'(a,\ b,\ 0)$ を考えると，$\overrightarrow{\mathbf{PP}'}$ はベクトル $\vec{d}=(2,\ 0,\ -1)$ ……② と平行であり，ベクトル $\overrightarrow{\mathbf{PP}'}$ は球面 S と点 $\mathbf{P}$ で接する。(図のイメージと，考え方を右に示す。)

参考
xy 平面を地面と考えると，空中に浮かんだ半径 $\mathbf{1}$ の球面 S に，$\vec{d}=(2,\ 0,\ -1)$ の向きの光が射したとき，xy 平面(地面)上にできる S の影の周の曲線が点 $\mathbf{P}'(a,\ b,\ 0)$ の軌跡になるんだね。

$\overrightarrow{\mathbf{PP}'}=\overrightarrow{\mathbf{OP}'}-\overrightarrow{\mathbf{OP}}=(a,\ b,\ 0)-(x,\ y,\ z)$

$\quad=(a-x,\ b-y,\ -z)$ ……③ であり，

$\overrightarrow{\mathbf{PP}'}\,/\!/\,\vec{d}$ より，媒介変数 t を用いて，

$\overrightarrow{\mathbf{PP}'}=t\vec{d}$ ……④ となる。

②, ③を④に代入して，

$(a-x,\ b-y,\ -z)=t(2,\ 0,\ -1)$

$\quad=(2t,\ 0,\ -t)$ となる。

よって，$a-x=2t$，$b-y=0$，$-z=-t$ が導かれるので，

$x=a-2t$ ……⑤，$y=b$ ……⑥，$z=t$ ……⑦ となる。

参考

⑤, ⑥, ⑦を①に代入すると，a と b を係数にもつ，t の2次方程式が導かれる。これが，相異なる2実数解 t_1, t_2 をもつとき，右図のように直線 PP′ は球面 S と異なる2点で交わる。今回，直線 PP′ は球面 S と点Pで接するので，この t の2次方程式は重解 t_0 をもつ。よって，この判別式を D とおくと $D=0$ となる。これは，a と b の関係式 (方程式) であり，これが，xy 平面上の点 P′$(a,\ b,\ 0)$ の軌跡の方程式になるんだね。

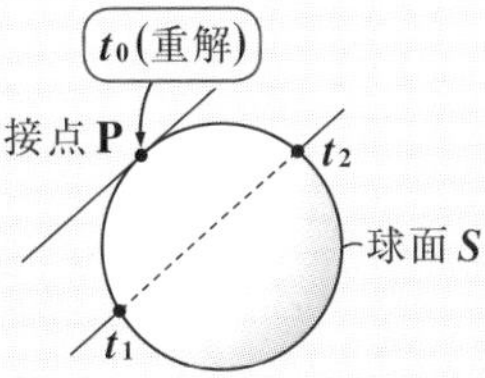

⑤, ⑥, ⑦を①に代入して，t でまとめると，

$(a-2t)^2+b^2+(t-2)^2=1$ より，$4t^2-4at+a^2+b^2+t^2-4t+4=1$

$5t^2-4(a+1)t+a^2+b^2+3=0$ ……⑧ となる。← t の2次方程式

ここで，ベクトル $\overrightarrow{\mathrm{PP'}}$，すなわち直線 PP′ は，$S$ と点Pにおいて接するので，⑧は重解をもつ。

よって，⑧の判別式を D とおくと，

$\dfrac{D}{4}=4(a+1)^2-5(a^2+b^2+3)=0$ となる。

これをまとめると，xy 平面上の点 P′ の軌跡の方程式が次のように導かれる。

$$\frac{(a-4)^2}{5}+b^2=1 \text{ ……⑨ (だ円)………(答)}$$

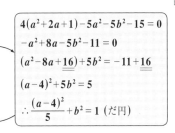

$4(a^2+2a+1)-5a^2-5b^2-15=0$
$-a^2+8a-5b^2-11=0$
$(a^2-8a+\underline{\underline{16}})+5b^2=-11+\underline{\underline{16}}$
$(a-4)^2+5b^2=5$
$\therefore\ \dfrac{(a-4)^2}{5}+b^2=1$ (だ円)

(⑨は図(ⅱ)に示すように，ab 平面上で点 $(4,\ 0)$ を中心とし，長軸 $2\sqrt{5}$，短軸2のだ円を表す。)

図(ⅱ)

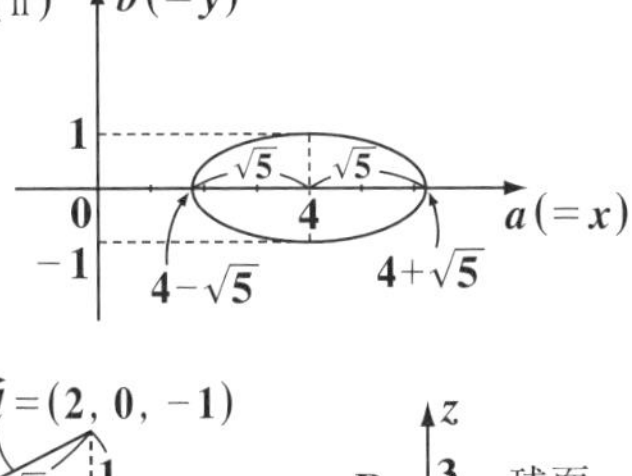

(2) 次に，線分 PP′ の長さの最大値と最小値を求めるために図(ⅰ)に示した視点㋐からみた図を図(ⅲ)に示す。$\vec{d}=(2,\ 0,\ -1)$ より，$1:2:\sqrt{5}$ の辺の比をもつ直角三角形に着目して考えると，

図(ⅲ)

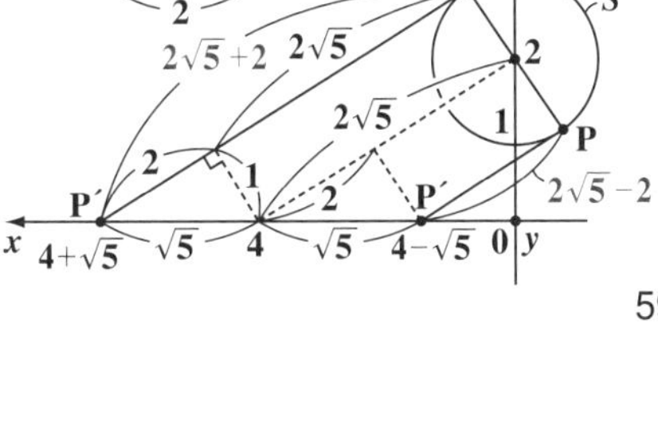

線分 PP′ の最大値は $2\sqrt{5}+2$ であり，最小値は $2\sqrt{5}-2$ である。……(答)

(3) 点 **P** の軌跡を含む平面 α によりできる立体の底を α' とおくと，これは半径 **1** の円板になる。そして，図(iv)に示すように，底面 α' と，側面 T と xy 平面とで囲まれた立体の体積を V とおいて，これを求める。

図(iv)

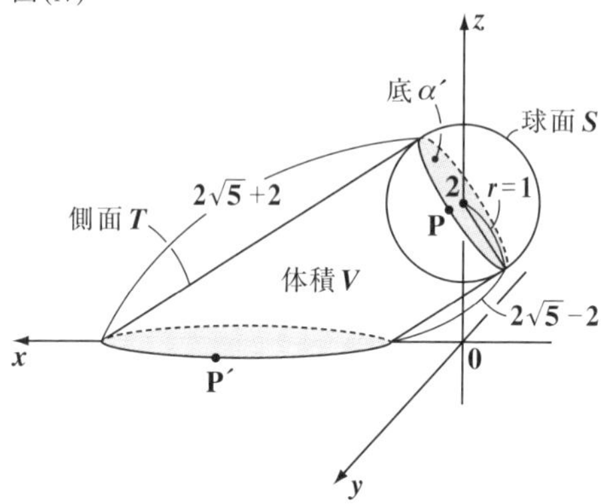

図(v)(ア)に，この立体を底 α' を下にした図を示すと，この立体の高さの最大値は $2\sqrt{5}+2$，最小値は $2\sqrt{5}-2$ となるので，その平均 $2\sqrt{5}$ の高さで，底面 α' と平行な平面で切って，切り取られた上部の部分を，この立体の欠けたところに，図(v)(イ)のように配置すると，この立体の体積 V は，α' を底面とする，高さ $2\sqrt{5}$ の円柱の体積と等しいことが分かる。よって，求める体積 V は，

図(v)

(ア)　　(イ)

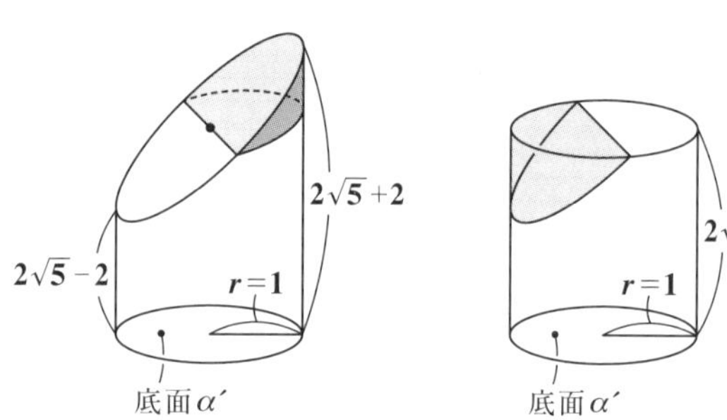

$V=\pi\cdot 1^2\times 2\sqrt{5}=2\sqrt{5}\pi$ である。…………………………………(答)

このように，立体図形のからんだ空間ベクトルの問題は，様々な視点から図を描きながら考えていくといいんだね。面白かったでしょう？

ベクトルと平面図形・空間図形

演習問題 20	難易度 ★★★★	CHECK 1	CHECK 2	CHECK 3

(1) xy 平面で，動点 **P** は集合 $M=\{(x,\ y)\,|\,x^2+y^2\leqq 1\}$ を，動点 **Q** は集合 $N=\{(x,\ y)\,|\,|x|+|y|=3\}$ を動くとする。このとき，$\overrightarrow{OR}=\overrightarrow{OP}+\overrightarrow{OQ}$ で表される点 **R** が動いてできる図形を図示し，その面積を求めよ。ただし，**O** は原点とする。

(2) xyz 空間で，動点 **P** は集合 $M=\{(x,\ y,\ z)\,|\,x^2+y^2+z^2\leqq 1\}$ を，動点 **Q** は集合 $N=\{(x,\ y,\ z)\,|\,|x|\leqq 1,\ |y|\leqq 1,\ |z|\leqq 1\}$ を動くとする。このとき，$\overrightarrow{OR}=\overrightarrow{OP}+\overrightarrow{OQ}$ で表される点 **R** が動いてできる図形の体積を求めよ。ただし，**O** は原点とする。 (上智大)

Baba のレクチャー

まず，**(1)** について，図アに示すように，

(Ⅰ) 動点 **P** は中心 **O**，半径 **1** の円周とその内部を動く。

(Ⅱ) 動点 **Q** は，$|x|+|y|=3$ を場合分けして，

(ⅰ) $x\geqq 0,\ \ y\geqq 0$ のとき，$x+y=3$

(ⅱ) $x\leqq 0,\ \ y\geqq 0$ のとき，$-x+y=3$

(ⅲ) $x\leqq 0,\ \ y\leqq 0$ のとき，$-x-y=3$

(ⅳ) $x\geqq 0,\ \ y\leqq 0$ のとき，$x-y=3$

となるので，**4** 点 $(3,\ 0)$，$(0,\ 3)$，$(-3,\ 0)$，$(0,\ -3)$ を頂点とする正方形の辺上を動く。

図ア

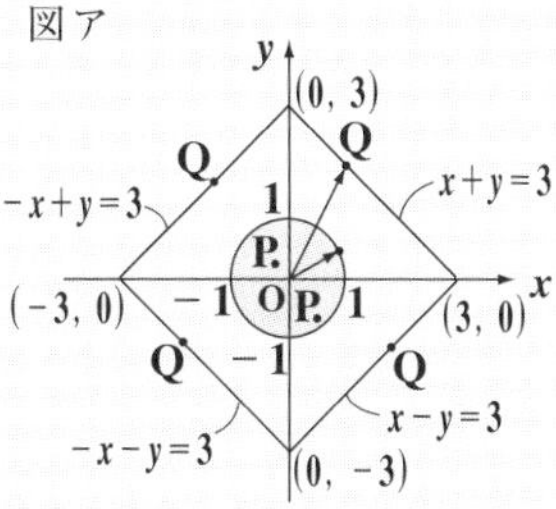

図イ

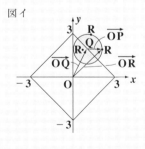

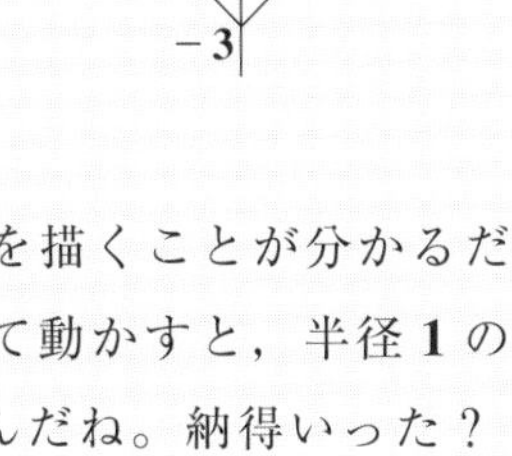

このとき，$\overrightarrow{OR}=\overrightarrow{OQ}+\overrightarrow{OP}$ で表される動点 **R** を考えよう。図イに示すように，点 **Q** を正方形上の **1** 点に固定すると，$\overrightarrow{OP}$ は半径 **1** の円周とその内部を描くので，$\overrightarrow{OQ}+\overrightarrow{OP}$ の終点 **R** は，中心 **Q**，半径 **1** の円周とその内部を描くことが分かるだろう。ここで，中心 **Q** を斜めの正方形に沿って動かすと，半径 **1** の円が通過する領域が，点 **R** の描く図形となるんだね。納得いった？

解答＆解説

(1) 動点Pは，中心O，半径1の円周およびその内部を動き，動点Qは，$(3,\ 0)$，$(0,\ 3)$，$(-3,\ 0)$，$(0,\ -3)$を4頂点とする正方形の辺上を動く。
よって，$\overrightarrow{OR}=\overrightarrow{OQ}+\overrightarrow{OP}$で表される動点Rの描く図形は，半径1の円が，その中心が上記の正方形の辺上を移動したときに通過する領域となる。
これを図1に網目部で示す。……(答)
この図形の面積は，図2(ⅰ)(ⅱ)(ⅲ)に示すように，3つのパーツに分けて計算するといい。
よって，求める面積をSとおくと，

$$S=\underline{(3\sqrt{2})^2-(3\sqrt{2}-2)^2}$$

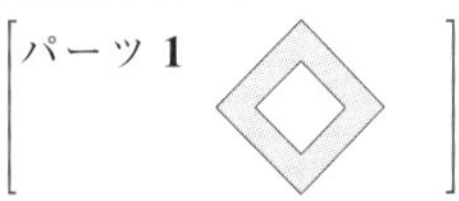

$$+\underline{4\times3\sqrt{2}\times1}+\underline{\pi\cdot1^2}$$

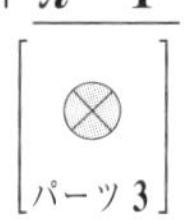

$$=\cancel{18}-(\cancel{18}-12\sqrt{2}+4)+12\sqrt{2}+\pi$$

$$=24\sqrt{2}-4+\pi$$ となる。………(答)

図1

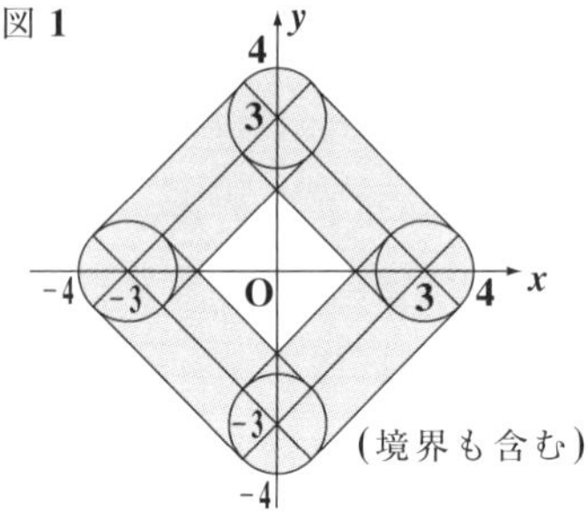

図2(ⅰ)

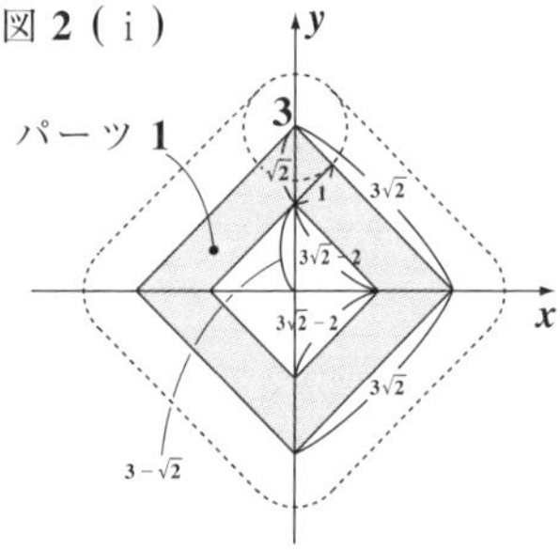

(ⅱ)

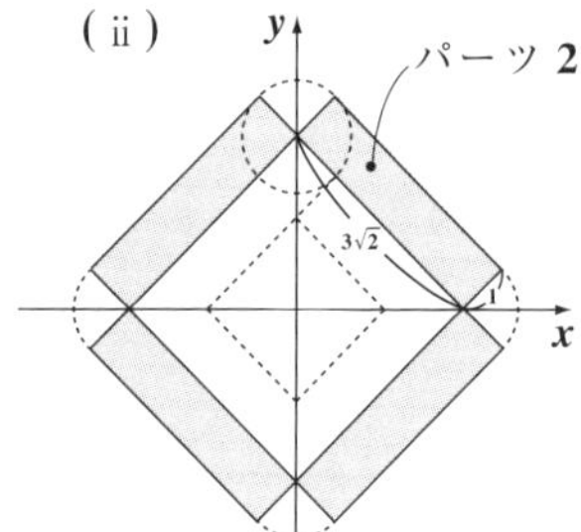

(ⅲ)

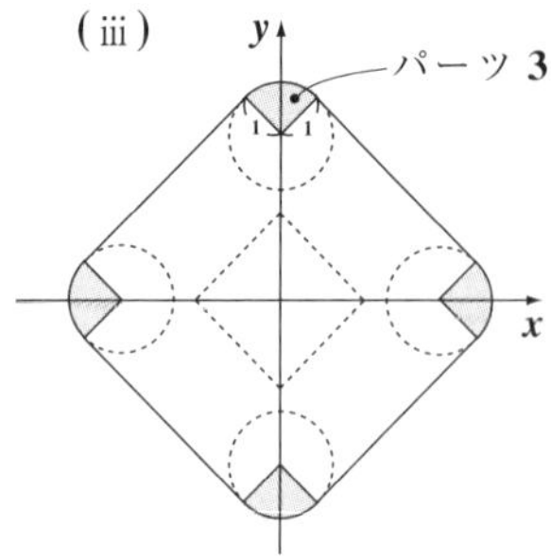

(2) 動点 **P** は，中心 **O**，半径 **1** の球面およびその内部を動き，

動点 **Q** は，$-1 \leqq x \leqq 1$ かつ $-1 \leqq y \leqq 1$ かつ $-1 \leqq z \leqq 1$ より，原点を中心とする **1** 辺の長さ **2** の立方体の表面およびその内部を動く。

図 2

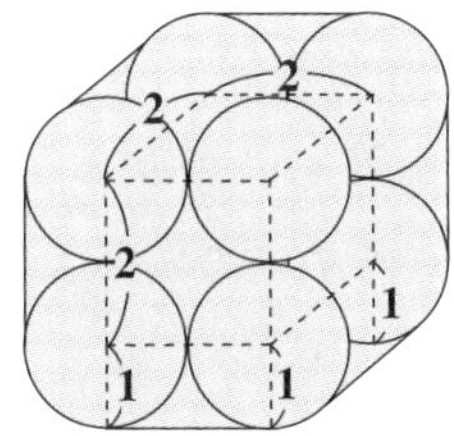

よって，$\overrightarrow{OR} = \overrightarrow{OP} + \overrightarrow{OQ}$ で表される動点 **R** の描く図形は，**(1)** と同様に考えて，半径 **1** の球が，その中心が上記の立方体の表面およびその内部を移動したときに通過する領域になる。それを図 **2** に網目部で示す。

この図形の体積を V とおくと，これは次のように **4** つのパーツに分けて求めることができる。

$$V = \underline{2^3} + \underline{6 \times 2^2 \times 1} + \underline{3 \times \pi \cdot 1^2 \times 2} + \underline{\frac{4}{3}\pi \cdot 1^3}$$

[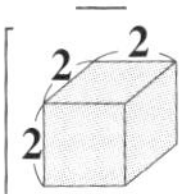] [6 × 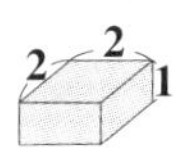] [3 × 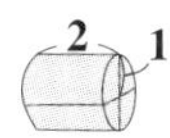] [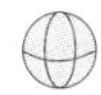]

$$= 8 + 24 + 6\pi + \frac{4}{3}\pi$$

$$= 32 + \frac{22}{3}\pi \quad \cdots\cdots\cdots\cdots(答)$$

ベクトルの内積と直円すいの方程式

演習問題 21	難易度 ★★★	CHECK 1	CHECK 2	CHECK 3

xyz 座標空間に点 $\mathrm{A}(0,\ 0,\ 2)$ を頂点とし，xy 平面上の円 $x^2+y^2\leqq 4$ $(z=0)$ を底面にもつ直円すい C がある。

(1) 直円すいの側面上の任意の点を $\mathrm{P}(x,\ y,\ z)$ とおくとき，x と y と z の関係式を求めよ。

(2) 直円すい C を平面 $z=y$ で切ってできる図形の面積 S_1 を求めよ。

(3) 直円すい C を平面 $z=\dfrac{1}{3}y+\dfrac{2}{3}$ で切ってできる図形の面積 S_2 を求めよ。

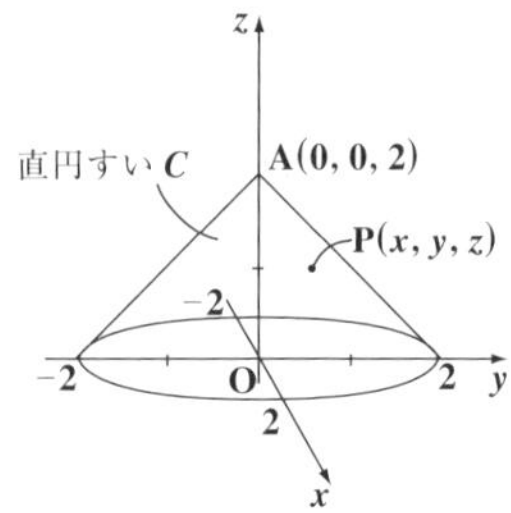

ヒント！ (1) 点 P は円すい C の側面上の点より，$\overrightarrow{\mathrm{AP}}$ と $\overrightarrow{\mathrm{AO}}$ のなす角は常に $\dfrac{\pi}{4}$ で一定なんだね。よって，$\overrightarrow{\mathrm{AO}}\cdot\overrightarrow{\mathrm{AP}}=|\overrightarrow{\mathrm{AO}}||\overrightarrow{\mathrm{AP}}|\cos\dfrac{\pi}{4}$ から，円すい C の側面の方程式が求まる。(2), (3) の断面の曲線は，それぞれ放物線とだ円になるんだね。

解答＆解説

(1) 図 1 に示すように，頂点 $\mathrm{A}(0,\ 0,\ 2)$ から直円すい C の側面上の点 $\mathrm{P}(x,\ y,\ z)$ に向かうベクトル $\overrightarrow{\mathrm{AP}}$ と，$\overrightarrow{\mathrm{AO}}$ とのなす角は常に $\dfrac{\pi}{4}$ で一定である。

図 1

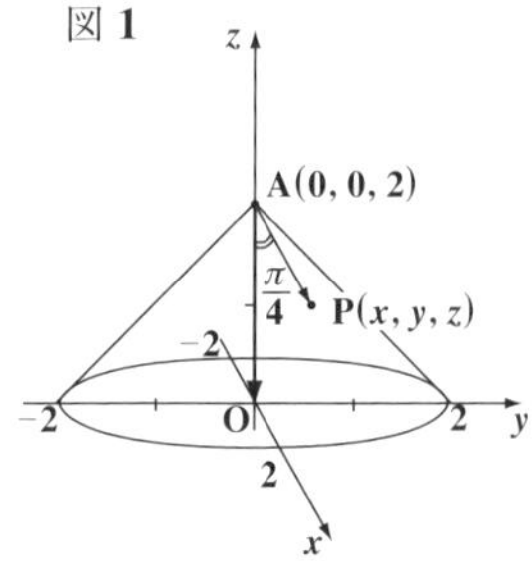

$$\begin{cases}\overrightarrow{\mathrm{AP}}=\overrightarrow{\mathrm{OP}}-\overrightarrow{\mathrm{OA}}=(x,\ y,\ z)-(0,\ 0,\ 2)\\ \qquad\quad =(x,\ y,\ z-2)\\ \overrightarrow{\mathrm{AO}}=-\overrightarrow{\mathrm{OA}}=-(0,\ 0,\ 2)=(0,\ 0,\ -2)\end{cases}$$

よって，$\overrightarrow{\mathrm{AO}}\cdot\overrightarrow{\mathrm{AP}}=|\overrightarrow{\mathrm{AO}}||\overrightarrow{\mathrm{AP}}|\cos\dfrac{\pi}{4}$ より

$$x\cdot 0+y\cdot 0-2(z-2)=\sqrt{x^2+y^2+(z-2)^2}\cdot\underbrace{\sqrt{0^2+0^2+(-2)^2}}_{2}\cdot\underbrace{\frac{1}{\sqrt{2}}}_{\cos\frac{\pi}{4}}\quad(0\leqq z\leqq 2)$$

$-\sqrt{2}(z-2)=\sqrt{x^2+y^2+(z-2)^2}$　　この両辺を 2 乗して

$2(z-2)^2 = x^2 + y^2 + (z-2)^2$

よって，求める x と y と z の関係式（側面の方程式）は，

$x^2 + y^2 = (z-2)^2$ ……① $(0 \leqq z \leqq 2)$ となる。……………………（答）

点 **P** は側面上の任意の点より，これが直円すい C の側面を表す方程式なんだね。

(2) **(1)** より，円すい C の方程式は，

図 2

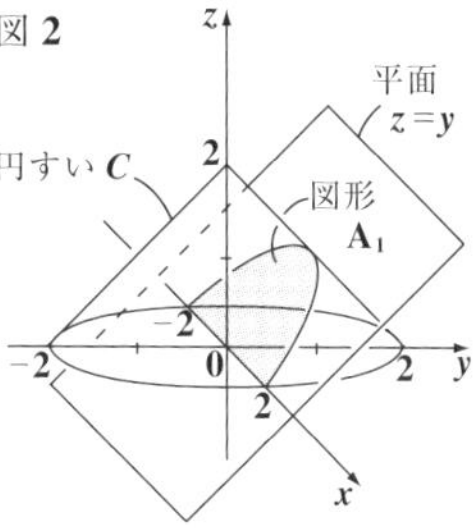

$x^2 + y^2 \leqq (z-2)^2$ ……①′ $(0 \leqq z \leqq 2)$ である。

円すい C は，側面およびその内部の点の集合となるので，①の等号に不等号を付け加える。

これを，平面 $z = y$ ……②

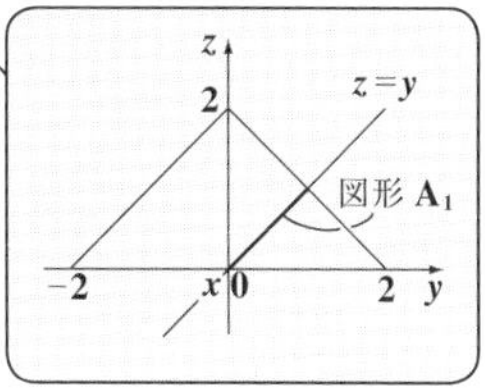

で切った切り口の図形を A_1 とおく。（図 2 参照）

②を①′に代入して，z を消去すると，

図 3

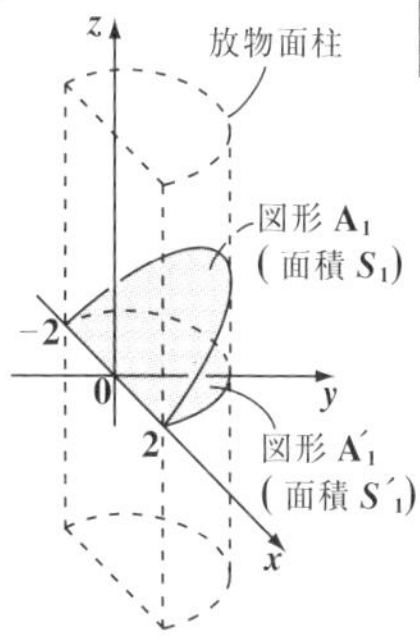

$x^2 + y^2 \leqq \underline{(y-2)^2}$ 　　$4y \leqq -x^2 + 4$

$\underline{(y-2)^2} = y^2 - 4y + 4$

$y \leqq -\dfrac{1}{4}x^2 + 1 \quad (y \geqq 0)$ ……③となる。

この③は，z について何の拘束もないので z 軸方向には自由に動ける。よって，③は，図 3 に示すような放物面柱になる。

よって，図 3, 4 に示すように，xy 平面 $(z=0)$ 上で，$y = -\dfrac{1}{4}x^2 + 1$ と $y = 0$ とで囲まれる図形を A'_1 とおくと，A'_1 は A_1 の xy 平面への正射影である。

図 4

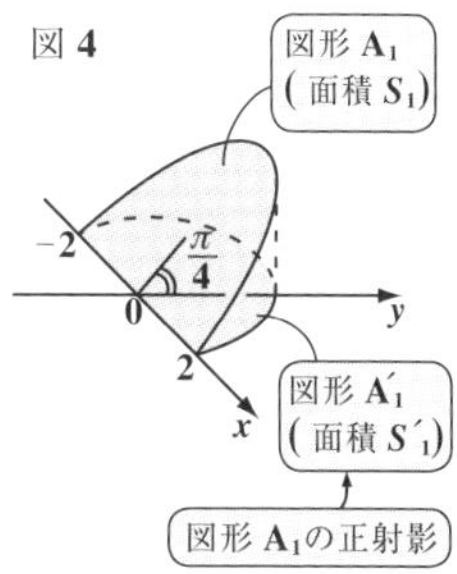

A'_1 の面積を S'_1 とおくと，面積公式より

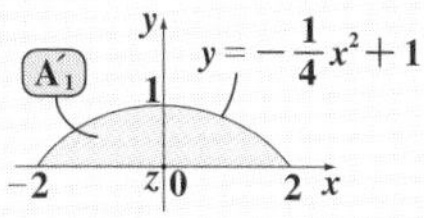

面積公式より

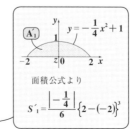

$S'_1 = \dfrac{\left|-\frac{1}{4}\right|}{6}\{2-(-2)\}^3$

$S'_1 = \dfrac{4^3}{24} = \dfrac{8}{3}$ ……④

ここで，図 4 より，図形 A_1 と図形 $A_1{}'$ を含む 2 平面のなす角は $\frac{\pi}{4}$ となるので，求める図形の面積 S_1 は，

$$S_1 = \frac{S'_1}{\cos\frac{\pi}{4}} = \frac{\frac{8}{3}}{\frac{1}{\sqrt{2}}} = \frac{8\sqrt{2}}{3}$$ である。……………………………(答)

（S'_1：$\frac{8}{3}$（④より））

右図に示すように，一般に，面積 S の図形の正射影の面積が S' であり，これらの図形を含む 2 平面のなす角が θ であるとき，$S\cdot\cos\theta = S'$ の関係式が成り立つ。

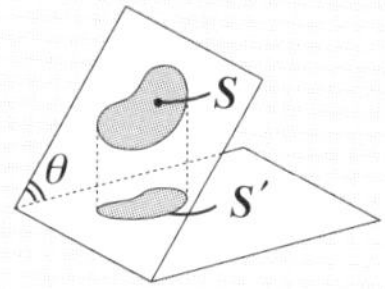

(3) (1) より，円すい C の方程式は

$x^2+y^2 \leqq (z-2)^2$ …①′ $(0 \leqq z \leqq 2)$

これを，平面 $z=\frac{1}{3}y+\frac{2}{3}$ …⑤ で切った切り口の図形を A_2 とおく。

⑤を①′に代入して，z を消去してまとめると，

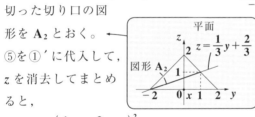

図 5

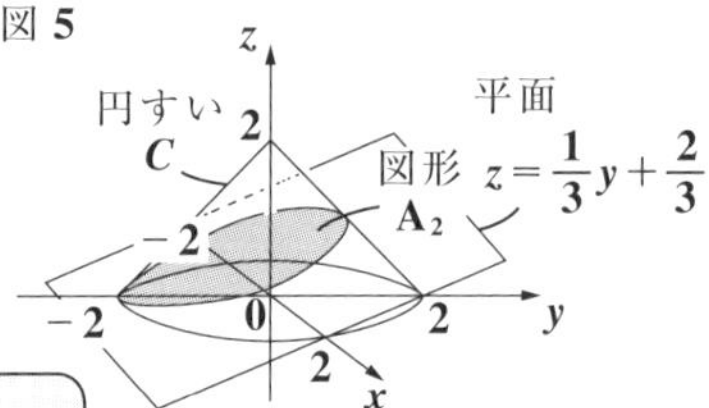

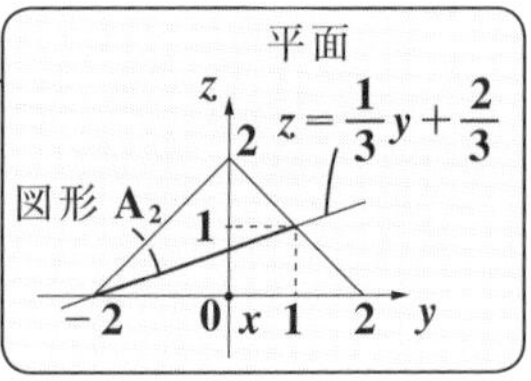

$$x^2+y^2 \leqq \left(\frac{1}{3}y+\frac{2}{3}-2\right)^2$$

$$\left(\frac{1}{3}y-\frac{4}{3}\right)^2 = \frac{1}{9}(y^2-8y+16)$$

$9x^2+9y^2 \leqq y^2-8y+16$

$9x^2+8y^2+8y \leqq 16$

$9x^2+8\left(y^2+y+\frac{1}{4}\right) \leqq 16+2$

$$\frac{x^2}{2}+\frac{\left(y+\frac{1}{2}\right)^2}{\frac{9}{4}} \leqq 1 \quad \cdots\cdots ⑥$$ となる。

図 6

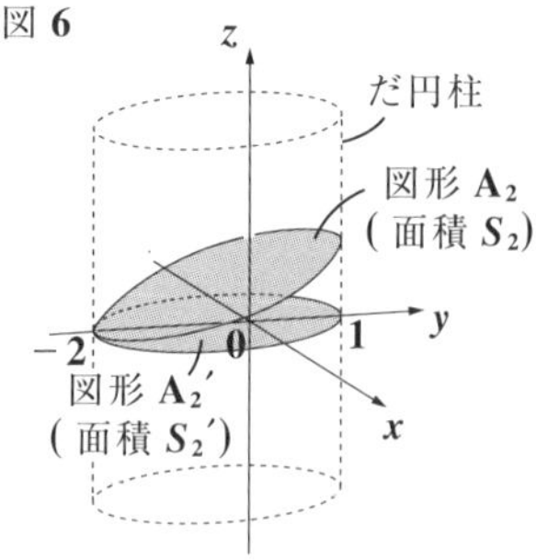

この⑥は，z について何の拘束もないので，z 軸方向に自由に動ける。よって，⑥は図 **6** に示すようなだ円柱になるんだね。

よって，図 **6**，**7** に示すように，xy 平面 $(z=0)$

上で，$\dfrac{x^2}{2}+\dfrac{\left(y+\dfrac{1}{2}\right)^2}{\dfrac{9}{4}}=1$ で囲まれる図形を $A_2{}'$ 　（2：a^2，$\dfrac{9}{4}$：b^2）

とおくと，$A_2{}'$ は A_2 の xy 平面への正射影である。

図 7

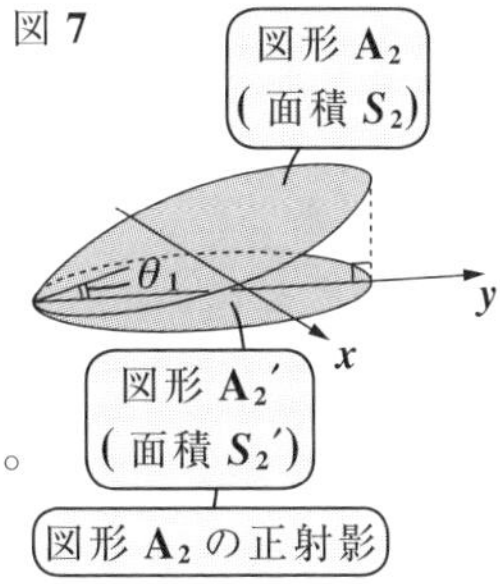

$A_2{}'$ の面積を $S_2{}'$ とおくと
だ円の面積公式より，

$$S_2{}'=\pi\sqrt{2}\cdot\sqrt{\frac{9}{4}}=\frac{3\sqrt{2}}{2}\pi$$

平行移動項があっても，だ円の面積公式に変化はない！

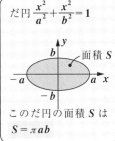

だ円 $\dfrac{x^2}{a^2}+\dfrac{y^2}{b^2}=1$

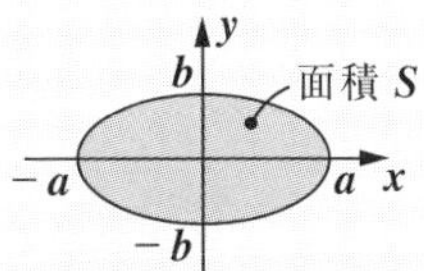

このだ円の面積 S は
$S=\pi ab$

ここで，図 **7** より，図形 A_2 と図形 $A_2{}'$ を含む **2** 平面のなす角を θ_1 とおくと，$\tan\theta_1=\dfrac{1}{3}$ より，

$\cos\theta_1=\dfrac{3}{\sqrt{10}}$ となる。よって，求める図形 A_2 の面積 S_2 は，

平面 $z=\dfrac{1}{3}y+\dfrac{2}{3}$

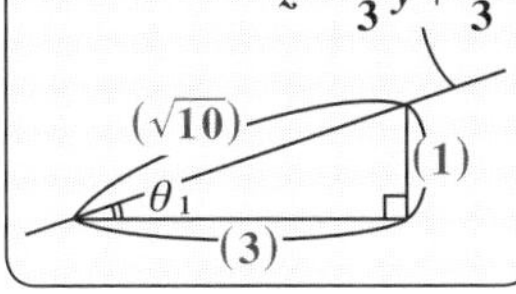

$$S_2=\frac{S_2{}'}{\cos\theta_1}=\frac{\dfrac{3\sqrt{2}}{2}\pi}{\dfrac{3}{\sqrt{10}}}=\frac{3\sqrt{2}\cdot\sqrt{10}}{2\cdot 3}\pi$$

$$=\frac{2\sqrt{5}}{2}\pi=\sqrt{5}\,\pi \text{ である。} \quad\cdots\cdots\cdots(\text{答})$$

これは，ボクのオリジナルの問題だったんだけれど，うまく解けた？直円すいの問題は，これから様々な難関大で出題されると思う。この後の演習問題 **67** (**P195**) と共に，シッカリ勉強しておくといいよ。

テーマ5 複素数平面

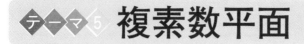

● 回転と相似の合成変換公式を使いこなそう！

これまでに，様々な図形的な問題を解いてきたけれど，ここでは，“複素数平面”を利用する平面図形の応用問題についても解説しておこう。これから，複素数平面も，図形的な要素だけでなく，論証問題と組み合せた問題など，他分野との融合形式の応用問題として出題される可能性が高いので，シッカリ練習しておく必要があるんだね。

それでは，今回扱うメインテーマを下に列挙しておこう。

(1) 実数条件と純虚数条件の応用問題
(2) 回転と相似の合成変換と論証問題の融合
(3) 回転と相似の合成変換の図形への応用問題
(4) 複素数平面と，領域と最大値問題

(1) は，北海道大の問題で，円の方程式と複素数の実数条件，純虚数条件との融合問題になっている。

後半の **3** 題の問題は，いずれも東京大の問題だ。いずれも複素数平面の回転と相似の合成変換を利用する応用問題なんだね。この合成変換の基本公式を右に示しておくので，この考え方や公式を利用して，解いていこう。**(2)** は，複素数平面と論証問題の融合形式の問題で，**(3)** は，複素数平面と平面図形の融合形式の問題だ。**(3)**，**(4)** 共に，円周角がポイントになる。**(4)** は，最終的には，領域と最大値問題に帰着する。

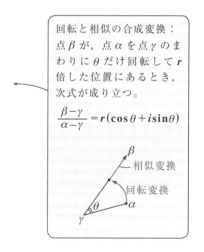

回転と相似の合成変換：
点βが，点αを点γのまわりにθだけ回転してr倍した位置にあるとき，次式が成り立つ。

$$\frac{\beta-\gamma}{\alpha-\gamma}=r(\cos\theta+i\sin\theta)$$

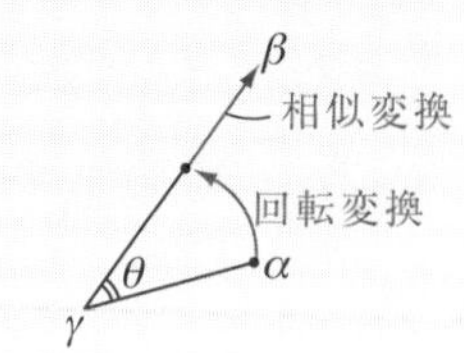

実数条件・純虚数条件

演習問題 22	難易度 ☆☆☆	CHECK1	CHECK2	CHECK3

rを正の実数とする。複素数平面上に，点αを中心とする半径rの円Cがある。ただし，Cは原点を通らないものとする。点zが円C上を動くとき，点$w=\dfrac{1}{z}$の描く図形をC'とする。

(1) C'は円であることを示せ。さらに，C'の中心と半径をαとrで表せ。

(2) CとC'が一致するとき，Cの中心αは実軸上または虚軸上にあることを示せ。 (北海道大)

ヒント！ (1) 複素数zは，中心α，半径rの円C上の点より，$|z-\alpha|=r$となり，これに$z=\dfrac{1}{w}$を代入して，wの方程式に書き換えると，これも円C'の方程式になる。(2)では，(i)αの実数条件：$\alpha=\overline{\alpha}$と(ii)αの純虚数条件：$\alpha+\overline{\alpha}=0$ $(\alpha\neq 0)$を利用することになるんだね。

解答＆解説

(1) 右図に示すように，複素数平面上で複素数(点)zは，中心α，半径r (>0)の円C上の動点であるので，

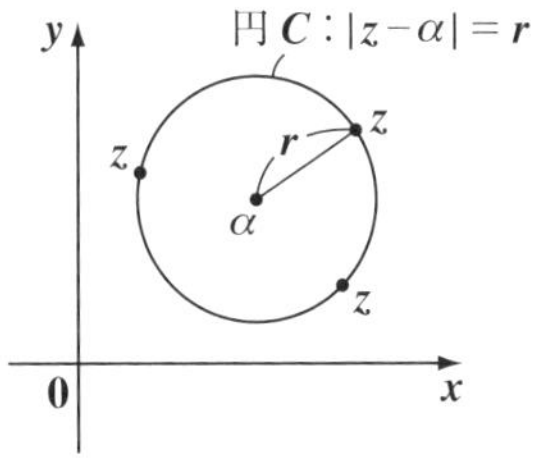

$|z-\alpha|=r$ ……① $(z\neq 0)$ となる。

（Cは0を通らない。）

（これは，$|\alpha|\neq r$と書き換えることもできる。）

（$\because |\alpha|=r$のとき，zは0を通る。）

このとき，点$w=\dfrac{1}{z}$ ……② の描く図形C'も円であり，その中心をα'，半径をr'とおいて，α'とr'を求める。

②より，$z=\dfrac{1}{w}$ ……②$'$ となる。②$'$を①に代入して変形すると，

$\left|\dfrac{1}{w}-\alpha\right|=r$　両辺に$|w|$をかけて2乗すると，

$|1-\alpha w|^2=r^2|w|^2$　　$(1-\alpha w)\overline{(1-\alpha w)}=r^2w\overline{w}$

$(1-\alpha w)(1-\overline{\alpha}\,\overline{w})=r^2w\overline{w}$ ……③

（公式：
$|\alpha|^2=\alpha\cdot\overline{\alpha}$
$\overline{\alpha+\beta}=\overline{\alpha}+\overline{\beta}$
$\overline{\alpha\cdot\beta}=\overline{\alpha}\cdot\overline{\beta}$）

③をさらに変形してまとめると，

$1-\alpha w-\overline{\alpha}\,\overline{w}+\underbrace{\alpha\overline{\alpha}}_{|\alpha|^2}w\overline{w}=r^2w\overline{w}$ 　$(1-\alpha w)(1-\overline{\alpha}\,\overline{w})=r^2w\overline{w}$ …③

$(|\alpha|^2-r^2)w\overline{w}-\alpha w-\overline{\alpha}\,\overline{w}=-1$ ……④

ここで，$|\alpha|\neq r$ より，$|\alpha|^2-r^2$ $(\neq 0)$ で④の両辺を割って，

$$w\overline{w}-\frac{\alpha}{|\alpha|^2-r^2}w-\frac{\overline{\alpha}}{|\alpha|^2-r^2}\overline{w}=-\frac{1}{|\alpha|^2-r^2}$$ ←$|\alpha|^2-r^2$ は 0 でない実数

$$w\left(\overline{w}-\frac{\alpha}{|\alpha|^2-r^2}\right)-\frac{\overline{\alpha}}{|\alpha|^2-r^2}\left(\overline{w}-\frac{\alpha}{|\alpha|^2-r^2}\right)=-\frac{1}{|\alpha|^2-r^2}+\frac{|\alpha|^2}{(|\alpha|^2-r^2)^2}$$

$$\left(w-\frac{\overline{\alpha}}{|\alpha|^2-r^2}\right)\left(\overline{w}-\frac{\alpha}{|\alpha|^2-r^2}\right)=\left(w-\frac{\overline{\alpha}}{|\alpha|^2-r^2}\right)\overline{\left(w-\frac{\overline{\alpha}}{|\alpha|^2-r^2}\right)}=\left|w-\frac{\overline{\alpha}}{|\alpha|^2-r^2}\right|^2$$

$$\frac{-(|\alpha|^2-r^2)+|\alpha|^2}{(|\alpha|^2-r^2)^2}=\frac{r^2}{(|\alpha|^2-r^2)^2}$$

$\left|w-\dfrac{\overline{\alpha}}{|\alpha|^2-r^2}\right|^2=\dfrac{r^2}{(|\alpha|^2-r^2)^2}$ となるので，この両辺の正の平方根をとって，

$\underbrace{\left|w-\dfrac{\overline{\alpha}}{|\alpha|^2-r^2}\right|}_{中心\alpha'}=\underbrace{\dfrac{r}{\left||\alpha|^2-r^2\right|}}_{半径r'}$ ……⑤ よって，動点 w の描く図形 C' は円である。…(終)

←$\sqrt{a^2}=|a|$ (a：実数)より

この円 C' の中心 α' と半径 r' は，$\alpha'=\dfrac{\overline{\alpha}}{|\alpha|^2-r^2}$，$r'=\dfrac{r}{\left||\alpha|^2-r^2\right|}$ である。…(答)

(2) C と C' が一致するとき，$\alpha=\alpha'$ かつ $r=r'$ となるので，

$\alpha=\dfrac{\overline{\alpha}}{|\alpha|^2-r^2}$ ……⑥ かつ $r=\dfrac{r}{\left||\alpha|^2-r^2\right|}$ ……⑦ となる。

$r>0$ より，⑦の両辺を r で割ってまとめると，$\left||\alpha|^2-r^2\right|=1$

$\therefore |\alpha|^2-r^2=1$ または -1 となる。

(i) $|\alpha|^2-r^2=1$ のとき，⑥は，$\alpha=\overline{\alpha}$ となるので，

α は実数である。

$\therefore \alpha$ は実軸上に存在する。

・α の実数条件
$\alpha=\overline{\alpha}$
・α の純虚数条件
$\alpha+\overline{\alpha}=0$ $(\alpha\neq 0)$

(ii) $|\alpha|^2-r^2=-1$ のとき，⑥は $\alpha=-\overline{\alpha}$，$\alpha+\overline{\alpha}=0$ となるので，

α は純虚数または 0 である。

$\therefore \alpha$ は虚軸上に存在する。←今回，$\alpha=0$ も虚軸上の点なので問題ない。

以上(i)(ii)より，α は実軸上または虚軸上にある。……………………(終)

複素数平面の論証問題

演習問題 23	難易度 ☆☆☆☆	CHECK1	CHECK2	CHECK3

複素数平面上の原点以外の相異なる 2 点 P(α), Q(β) を考える。
P(α), Q(β) を通る直線を l, 原点から l に引いた垂線と l の交点を R(ω) とする。ただし, 複素数 γ が表す点 C を C(γ) とかく。このとき,「$\omega=\alpha\beta$ であるための必要十分条件は, P(α), Q(β) が中心 A$\left(\frac{1}{2}\right)$, 半径 $\frac{1}{2}$ の円周上にあることである」を示せ。 (東京大)

Baba のレクチャー

一般に, 複素数平面上の 4 点 A(α), B(β), C(γ), D(δ) について,
AB ⊥ CDとなるための条件は,

$\frac{\beta-\alpha}{\delta-\gamma}=ki$ (純虚数) ……(*)

(k: 0でない実数, i: 虚数単位)となるんだね。これは, 回転と相似の合成変換から導くことができる。

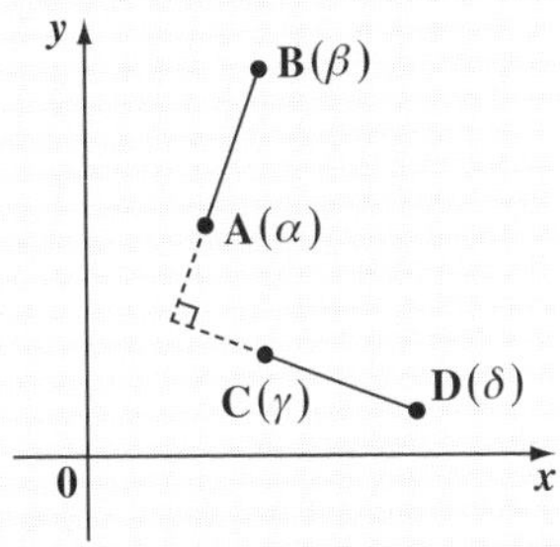

右図のように, $\overrightarrow{AB}\perp\overrightarrow{CD}$ (直交)のとき,
$\overrightarrow{AB}$ と $\overrightarrow{CD}$ を複素数 α, β, γ, δ で表すと,
$\overrightarrow{AB}=\beta-\alpha$, $\overrightarrow{CD}=\delta-\gamma$ であり, $\overrightarrow{AB}\perp\overrightarrow{CD}$ であるならば,

(これは, $\overrightarrow{OB}-\overrightarrow{OA}$) (これは, $\overrightarrow{OD}-\overrightarrow{OC}$ に相等する。)

回転と相似の合成変換の公式を用いて

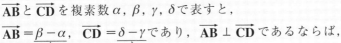

$$\frac{\beta-\alpha}{\delta-\gamma}=r\{\underbrace{\cos(\pm 90^\circ)}_{0}+i\underbrace{\sin(\pm 90^\circ)}_{\pm 1}\}$$

$=\pm ri$ ここで, $\pm r=k$ と

おくと, (*)の式が導かれるんだね。

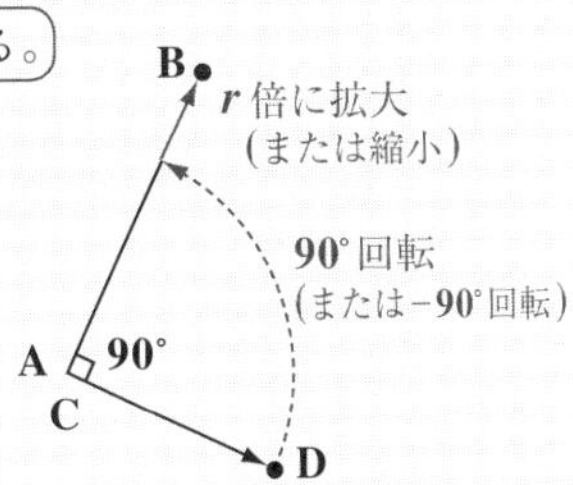

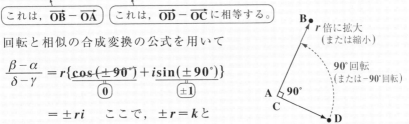

(ベクトルは, 平行移動してもいいので, 回転の中心は A と C で一致していなくてもいいんだね。)

今回の問題では, 4点 O(0), P(α), Q(β), S($\alpha\beta$)とおいて,

(i) OS ⊥ PS かつ (ii) OS ⊥ QS と, P, Q が円 $\left(x-\frac{1}{2}\right)^2+y^2=\frac{1}{4}$ 上の点であることが, 同値であることを示せばいいんだね。

解答＆解説

右図に示すように，複素数平面上で**2**点$\mathbf{P}(\alpha)$，$\mathbf{Q}(\beta)$ $(\alpha\beta \fallingdotseq 0,\ \alpha \fallingdotseq \beta)$を通る直線$l$に原点$\mathbf{O}$から引いた垂線の足が$\mathbf{S}(\alpha\beta)$となるための必要十分条件は，$\mathbf{P}$，$\mathbf{Q}$が円$\left(x-\frac{1}{2}\right)^2+y^2=\frac{1}{4}$上の点であることを示す。この円を$C$とおく。

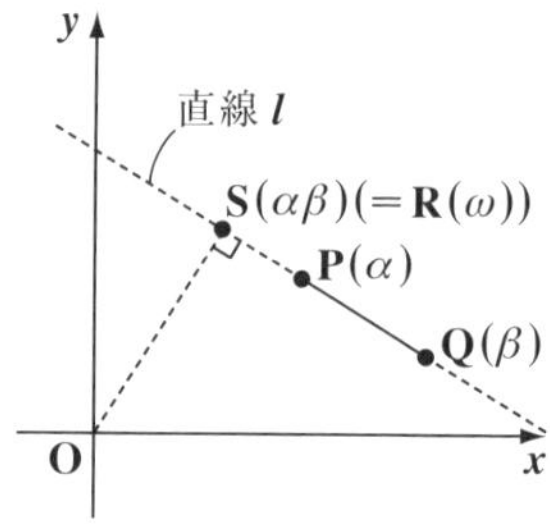

(Ⅰ) $\alpha=1$，または$\beta=1$の場合，

(ⅰ) $\alpha=1$のとき，点$\mathbf{P}(1)$は円C上にあり，

$\omega=\underset{\beta}{\underline{\alpha\beta}} \iff$ 点$\mathbf{Q}(\beta)$も円C上にある。

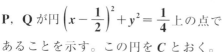

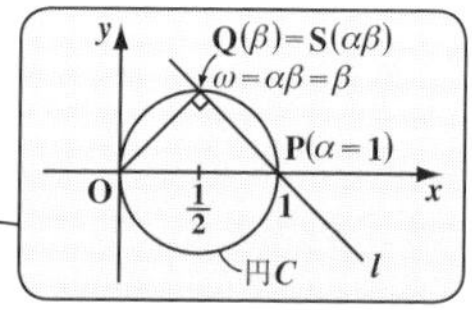

(ⅱ) $\beta=1$のとき，点$\mathbf{Q}(1)$は円C上にあり，

$\omega=\underset{\alpha}{\underline{\alpha\beta}} \iff$ 点$\mathbf{P}(\alpha)$も円C上にある。

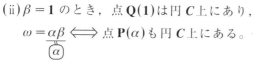

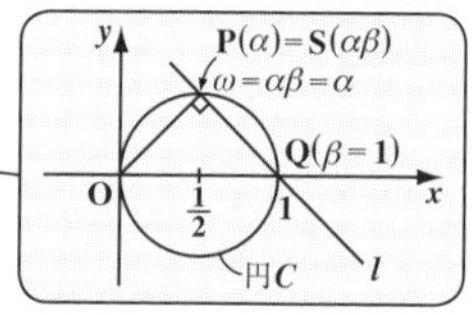

(Ⅱ) $\alpha \fallingdotseq 1$，かつ$\beta \fallingdotseq 1$の場合，

$\alpha\beta \fallingdotseq \alpha$，かつ$\alpha\beta \fallingdotseq \beta$である。

$\alpha\beta=\alpha$とすると，$\beta=1$となり，$\beta \fallingdotseq 1$に反する。
$\therefore \alpha\beta \fallingdotseq \alpha$　同様にして，$\alpha\beta \fallingdotseq \beta$だね。

このとき，(ⅰ)$\mathbf{OS} \perp \mathbf{PS}$，(ⅱ)$\mathbf{OS} \perp \mathbf{QS}$それぞれと同値な条件を求める。

(ⅰ)かつ(ⅱ)が，直線l上の点$\mathbf{S}(\alpha\beta)$が$\mathbf{OS} \perp \mathbf{PQ}$となるための条件だね。

(ⅰ) $\mathbf{OS} \perp \mathbf{PS} \iff \dfrac{\alpha\beta-\alpha}{\alpha\beta-0}=ki$ (k：0でない実数)

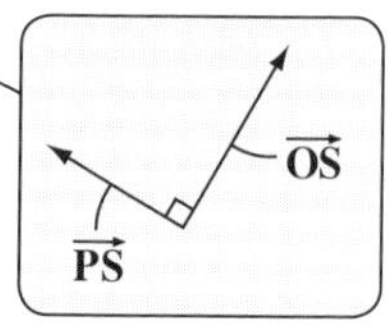

$\iff \dfrac{\beta-1}{\beta-0}=ki$ (純虚数) ($\because \alpha \fallingdotseq 0$)

$\iff$ ここで，点$\mathbf{T}(1)$とおくと，$\mathbf{OQ} \perp \mathbf{TQ}$

$\iff$ 直径$\mathbf{OT}$に対する円周角$\angle\mathbf{OQT}=90°$となるので，点$\mathbf{Q}(\beta)$は，$\mathbf{OT}$を直径とする円周上の点である。

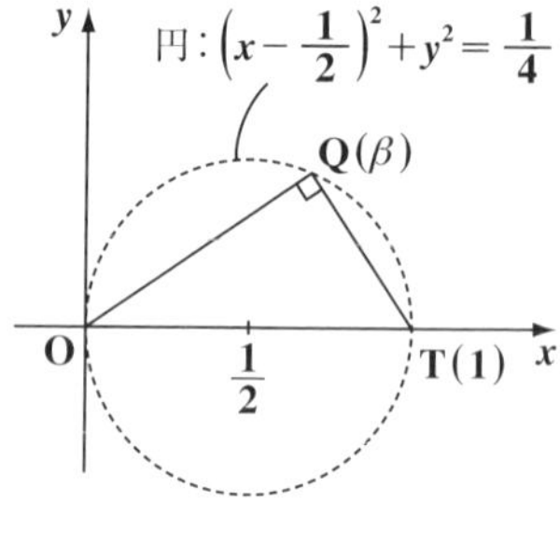

同様に,

(ii) $\mathbf{OS} \perp \mathbf{QS} \iff \dfrac{\alpha\beta-\beta}{\alpha\beta-0}=ki$ (k : 0 でない実数)

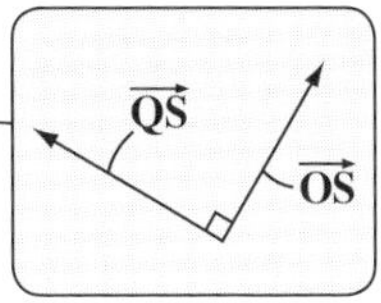

$\iff \dfrac{\alpha-1}{\alpha-0}=ki$ (純虚数) ($\because \beta \neq 0$)

$\iff$ ここで, 点 $\mathrm{T}(1)$ とおくと, $\mathrm{OP} \perp \mathrm{TP}$

$\iff$ 直径 OT に対する円周角 $\angle \mathrm{OPT}=90^\circ$ となるので, 点 $\mathrm{P}(\alpha)$ は, OT を直径とする円周上の点である。

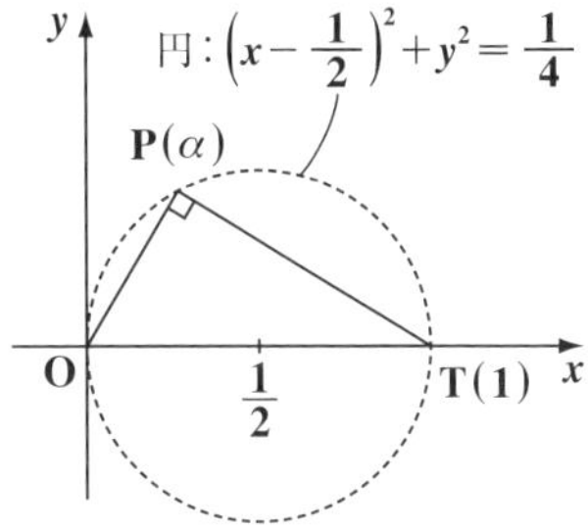

以上 (I), (II) より, 次の命題が成り立つ。

「複素数平面上で, 原点以外の異なる 2 点 $\mathrm{P}(\alpha)$, $\mathrm{Q}(\beta)$ を通る直線 l に, 原点 O から引いた垂線の足が $\mathrm{S}(\alpha\beta)$ となるための必要十分条件は, P, Q が円 $\left(x-\dfrac{1}{2}\right)^2+y^2=\dfrac{1}{4}$ 上にあることである。」 ……………………………(終)

別解

(II)(i) $\dfrac{\beta-1}{\beta-0}=ki$ (純虚数) から,

$\dfrac{\beta-1}{\beta}+\overline{\left(\dfrac{\beta-1}{\beta}\right)}=0$ より,

一般に, z が純虚数のとき, $z+\overline{z}=0$ が成り立つ。

$\dfrac{\beta-1}{\beta}+\dfrac{\overline{\beta}-1}{\overline{\beta}}=0$ 　両辺に $\beta\overline{\beta}$ をかけて,

$\overline{\beta}(\beta-1)+\beta(\overline{\beta}-1)=0$ 　　$2\beta\overline{\beta}-\overline{\beta}-\beta=0$

$\beta\overline{\beta}-\dfrac{1}{2}\overline{\beta}-\dfrac{1}{2}\beta=0$ 　　$\overline{\beta}\left(\beta-\dfrac{1}{2}\right)-\dfrac{1}{2}\left(\beta-\dfrac{1}{2}\right)=\dfrac{1}{4}$

$\left(\beta-\dfrac{1}{2}\right)\left(\overline{\beta}-\dfrac{1}{2}\right)=\dfrac{1}{4}$ 　　$\left(\beta-\dfrac{1}{2}\right)\overline{\left(\beta-\dfrac{1}{2}\right)}=\dfrac{1}{4}$

$\left|\beta-\dfrac{1}{2}\right|^2=\dfrac{1}{4}$ 　　$\therefore \left|\beta-\dfrac{1}{2}\right|=\dfrac{1}{2}$ として,

β が, 中心 $\dfrac{1}{2}$, 半径 $\dfrac{1}{2}$ の円周上の点であることを示してもいいよ。

(ii) も同様だね。

回転と相似の合成変換の応用

演習問題 24	難易度 ★★★★	CHECK 1	CHECK 2	CHECK 3

O を原点とする複素数平面上で **6** を表す点を **A**，$7+7i$ を表す点を **B** とする。ただし，i は虚数単位である。正の実数 t に対し，$\dfrac{14(t-3)}{(1-i)t-7}$ を表す点 **P** をとる。

(1) ∠**APB** を求めよ。

(2) 線分 **OP** の長さが最大になる t を求めよ。　　　（東京大）

ヒント！ **(1)** 3点 $A(\alpha)$，$B(\beta)$，$P(z)$，すなわち，$\alpha=6$，$\beta=7+7i$，そして，$z=\dfrac{14(t-3)}{(1-i)t-7}$ とおいて，$\dfrac{\beta-z}{\alpha-z}=r(\cos\theta_1+i\sin\theta_1)$ の形，つまり回転と相似の合成変形の公式にもち込むと，∠$APB=\theta_1$ が求められるんだね。

(2) ∠$APB=\theta_1$（一定）となるので，これは弧 $\overset{\frown}{AB}$ に対する円周角が一定と考えれば，点 **P** の描く軌跡が円の **1** 部であることが分かるはずだ。

解答＆解説

(1) 複素数平面上に，3点 $A(\alpha)$，$B(\beta)$，$P(z)$ をとる。ただし，

$$\alpha=6,\ \beta=7+7i,\ z=\frac{14(t-3)}{(1-i)t-7}\quad (t：正の実数)とする。$$

ここで，∠$APB=\theta_1$ とおいて，

これを求めるために，

$\dfrac{\beta-z}{\alpha-z}$ を計算すると，

$$\frac{\beta-z}{\alpha-z}=\frac{7+7i-\dfrac{14(t-3)}{(1-i)t-7}}{6-\dfrac{14(t-3)}{(1-i)t-7}}$$

となる。これを変形してまとめると，

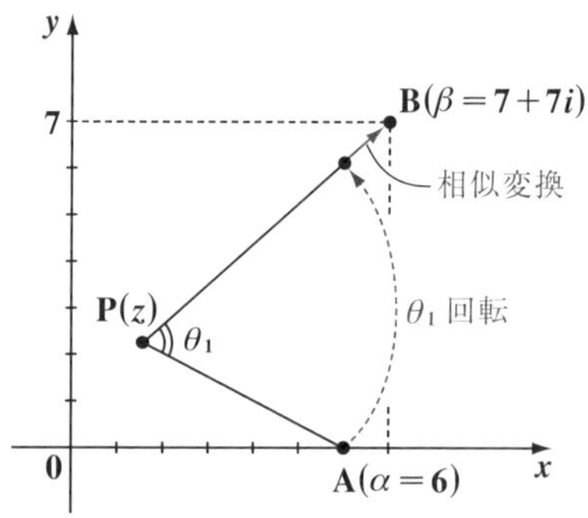

$\dfrac{\beta-z}{\alpha-z}=r(\cos\theta_1+i\sin\theta_1)$ の形にもち込んで，∠$APB=\theta_1$ を求める。

$$\frac{\beta-z}{\alpha-z}=\frac{7(1+i)\{(1-i)t-7\}-14(t-3)}{6\{(1-i)t-7\}-14(t-3)}$$ ← 分子・分母に $(1-i)t-7$ をかけた

・分子 $=7(1+i)(1-i)t-49(1+i)-14t+42$（$1-i^2=2$）

$=-7(7+7i-6)=-7(1+7i)$

・分母 $=6(1-i)t-42-14t+42=-2t(3i-3+7)$

$=-2t(4+3i)$

$$\therefore \frac{\beta-z}{\alpha-z}=\frac{-7(1+7i)}{-2t(4+3i)}=\frac{7}{2t}\cdot\frac{(1+7i)(4-3i)}{(4+3i)(4-3i)}$$ ← 分子・分母に $4-3i$ をかけた

$$=\frac{7}{2t}\cdot\frac{25+25i}{25}=\frac{7}{2t}(1+i)$$（$1+i=\sqrt{2}(\cos45^\circ+i\sin45^\circ)$）

$$=\frac{7\sqrt{2}}{2t}\cdot(\cos45^\circ+i\sin45^\circ)\ \cdots\cdots①$$

[r $\cdot(\cos\theta_1+i\sin\theta_1)$ の極形式が完成した！]

①より，$\theta_1=\angle\mathrm{APB}=45^\circ\left(=\frac{\pi}{4}\right)$ である。……………………………（答）

(2) (1)の結果より，点 P は，右図に示す劣弧 $\overset{\frown}{\mathrm{AB}}$（破線で示した弧）に対する円周角 $\angle\mathrm{APB}=45^\circ$ を一定に保ちながら動くので，右図の円 C の優弧 $\overset{\frown}{\mathrm{AB}}$（実線で示した円弧）上を動くことが分かる。

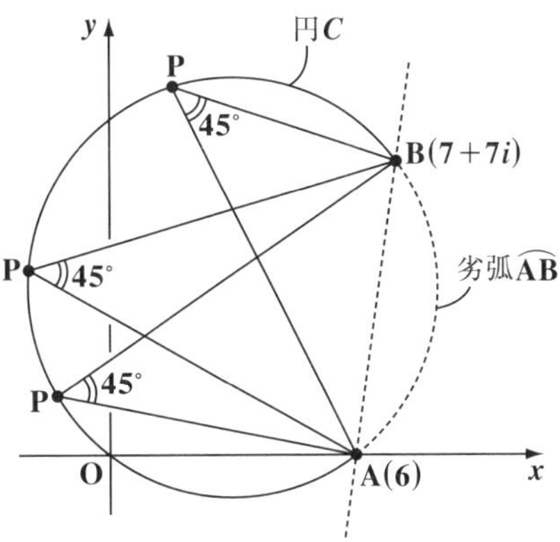

ここで，この円 C の中心を $O_1(\gamma)$ とおいて，複素数 γ を求めると，

右図より，点 γ は点 β を点 α のまわりに $45°$ だけ回転して，$\frac{1}{\sqrt{2}}$ 倍に縮小した位置に存在するので，

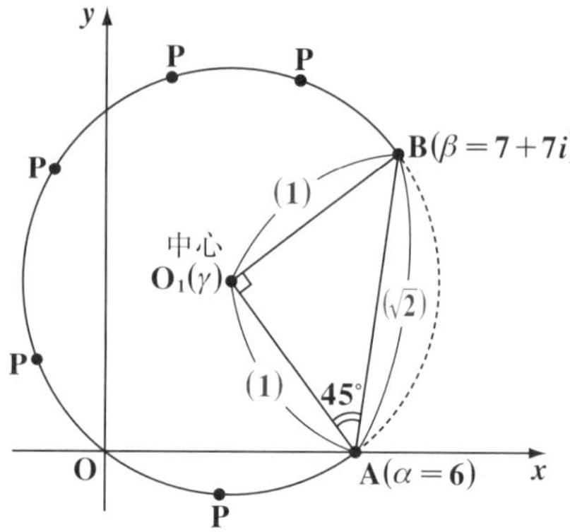

$$\frac{\gamma-\alpha}{\beta-\alpha}=\frac{1}{\sqrt{2}}(\cos 45°+i\sin 45°)$$

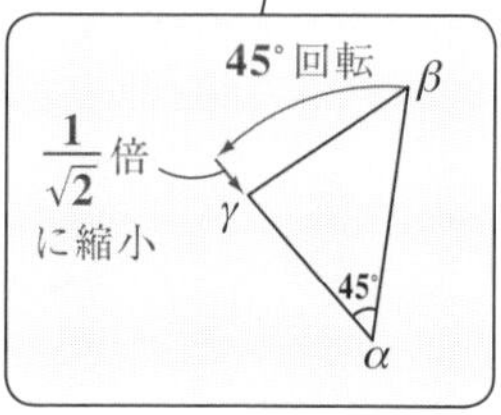

よって，$\gamma=\frac{1}{\sqrt{2}}\left(\frac{1}{\sqrt{2}}+\frac{1}{\sqrt{2}}i\right)\cdot(\underset{7+7i}{\beta}-\underset{6}{\alpha})+\underset{6}{\alpha}$

$$=\frac{1}{2}\underbrace{(1+i)(1+7i)}_{1-7+8i=-6+8i}+6$$

$\therefore \gamma=3+4i$　となる。

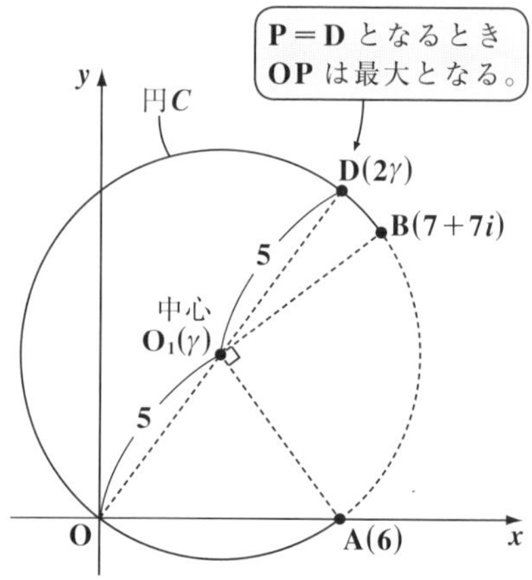

よって，右図に示すように，円 C 上の点 $D(2\gamma=6+8i)$ とおくと，線分 OP の長さが最大となるのは，$P(z)$ が $D(2\gamma)$ の位置にくるときである。

$\gamma=3+4i$ より，円 C の半径 $OO_1=|\gamma|=\sqrt{3^2+4^2}=\sqrt{25}=5$ となるので，線分 OP の長さの最大値は，$2|\gamma|=10$ と分かる。ただし，これは問われてはいないので書く必要はない。

よって，線分 **OP** の長さが最大となるときの t の値は，$\underset{\frac{14(t-3)}{(1-i)t-7}}{z} = 2\underset{(3+4i)}{\gamma}$ より，

$$\frac{14(t-3)}{(1-i)t-7} = 2(3+4i) \qquad 7(t-3) = (3+4i)(t-7-ti)$$

$$\cancel{7t-21} = 3t\cancel{-21}+\cancel{4t}+(-3t+4t-28)i = 0$$

$(t-28)i = 0 \qquad \therefore t = 28$ である。 ……………………………………………(答)

今回の問題は，複素数平面と平面図形の融合問題でもあったんだね。このように，$\angle \mathbf{APB} = 45°$(円周角一定) の条件から，点 **P** が円周上の点となることに気付くことが解法のポイントだったんだね。計算も結構大変だったけれど，図形的なセンスも要求される良問なので繰り返し解いて，是非実力を養ってくれ！

演習問題 25 難易度 ★★★★ CHECK1 CHECK2 CHECK3

a, b を正の数とし，xy 平面の 2 点 $A(a,\ 0)$ および $B(0,\ b)$ を頂点とする正三角形を ABC とする。ただし，C は第 1 象限の点とする。

(1) 三角形 ABC が正方形 $D=\{(x,\ y)\,|\,0 \leqq x \leqq 1,\ 0 \leqq y \leqq 1\}$ に含まれるような $(a,\ b)$ の範囲を求めよ。

(2) $(a,\ b)$ が (1) の範囲を動くとき，三角形 ABC の面積 S が最大となるような $(a,\ b)$ を求めよ。また，そのときの S の値を求めよ。

(東京大)

ヒント！ (1) $A(\alpha)$, $B(\beta)$, $C(\gamma)$，すなわち，$\alpha=a$, $\beta=bi$ とおくと，△ABC は正三角形より，複素数 γ は，回転と相似の合成変換の式：$\dfrac{\gamma-\beta}{\alpha-\beta}=\cos 60°+i\sin 60°$ から求められるんだね。(2) 正三角形 ABC の面積 S は，1 辺の長さを l とおくと，$S=\dfrac{\sqrt{3}}{4}l^2=\dfrac{\sqrt{3}}{4}(a^2+b^2)$ となる。よって，a^2+b^2 の最大値を求めればいい。これは，領域と最大問題に帰着するんだね。頑張ろう!!

解答＆解説

(1) 右図のように，複素数平面上に，3 点 $A(\alpha)$, $B(\beta)$, $C(\gamma)$ があるものとする。ただし，$\alpha=a$, $\beta=bi$ とする。$(a>0,\ b>0)$

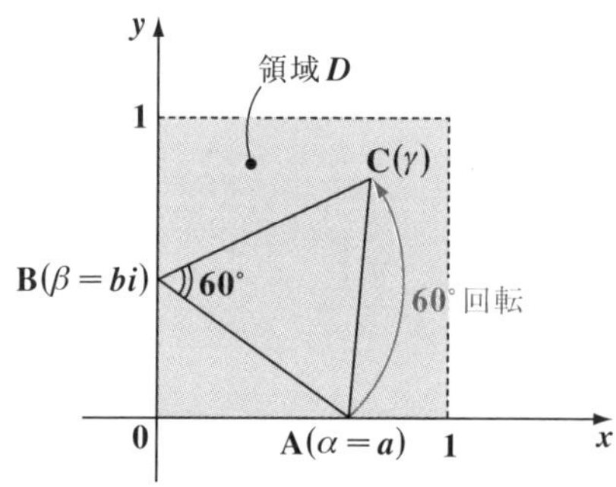

△ABC は正三角形より点 C を表す複素数 γ は，点 α を点 β のまわりに 60° だけ回転した位置にあるので，

$$\frac{\gamma-\beta}{\alpha-\beta}=1\cdot(\underbrace{\cos 60°}_{\frac{1}{2}}+i\underbrace{\sin 60°}_{\frac{\sqrt{3}}{2}}) \quad \cdots\cdots ①$$

となる。①を変形して，

今回は，相似変換（拡大または縮小）はしないので，これは 1 だね。

$$\gamma=\left(\frac{1}{2}+\frac{\sqrt{3}}{2}i\right)\cdot(\underset{\alpha}{\underset{\shortparallel}{a}}-\underset{\beta}{\underset{\shortparallel}{bi}})+\underset{\beta}{\underset{\shortparallel}{bi}}=\frac{a}{2}-\frac{b}{2}i+\frac{\sqrt{3}}{2}ai+\frac{\sqrt{3}}{2}b+bi$$

$\therefore\ \gamma=\dfrac{a+\sqrt{3}\,b}{2}+\dfrac{\sqrt{3}a+b}{2}i$ となる。

以上より，3 点 A，B，C を xy 座標で表すと，

$\mathrm{A}(a,\ 0)$，$\mathrm{B}(0,\ b)$，$\mathrm{C}\left(\dfrac{a+\sqrt{3}\,b}{2},\ \dfrac{\sqrt{3}a+b}{2}\right)$ となる。

よって，この正三角形 ABC が，領域 $D=\{(x,\ y)\,|\,0\leqq x\leqq 1,\ 0\leqq y\leqq 1\}$ に含まれるための条件は，次のようになる。

$0\leqq a\leqq 1$，$0\leqq b\leqq 1$，$\underline{0\leqq\dfrac{a+\sqrt{3}\,b}{2}\leqq 1}$，$\underline{0\leqq\dfrac{\sqrt{3}a+b}{2}\leqq 1}$

$0\leqq a+\sqrt{3}\,b\leqq 2$
$-a\leqq\sqrt{3}\,b\leqq -a+2$
$-\dfrac{1}{\sqrt{3}}a\leqq b\leqq -\dfrac{1}{\sqrt{3}}a+\dfrac{2}{\sqrt{3}}$

$0\leqq\sqrt{3}a+b\leqq 2$
$-\sqrt{3}a\leqq b\leqq -\sqrt{3}a+2$

以上より，求める a，b の条件は，

$$\begin{cases}0\leqq a\leqq 1,\ \text{かつ}\ 0\leqq b\leqq 1,\ \text{かつ}\\ -\dfrac{1}{\sqrt{3}}a\leqq b\leqq -\dfrac{1}{\sqrt{3}}a+\dfrac{2}{\sqrt{3}},\ \text{かつ}\ -\sqrt{3}a\leqq b\leqq -\sqrt{3}a+2\end{cases}$$ ………(答)

・$b=1$ と $b=-\dfrac{1}{\sqrt{3}}a+\dfrac{2}{\sqrt{3}}$ の交点 P は，$1=-\dfrac{1}{\sqrt{3}}a+\dfrac{2}{\sqrt{3}}$　$\sqrt{3}=-a+2$
　$a=2-\sqrt{3}$　　$\therefore\ \mathrm{P}(2-\sqrt{3},\ 1)$

・$b=-\dfrac{1}{\sqrt{3}}a+\dfrac{2}{\sqrt{3}}$ と $b=-\sqrt{3}a+2$ の交点 Q は，$-\dfrac{1}{\sqrt{3}}a+\dfrac{2}{\sqrt{3}}=-\sqrt{3}a+2$
　$-a+2=-3a+2\sqrt{3}$，$a=\sqrt{3}-1$　よって，$b=-\sqrt{3}(\sqrt{3}-1)+2=\sqrt{3}-1$
　$\therefore\ \mathrm{Q}(\sqrt{3}-1,\ \sqrt{3}-1)$

・$a=1$ と $b=-\sqrt{3}a+2$ の交点 R は，$b=-\sqrt{3}\cdot 1+2=2-\sqrt{3}$
　$\therefore\ \mathrm{R}(1,\ 2-\sqrt{3})$

以上より，ab 座標平面上に，点 $(a,\ b)$ の存在領域を網目部で示すと，右図のようになる。

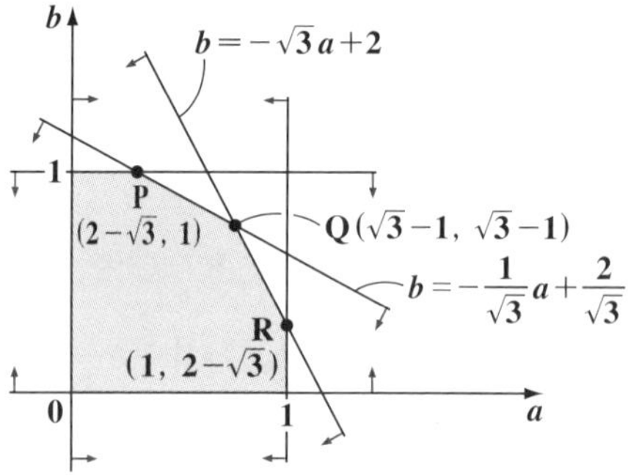

(2) 正三角形 ABC の 1 辺の長さを l とおくと，この面積 S は，

$$S=\frac{\sqrt{3}}{4}l^2 \quad \cdots\cdots②$$

となる。

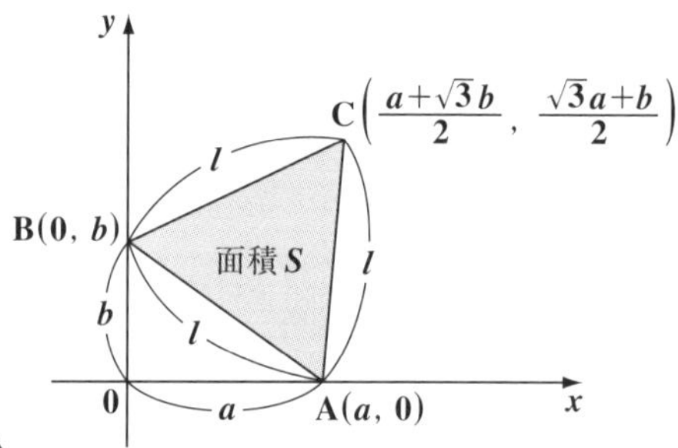

$$S=\frac{1}{2}\cdot l\cdot\frac{\sqrt{3}}{2}l=\frac{\sqrt{3}}{4}l^2$$

ここで，三平方の定理より，

$$l^2=a^2+b^2 \quad \cdots\cdots③$$

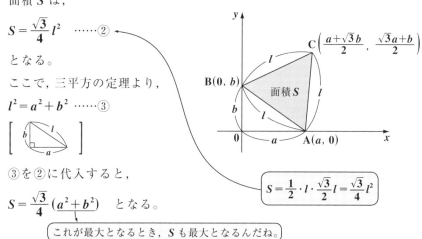

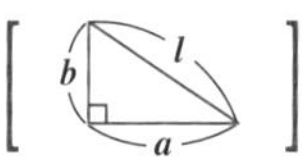

③を②に代入すると，

$$S=\frac{\sqrt{3}}{4}(a^2+b^2) \quad \text{となる。}$$

これが最大となるとき，S も最大となるんだね。

よって，a^2+b^2 が最大となるとき，S も最大となる。

点 $(a,\ b)$ の存在領域は，(1) で求めているので，ここでは，見かけ上の円 $a^2+b^2=r^2\ (r>0)$ とおいて，これが (1) で求めた領域とギリギリ共有点をもつときを調べて，r^2 の最大値を求めればいいんだね。

ここで，$a^2+b^2=r^2$(円の方程式)とおいて，この円が(1)で求めた点$(a,\ b)$の存在領域と共有点をもつ最大のr^2を求めると，

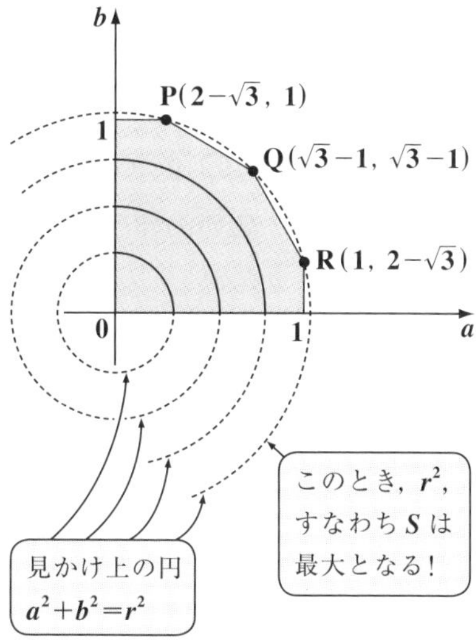

・$\mathrm{P}(\underbrace{2-\sqrt{3}}_{a},\ \underbrace{1}_{b})$ のとき，

$r^2=a^2+b^2=(2-\sqrt{3})^2+1^2$
$=8-4\sqrt{3}$

・$\mathrm{Q}(\underbrace{\sqrt{3}-1}_{a},\ \underbrace{\sqrt{3}-1}_{b})$ のとき，

$r^2=a^2+b^2=2(\sqrt{3}-1)^2$
$=8-4\sqrt{3}$

・$\mathrm{R}(\underbrace{1}_{a},\ \underbrace{2-\sqrt{3}}_{b})$ のとき，

$r^2=a^2+b^2=1^2+(2-\sqrt{3})^2=8-4\sqrt{3}$ となって，すべて等しい。

よって，$(a,\ b)=(2-\sqrt{3},\ 1),\ (\sqrt{3}-1,\ \sqrt{3}-1),\ (1,\ 2-\sqrt{3})$のとき，$a^2+b^2$は最大値$8-4\sqrt{3}$をとるので，正三角形ABCの面積$S$は，このとき，

最大値$S=\dfrac{\sqrt{3}}{4}(a^2+b^2)=\dfrac{\sqrt{3}}{4}(8-4\sqrt{3})=2\sqrt{3}-3$ をとる。

……………(答)

東大の問題を3題続けて解いてみたけれど，思ったより難しく感じなかったって？…いいね。難関大の出題してくる数学にも慣れてきた証拠なんだね。引き続き，この後も，様々なテーマの難関大の問題にチャレンジしていくことになるけれど，また，スバラシク分かりやすく解説するので，確実にマスターしていってくれ。そして，理解できたと思ったら，今度は繰り返し反復練習して実力を定着させていくことだね。そうすれば，キミの実力は確実に難関大入試を突破できるレベルにまで，引き上げていくことができるんだよ。頑張ろうな！

テーマ6 数列の極限

● 様々な数列の極限の応用問題を解こう！

ここでは，“**数列の極限**”の応用問題にチャレンジしよう。これは，受験数学の中でも頻出といっていいくらい難関大が好んで出題してくる分野なので，ここでシッカリ問題練習をやって，確実に得点を取れるようにしておくと，とても楽になるんだね。

では，ここで扱うテーマをまず列挙しておこう。

(1) 複素数平面と無限級数の融合問題

(2) 図形と数列の極限の応用

(3) 漸化式と極限の応用問題

(4) 一般項 a_n は求まらないけれど，$\lim_{n\to\infty} a_n$ を求める問題 ← 刑コロ問題

(1) は，複素数平面の回転と縮小と，無限等比級数の和の融合問題で，頻出問題だから，是非マスターしよう。

(2) では，東工大と京都大の **2** つの問題を解く。まず，東工大の問題は，立体図形と無限級数の融合問題だ。京都大の問題は，平面図形と極限の応用問題で，連鎖反応のように式変形ができる面白い問題だ。チャレンジして，是非マスターしよう。

(3) は，東北大の問題で，漸化式と極限の応用問題だ。グラフを使って，図形的に考えると，極限の結果は比較的容易に分かる。これも興味深い問題だ。不等式の形の等差数列型漸化式をうまく利用して解いていこう。

(4) の型の問題は漸化式から一般項を求めることは難しいんだけれど，その極限値 $\lim_{n\to\infty} a_n = \alpha$ は，初めから類推できる，これもとても面白い問題だ。ボクは，この種の問題を“**刑事コロンボ型問題**”(略して刑コロ問題) と呼んでいるんだけれど，ここでは **2** 題取り上げているので，ここでシッカリマスターしておこう。

それではここで，数列の漸化式でよく使う解法パターンを示しておこう。

漸化式の解法パターン

$F(n+1)=r\cdot F(n)$ のとき，$F(n)=F(1)\cdot r^{n-1}$ $(n=1,\ 2,\ 3,\ \cdots)$

この等比関数列型漸化式：$F(n+1)=r\cdot F(n)$ は，様々な漸化式の問題を解く上で有力な手法なんだけれど，これが利用できない場合は，階差数列型漸化式か，または等差数列型漸化式を用いて解くことが多いことにも注意しよう。**(3)**の東北大の問題 (演習問題 **29**(**P90**)) では，不等式の形の等差数列型漸化式による解法を利用している。

(4)の一般項 a_n が求まらない場合でも，極限値 $\lim_{n\to\infty} a_n$ を求めさせる“刑コロ型問題”の解法パターンは次の通りだ。

刑コロ問題の解法パターン

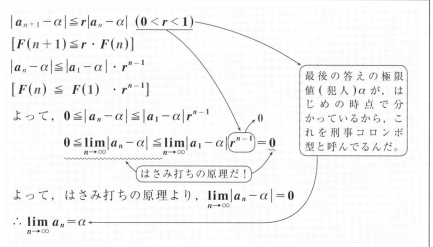

$|a_{n+1}-\alpha| \leqq r|a_n-\alpha|$ $(0<r<1)$

$[F(n+1) \leqq r\cdot F(n)]$

$|a_n-\alpha| \leqq |a_1-\alpha|\cdot r^{n-1}$

$[F(n) \leqq F(1)\cdot r^{n-1}]$

よって，$0 \leqq |a_n-\alpha| \leqq |a_1-\alpha|r^{n-1}$

$0 \leqq \lim_{n\to\infty}|a_n-\alpha| \leqq \lim_{n\to\infty}|a_1-\alpha|r^{n-1}=0$ （$r^{n-1}\to 0$）

はさみ打ちの原理だ！

最後の答えの極限値 (犯人) α が，はじめの時点で分かっているから，これを刑事コロンボ型と呼んでるんだ。

よって，はさみ打ちの原理より，$\lim_{n\to\infty}|a_n-\alpha|=0$

$\therefore \lim_{n\to\infty} a_n=\alpha$

例えば，$|a_{n+1}-3| \leqq \frac{2}{3}|a_n-3|$ のとき， ← $F(n+1) \leqq r\cdot F(n)$

これを変形して，$|a_n-3| \leqq |a_1-3|\cdot\left(\frac{2}{3}\right)^{n-1}$ となる。 ← $F(n) \leqq F(1)\cdot r^{n-1}$ （$a_1=1$）

ここで，$a_1=1$ とすると，$0 \leqq \lim_{n\to\infty}|a_n-3| \leqq \lim_{n\to\infty} 2\cdot\left(\frac{2}{3}\right)^{n-1}=0$ となるので，（$\left(\frac{2}{3}\right)^{n-1}\to 0$）

はさみ打ちの原理より，$\lim_{n\to\infty} a_n=3$ となる。大丈夫？

数列の極限と複素数平面の融合問題

演習問題 26 難易度 ☆☆☆ CHECK1 CHECK2 CHECK3

平面上に点列 P_0, P_1, P_2, P_3, … がある。
P_0 は原点 O, P_1 は座標 (1, 0) の点である。
点 P_n $(n \geqq 2)$ は，図のように，

$P_nP_{n-1} = \frac{1}{2}P_{n-1}P_{n-2}$，$\angle P_{n-2}P_{n-1}P_n = \frac{\pi}{3}$

で，与えられている。n を大きくしていくとき，P_n が近づく点の座標を求めよ。

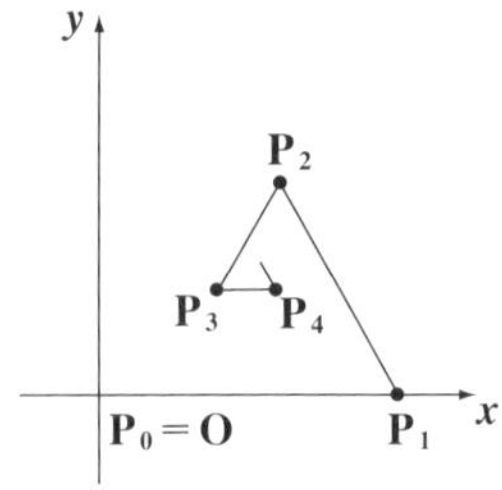

(三重大＊ 東工大＊)

ヒント！ $\overrightarrow{OP_n} = \overrightarrow{OP_1} + \overrightarrow{P_1P_2} + \overrightarrow{P_2P_3} + \cdots + \overrightarrow{P_{n-1}P_n}$ だね。これを複素数平面で考えて，$\alpha = \frac{1}{2}\left(\cos\frac{2}{3}\pi + i\sin\frac{2}{3}\pi\right)$ とおくと，$\overrightarrow{OP_1} = 1$，$\overrightarrow{P_1P_2} = \alpha$，$\overrightarrow{P_2P_3} = \alpha^2$，…，$\overrightarrow{P_{n-1}P_n} = \alpha^{n-1}$ となるので，$\overrightarrow{OP_n} = 1 + \alpha + \alpha^2 + \cdots + \alpha^{n-1}$ となって，等比級数の問題になる。

解答＆解説

右図より，$\overrightarrow{OP_n}$ にまわり道の原理を用いると，

$$\overrightarrow{OP_n} = \overrightarrow{OP_1} + \overrightarrow{P_1P_2} + \overrightarrow{P_2P_3} + \cdots + \overrightarrow{P_{n-1}P_n} \quad \cdots\cdots①$$

となる。

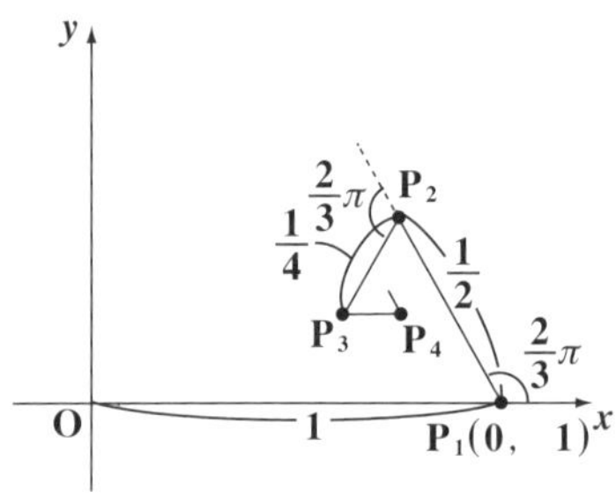

ここで，これらのベクトルを複素数平面上で考えることにすると，

$\overrightarrow{OP_1} = \underbrace{(1,\ 0)}_{\text{ベクトルの成分表示}} = \underbrace{1 + 0 \cdot i = 1}_{\text{複素数表示}} \quad \cdots\cdots②$

となる。そして，右図に示すように，

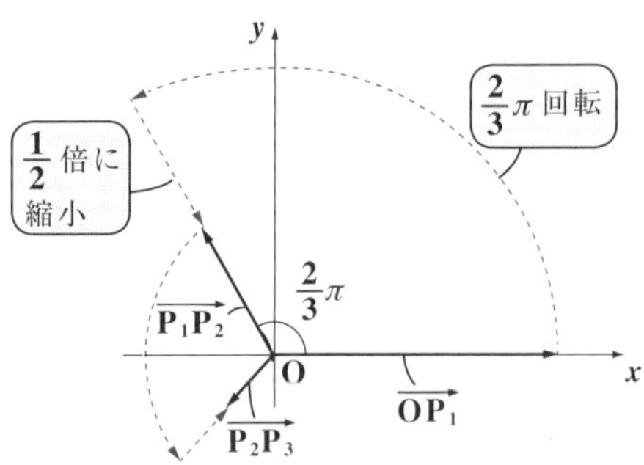

・$\overrightarrow{OP_1}$ を $\frac{2}{3}\pi$ だけ回転して，$\frac{1}{2}$ 倍に縮小したものが $\overrightarrow{P_1P_2}$ である。

・$\overrightarrow{P_1P_2}$ を $\frac{2}{3}\pi$ だけ回転して，$\frac{1}{2}$ 倍に縮小したものが，$\overrightarrow{P_2P_3}$ である。

……以下同様に………

・$\overrightarrow{P_{n-2}P_{n-1}}$を$\frac{2}{3}\pi$だけ回転して，$\frac{1}{2}$倍だけ縮小したものが$\overrightarrow{P_{n-1}P_n}$である。

よって，$\alpha=\frac{1}{2}\left(\cos\frac{2}{3}\pi+i\sin\frac{2}{3}\pi\right)$とおくと

（$\frac{1}{2}$倍に縮小）（$\frac{2}{3}\pi$だけ回転）

$\overrightarrow{P_1P_2}=\alpha\overrightarrow{OP_1}=\alpha\cdot 1=\alpha$ …③，$\overrightarrow{P_2P_3}=\alpha\overrightarrow{P_1P_2}=\alpha^2$ …④，…，

（$\overrightarrow{OP_1}$＝1（②より））（$\overrightarrow{P_1P_2}$＝α（③より））

$\overrightarrow{P_{n-1}P_n}=\alpha\overrightarrow{P_{n-2}P_{n-1}}=\alpha^{n-1}$ ……⑤

よって，②，③，④，…，⑤を①に代入すると，

$$\overrightarrow{OP_n}=1+\alpha+\alpha^2+\cdots+\alpha^{n-1}$$

← これは，初項$a=1$，公比$r=\alpha$の等比数列の和だね。

$$=\frac{1\cdot(1-\alpha^n)}{1-\alpha}=\frac{1-\alpha^n}{1-\alpha}\ \cdots\cdots⑥$$

ここで，$\lim_{n\to\infty}\alpha^n=\lim_{n\to\infty}\left\{\frac{1}{2}\left(\cos\frac{2}{3}\pi+i\sin\frac{2}{3}\pi\right)\right\}^n$

$$=\lim_{n\to\infty}\left(\frac{1}{2}\right)^n\left(\cos\frac{2}{3}n\pi+i\sin\frac{2}{3}n\pi\right)$$

（$\left(\frac{1}{2}\right)^n$→0）（この絶対値は1）

ド・モアブルの定理 $(\cos\theta+i\sin\theta)^n=\cos n\theta+i\sin n\theta$

$$=0$$

よって，$\overrightarrow{OP_n}$ …⑥ の$n\to\infty$の極限は

$$\lim_{n\to\infty}\overrightarrow{OP_n}=\lim_{n\to\infty}\frac{1-\alpha^n}{1-\alpha}=\frac{1}{1-\alpha}=\frac{1}{1-\frac{1}{2}\left(-\frac{1}{2}+i\cdot\frac{\sqrt{3}}{2}\right)}$$

（α^n→0）（$-\frac{1}{2}=\cos\frac{2}{3}\pi$）（$\frac{\sqrt{3}}{2}=\sin\frac{2}{3}\pi$）

← 分子・分母に4をかけてまとめる。

$$=\frac{4}{4-(-1+\sqrt{3}i)}=\frac{4(5+\sqrt{3}i)}{(5-\sqrt{3}i)(5+\sqrt{3}i)}=\frac{5}{7}+\frac{\sqrt{3}}{7}i\ \text{となる。}$$

（$(5-\sqrt{3}i)(5+\sqrt{3}i)=28$）

よって，$n\to\infty$のとき，点P_nは点$\left(\frac{5}{7},\ \frac{\sqrt{3}}{7}\right)$に近づく。 ………………(答)

立体図形と無限等比級数

演習問題 27	難易度 ☆☆☆	CHECK 1	CHECK 2	CHECK 3

一辺の長さが **2** の立方体 C がある。S_0 を C の **6** つの面に内接する球とする。次に，S_0 に外接し，C の **3** つの面と内接する球 S_1 を取る。S_1 に外接し，C の **3** つの面に内接する球 S_2 を S_1 の外側（S_0 と反対側）に取る。以下帰納的に，S_0，…，S_n まで取れたとして，S_n に外接し，C の **3** つの面に内接する球 S_{n+1} を S_n の外側に取る。

(1) S_n の半径を n の式で表せ。

(2) S_n の体積を V_n $(n=0,\ 1,\ 2,\ \cdots)$ とおく。$\sum_{n=0}^{\infty} V_n$ を求めよ。

（東京工業大）

ヒント！ 次々に球面 S_1，S_2，…，S_n を作っていくと，それらは相似な図形となるので，S_n の半径 r_n から成る数列 $\{r_n\}$ は等比数列となる。その体積 V_n から成る数列 $\{V_n\}$ も等比数列で，収束条件をみたすので，無限等比級数の和の公式が使えるんだね。

解答＆解説

(1) 図 **1** に，一辺が **2** の立方体 C の **6** つの面に内接する球 S_0，さらに S_0 と **3** つの面に接する球 S_1，同様に球 S_2，S_3，…が作られる様子を示す。ここで，この立体を平面 **ABCD** で切った切り口を図 **2** に示す。

図 1

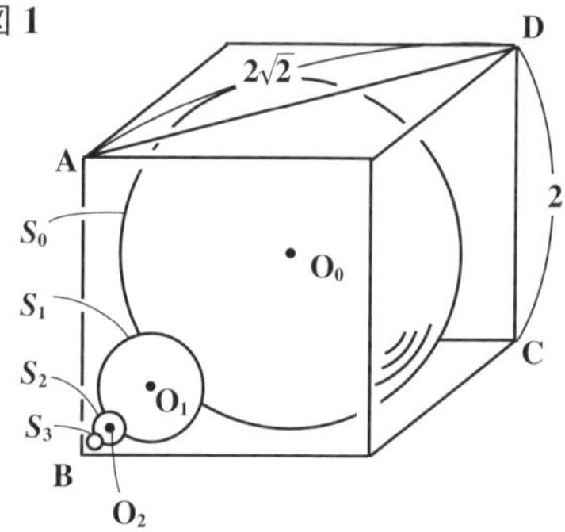

Babaのレクチャー

切り口の円が複数出てくるとき，その中心を文字通り中心に考えると話が見えてくる。

図 2

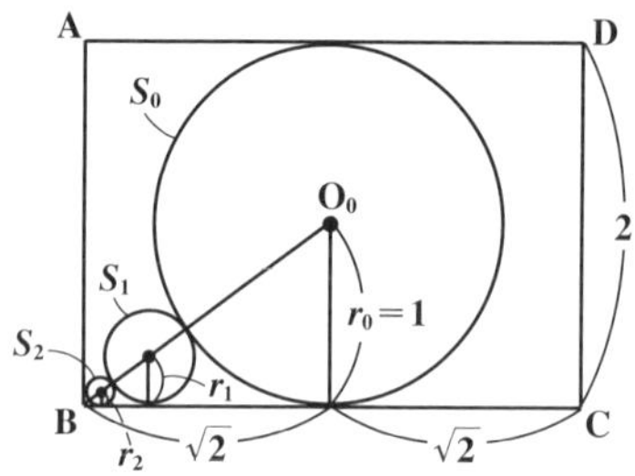

ここで，球 S_0，S_1，S_2，…の中心を O_0，O_1，O_2，…，また，その半径を r_0，r_1，r_2，…とおくと，$r_0=1$

また，r_n と r_{n+1} の関係を図 3 に示す。中心 O_n から，BC に下ろした垂線に対して，さらに中心 O_{n+1} から下ろした垂線の足を H とおく。三角形 $O_nO_{n+1}H$ は図 3 のように，その辺の比が $1:\sqrt{2}:\sqrt{3}$ の直角三角形である。

図 3

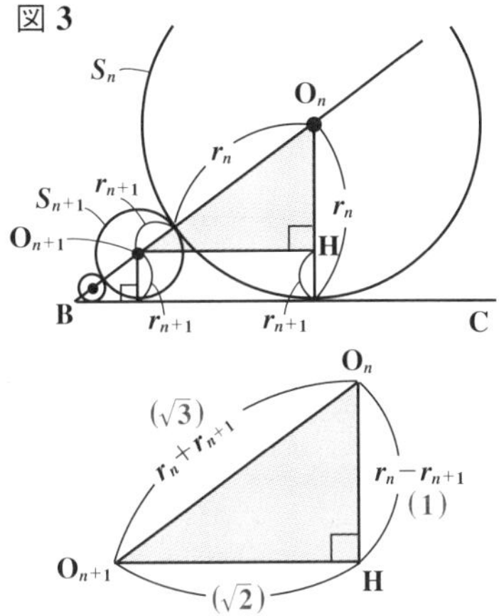

また，$\begin{cases} O_nH = r_n - r_{n+1} \\ O_nO_{n+1} = r_n + r_{n+1} \end{cases}$

$O_nH : O_nO_{n+1} = 1 : \sqrt{3}$ より，

$$O_nO_{n+1} = \sqrt{3}\cdot O_nH$$

$$r_n + r_{n+1} = \sqrt{3}(r_n - r_{n+1}) \qquad (\sqrt{3}+1)r_{n+1} = (\sqrt{3}-1)r_n$$

$$r_{n+1} = \frac{\sqrt{3}-1}{\sqrt{3}+1}r_n = \frac{(\sqrt{3}-1)^2}{(\sqrt{3}+1)(\sqrt{3}-1)}\,r_n = (2-\sqrt{3})r_n$$

以上より，　（公比 $2-\sqrt{3}$ の等比数列）　（n は 0 スタート！）

$$r_0 = 1,\ \ r_{n+1} = (2-\sqrt{3})r_n \quad (n = 0,\ 1,\ 2,\ \cdots)$$

$$r_n = r_0\cdot(2-\sqrt{3})^n = (2-\sqrt{3})^n$$ ……………………………………………(答)

(2) 球 S_n の体積を V_n とおくと，

$$V_n = \frac{4}{3}\pi r_n{}^3 = \frac{4}{3}\pi\{(2-\sqrt{3})^n\}^3$$

$$= \frac{4}{3}\pi\{(2-\sqrt{3})^3\}^n = \underbrace{\frac{4}{3}\pi}_{V_0}(\underbrace{26-15\sqrt{3}}_{\text{公比 } r})^n$$

$$(n = 0,\ 1,\ 2,\ \cdots)$$

> 一般に，等比数列 $\{a_n\}$ の一般項は
> $a_n = a_1\cdot r^{n-1}$ ← $n=1$ スタート
> $= \underline{a_0\cdot r^n}$ ← $n=0$ スタート
> $= a_2\cdot r^{n-2}$ ← $n=2$ スタート
> などと表される！

数列 $\{V_n\}$ は，初項 $V_0 = \frac{4}{3}\pi$，公比 $r = 26-15\sqrt{3}$ の等比数列で，
収束条件：$-1 < r < 1$ をみたす。
以上より，求める無限等比級数の和は，

$$\sum_{n=0}^{\infty} V_n = \frac{V_0}{1-r} = \frac{\frac{4}{3}\pi}{1-(26-15\sqrt{3})}$$

$$= \frac{4\pi}{15(3\sqrt{3}-5)} = \frac{4(3\sqrt{3}+5)}{15(3\sqrt{3}-5)(3\sqrt{3}+5)}\,\pi$$

$$= \frac{6\sqrt{3}+10}{15}\pi$$ ……………………………………………(答)

図形と数列の極限の応用

演習問題 28 難易度 ★★★ CHECK1 CHECK2 CHECK3

$OA_1 = OB_1 = 1$，$\angle B_1OA_1 = \theta\ (0 < \theta < \pi)$ であるような二等辺三角形 OA_1B_1 がある。辺 A_1B_1 の中点を B_2 とし，辺 OA_1 上に $OA_2 = OB_2$ となる点 A_2 をとり，二等辺三角形 OA_2B_2 を作る。以下同様にして，$n > 2$ についても二等辺三角形 OA_nB_n を作っていく。辺 OA_n の長さを a_n とおく。

(1) $a_3 \cdot \sin\dfrac{\theta}{4}$ を計算せよ。　(2) $\displaystyle\lim_{n\to\infty} a_n$ を計算せよ。　(京都大＊)

ヒント！ (1) まず，図を描いて，a_1，a_2，a_3 を順に求めていくことだね。そして，a_3 に $\sin\dfrac{\theta}{4}$ をかけることにより，連鎖反応的に式がまとめられていくことに気付くはずだ。(2) では，一般項 a_n を同様に求め，極限を求めればいいよ。

解答＆解説

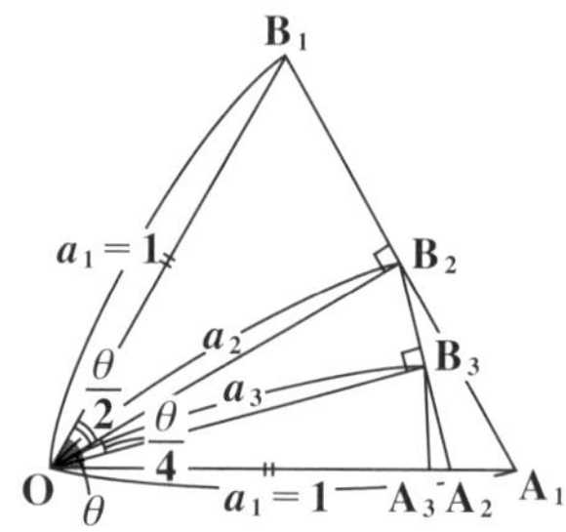

(1) $OA_1 = OB_1 = 1$，$\angle B_1OA_1 = \theta\ (0 < \theta < \pi)$ である。

二等辺三角形 OA_1B_1 を右に示す。

ここで，$OA_1 = a_1$ より，$a_1 = 1$ ……①

・辺 A_1B_1 の中点が B_2 より，$\triangle OB_1B_2$ は，$\angle B_1OB_2 = \dfrac{\theta}{2}$，$\angle OB_2B_1 = \dfrac{\pi}{2}$ の直角三角形である。また，$OB_2 = OA_2\ (= a_2)$ より，

$$a_2 = a_1 \cdot \cos\frac{\theta}{2} = \cos\frac{\theta}{2} \quad \cdots\cdots ② \ (①より)$$

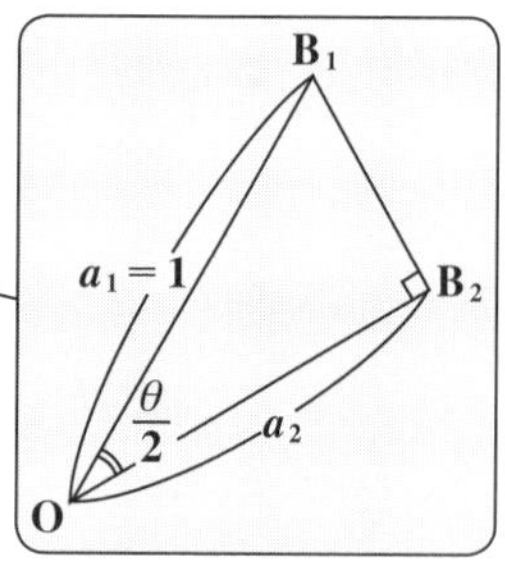

・辺 A_2B_2 の中点が B_3 より，$\triangle OB_2B_3$ は，$\angle B_2OB_3 = \dfrac{\theta}{4}$，$\angle OB_3B_2 = \dfrac{\pi}{2}$ の直角三角形である。また，$OB_3 = OA_3\ (= a_3)$ より，

$$a_3 = \underbrace{a_2}_{\cos\frac{\theta}{2}\ (②より)} \cdot \cos\frac{\theta}{4} = \cos\frac{\theta}{2} \cdot \cos\frac{\theta}{4} \quad \cdots\cdots ③ \ (②より)$$

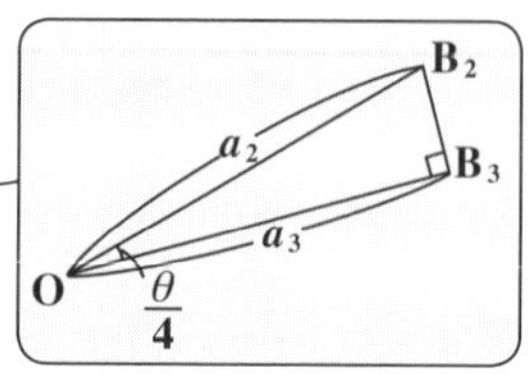

よって，a_3 に $\sin\dfrac{\theta}{4}$ をかけると，③より

$$a_3\cdot\sin\frac{\theta}{4}=\cos\frac{\theta}{2}\cdot\underbrace{\cos\frac{\theta}{4}\cdot\sin\frac{\theta}{4}}_{\frac{1}{2}\sin\frac{\theta}{2}}=\frac{1}{2}\cdot\underbrace{\cos\frac{\theta}{2}\cdot\sin\frac{\theta}{2}}_{\frac{1}{2}\sin\theta}$$

$$=\frac{1}{4}\sin\theta \quad\cdots\cdots\cdots\cdots\text{(答)}$$

2倍角の公式
$\sin 2\alpha$
$=2\sin\alpha\cos\alpha$
を利用すると，次々と連鎖反応的に式変形ができる。これが，この問題の面白いところなんだね。

(2) $a_1=1$，$a_2=\cos\dfrac{\theta}{2}$，$a_3=\cos\dfrac{\theta}{2}\cdot\cos\dfrac{\theta}{2^2}$，$a_4=a_3\cdot\cos\dfrac{\theta}{2^3}=\cos\dfrac{\theta}{2}\cdot\cos\dfrac{\theta}{2^2}\cdot\cos\dfrac{\theta}{2^3}$

より，一般項 $a_n\,(n=1,\ 2,\ 3,\ \cdots)$ は，

$$a_n=\cos\frac{\theta}{2}\cdot\cos\frac{\theta}{2^2}\cdot\cdots\cdot\cos\frac{\theta}{2^{n-2}}\cdot\cos\frac{\theta}{2^{n-1}}\quad\cdots\cdots④$$

④の両辺に $\sin\dfrac{\theta}{2^{n-1}}$ をかけると

$$a_n\cdot\sin\frac{\theta}{2^{n-1}}=\cos\frac{\theta}{2}\cdot\cos\frac{\theta}{2^2}\cdot\cdots\cdot\cos\frac{\theta}{2^{n-2}}\cdot\underbrace{\cos\frac{\theta}{2^{n-1}}\cdot\sin\frac{\theta}{2^{n-1}}}_{\frac{1}{2}\cdot\sin\frac{\theta}{2^{n-2}}}$$

$$=\frac{1}{2}\cdot\cos\frac{\theta}{2}\cdot\cos\frac{\theta}{2^2}\cdot\cdots\cdot\underbrace{\cos\frac{\theta}{2^{n-2}}\cdot\sin\frac{\theta}{2^{n-2}}}_{\frac{1}{2}\cdot\sin\frac{\theta}{2^{n-3}}}$$

$\sin\dfrac{\theta}{2^{n-1}}$ をかけることにより，連鎖反応的な式変形ができるんだね。

…………………………………………………

同様の変形を繰り返して，

$$a_n\cdot\sin\frac{\theta}{2^{n-1}}=\frac{1}{2^{n-1}}\sin\theta\quad\cdots\cdots⑤\ \text{となる。}$$

(1) の結果
$a_3\cdot\sin\dfrac{\theta}{2^2}=\dfrac{1}{2^2}\sin\theta$
から，この変形は最終的に
$a_n\cdot\sin\dfrac{\theta}{2^{n-1}}=\dfrac{1}{2^{n-1}}\sin\theta$
となることが分かるね。

⑤より，求める極限 $\lim\limits_{n\to\infty}a_n$ は，

$$\lim_{n\to\infty}a_n=\lim_{n\to\infty}\underbrace{\frac{\frac{\theta}{2^{n-1}}}{\sin\frac{\theta}{2^{n-1}}}}_{1}\cdot\frac{\sin\theta}{\theta}=\frac{\sin\theta}{\theta}\quad\text{である。}\cdots\cdots\text{(答)}$$

$n\to\infty$ のとき，$\dfrac{\theta}{2^{n-1}}\to 0$
よって，$\dfrac{\theta}{2^{n-1}}=x$ とおいて，
公式：$\lim\limits_{x\to 0}\dfrac{\sin x}{x}=1$，すなわち
$\lim\limits_{x\to 0}\dfrac{x}{\sin x}=1$ を使った。

漸化式と極限の応用

演習問題 29

難易度 ★★★★★　CHECK 1　CHECK 2　CHECK 3

a を実数とし，数列 $\{x_n\}$ を次の漸化式によって定める。

$x_1=a,\ x_{n+1}=x_n+x_n^2\quad(n=1,\ 2,\ 3,\ \cdots)$

(1) $a>0$ のとき，数列 $\{x_n\}$ が発散することを示せ。

(2) $-1<a<0$ のとき，すべての正の整数 n に対して $-1<x_n<0$ が成り立つことを示せ。

(3) $-1<a<0$ のとき，数列 $\{x_n\}$ の極限を調べよ。　　(東北大)

Babaのレクチャー

$x_1=a,\ x_{n+1}=x_n^2+x_n$ ……① $(n=1,\ 2,\ 3,\ \cdots)$ について，x_{n+1} を y，x_n を x とおいて，x の 2 次関数 $y=f(x)=x^2+x=x(x+1)$ と，直線 $y=x$ を利用して調べてみよう。

(1) $a>0$ のとき，図(ア)を用いて，

・$x_1=a$ より，$x_2=f(x_1)$ となり，直線 $y=x$ により，x 軸上に $x=x_2$ をとる。次に，

・$x_3=f(x_2)$ により，x_3 を求められると，直線 $y=x$ により，x 軸上に $x=x_3$ をとる。

以下，同様に x_4，x_5，…を求めると，

$n\to\infty$ のとき，$\lim_{n\to\infty}x_n=\infty$ となることがグラフから分かる。

図(ア)

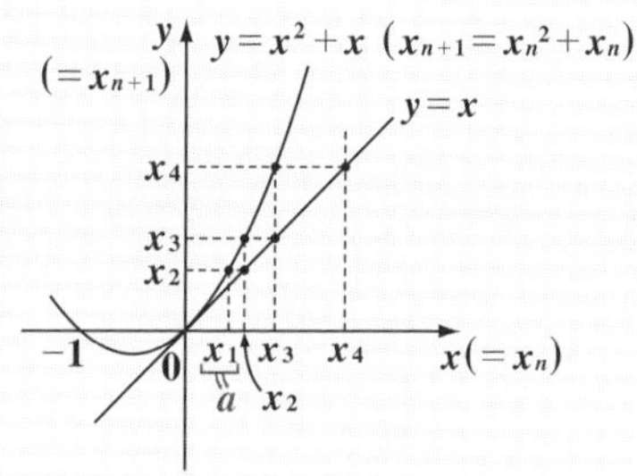

(3) $-1<a<0$ のとき，図(イ)を用いて，

・$x_1=a$ より，$x_2=f(x_1)$ となり，直線 $y=x$ により，x 軸上に $x=x_2$ をとる。次に，

・$x_3=f(x_2)$ により，x_3 を求められると，直線 $y=x$ により，x 軸上に $x=x_3$ をとる。

以下，同様に x_4，x_5，…を求めると，

$n\to\infty$ のとき，$\lim_{n\to\infty}x_n=-0$ となることがグラフから分かる。

図(イ)

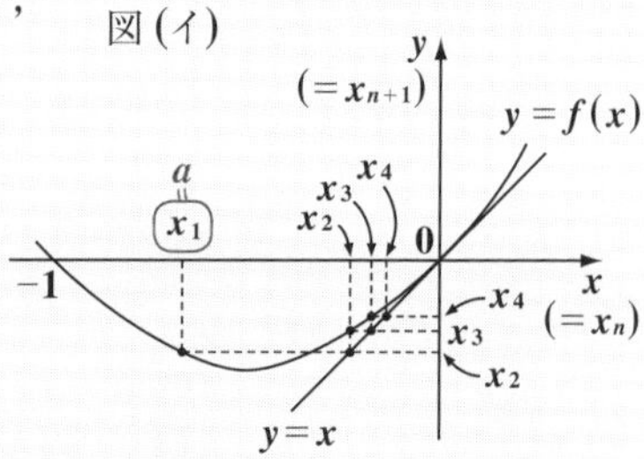

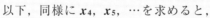

問題(1),(3)の結果は，グラフから明らかなんだけれど，これを式を使ってうまく証明していく必要があるんだね。

解答＆解説

数列 $\{x_n\}$ が，$x_1 = a$，$x_{n+1} = x_n + x_n^2$ ……① $(n = 1, 2, 3, \cdots)$ で定義されている。

(1) $a > 0$ のとき，①より，

$x_{n+1} - x_n = x_n^2 \geqq 0$ より，$x_n \leqq x_{n+1}$ $(n = 1, 2, 3, \cdots)$

よって，$\underset{\oplus}{a} = x_1 \leqq x_2 \leqq x_3 \leqq \cdots \leqq x_n \leqq \cdots$ となるので，

$x_n \geqq a\ (>0)$ より，$x_n^2 \geqq a^2$ となる。

よって，①より，

$x_{n+1} = x_n + x_n^2 \geqq x_n + a^2$,

$x_{n+1} \geqq x_n + a^2$ $(n = 1, 2, 3, \cdots)$ より，

$x_n \geqq x_{n-1} + a^2 \geqq x_{n-2} + 2a^2 \geqq \cdots$

$\geqq \underset{a}{x_1} + (n-1)a^2$ より，

$x_n \geqq a + (n-1)a^2$

> これから，
> $x_{n+1} = x_n + x_n^2 \geqq x_n + a^2$
> $x_{n+1} \geqq x_n + \underset{\text{公差}}{a^2}$ より，
> 公差 a^2 の等差数列の不等式ヴァージョンになっている。よって，
> $x_{n+1} \geqq \underset{a}{x_1} + (n-1)\underset{\text{公差}}{a^2}$ となる。
> ここで，$n \to \infty$ とすると，右辺は ∞ に発散する。

よって，この両辺の $n \to \infty$ の極限を求めると，

$\displaystyle\lim_{n\to\infty} x_n \geqq \lim_{n\to\infty}\{\underset{\oplus\text{の定数}}{a} + \underset{\infty}{(n-1)}\underset{\oplus\text{の定数}}{a^2}\} = \infty$ となる。

$\therefore$ $a > 0$ のとき，$\displaystyle\lim_{n\to\infty} x_n = \infty$（発散）となる。 ……………………………(終)

(2) 次に，$-1 < a < 0$ のとき，$-1 < x_n < 0$ ……(*) $(n = 1, 2, 3, \cdots)$

が成り立つことを数学的帰納法により証明する。

(i) $n = 1$ のとき，$x_1 = a$ より，$-1 < x_1 < 0$ は成り立つ。

(ii) $n = k$ $(k = 1, 2, 3, \cdots)$ のとき

$-1 < x_k < 0$ と仮定して，$n = k+1$ のときについて調べる。①より，$x_{k+1} = x_k^2 + x_k$ となる。

よって，$x_{k+1} = \left(x_k + \dfrac{1}{2}\right)^2 - \dfrac{1}{4}$ より，右のグラフから，

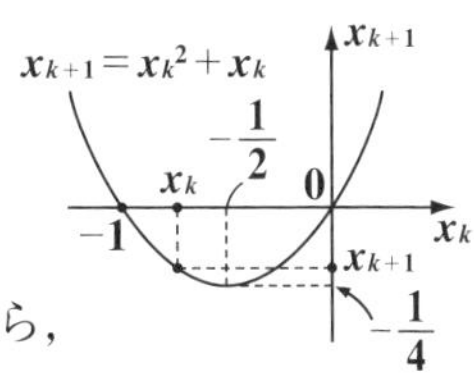

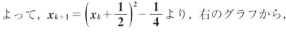

$-1 < x_k < 0$ のとき，$-\dfrac{1}{4} \leqq x_{k+1} < 0$ となる。

$\therefore -1 < x_{k+1} < 0$ は成り立つ。

> 真理集合の考え方より，
> $-\dfrac{1}{4} \leqq x_{k+1} < 0 \Rightarrow -1 < x_{k+1} < 0$ は真である。

以上(i)(ii)より，$-1 < a < 0$ のとき，

$-1 < x_n < 0$ ……(*) $(n = 1, 2, 3, \cdots)$ は成り立つ。 …………………(終)

(3) $-1 < a < 0$ のとき，$\lim_{n\to\infty} x_n$ を調べる。

作戦

$\lim_{n\to\infty} x_n = -0$ となることは分かっているんだけれど，これをどのように式で表すか？がポイントなんだね。今回は，この逆数の極限が，

$\lim_{n\to\infty} \frac{1}{x_n} = -\infty$ となることを示すことにしよう。$\underline{x_n < 0}$ ((2)から) $(n = 1, 2, 3, \cdots)$ より，

$x_{n+1} = x_n{}^2 + x_n$ ……① の両辺の逆数をとって，

$\underbrace{\frac{1}{x_{n+1}}}_{y_{n+1}} = \frac{1}{x_n(x_n+1)} = \underbrace{\frac{1}{x_n}}_{y_n} \underbrace{- \frac{1}{x_n+1}}$ となる。よって，$\frac{1}{x_n} = y_n$，$\frac{1}{x_{n+1}} = y_{n+1}$ とおいて，

（これを定数化して，等差数列の不等式ヴァージョンにもち込んでみよう。）

$-\frac{1}{x_n+1}$ を定数化して，等差数列の不等式ヴァージョンにもち込むことにする。

$-1 < a < 0$ のとき，$-1 < x_n < 0$ ……(＊) $(n = 1, 2, 3, \cdots)$ となる。（(2)の結果）

よって，$0 < x_n + 1 < 1$ ……(＊)′ である。

$x_{n+1} = x_n(x_n+1)$ ……① の両辺の逆数をとって，

$\frac{1}{x_{n+1}} = \frac{1}{x_n(x_n+1)} = \frac{1}{x_n} - \frac{1}{x_n+1}$ ……② となる。

ここで，(＊)′ より，$\frac{1}{x_n+1} > 1$　よって，$-\frac{1}{x_n+1} < -1$ となる。

ここで，$\frac{1}{x_n} = y_n$ とおくと，$\frac{1}{x_{n+1}} = y_{n+1}$ より，②は，

$y_{n+1} = y_n - \frac{1}{x_n+1} < y_n - 1$　$(n = 1, 2, 3, \cdots)$

となる。よって，

$y_n < y_{n-1} - 1 < y_{n-2} - 2 < y_{n-3} - 3 < \cdots$

　$< y_1 - (n-1)$　となって，

$\underbrace{y_n}_{\frac{1}{x_n}} < \underbrace{y_1}_{\frac{1}{x_1} = \frac{1}{a}} - n + 1$　となる。

（$y_{n+1} < y_n \underbrace{-1}_{公差}$ は，公差 -1 の等差数列の不等式ヴァージョンになる。よって，$y_n < \underbrace{y_1}_{\frac{1}{x_1} = \frac{1}{a}（定数）} + (n-1)\cdot(-1)$ となる。）

ここで，$y_n = \dfrac{1}{x_n}$，$y_1 = \dfrac{1}{x_1} = \dfrac{1}{a}$ より，

$\dfrac{1}{x_n} < \underbrace{\dfrac{1}{a} + 1}_{\text{定数}} - n$ となるので，この両辺の $n \to \infty$ の極限を求めると，

$\displaystyle\lim_{n\to\infty}\frac{1}{x_n} < \lim_{n\to\infty}\Bigl(\underbrace{\frac{1}{a}+1}_{\text{定数}}\underbrace{-n}_{-\infty}\Bigr) = -\infty$ となって，$\displaystyle\lim_{n\to\infty}\frac{1}{x_n} = -\infty$ となる。

これから，求める極限は，$\displaystyle\lim_{n\to\infty} x_n = \frac{1}{-\infty} = -0$ となる。………………(答)

どうだった？ 結構難しく感じたかも知れないね。漸化式の問題では，等比関数列型漸化式：$F(n+1) = r \cdot F(n)$ を利用する問題が多いんだけれど，この型の漸化式が使えない場合，階差数列型漸化式：$a_{n+1} - a_n = b_n$ かまたは，等差数列型漸化式：$a_{n+1} = a_n + d$ を利用できないか，考えてみるといいんだね。今回の問題では，不等式の形ではあったけれど，単純な等差数列型漸化式を利用することにより解けたんだね。

一般に，難関大の記述式の証明問題や融合問題では，どのように解いたらよいか，途方に暮れてしまうものが多いのは事実なんだね。でも，マセマの本で勉強しているキミ達は，途中までは間違いなく解き進めていけるはずだ。これはとても重要なことで，難解な問題では，まわりの人達の多くが諦めて **0** 点で終わる場合が多い中で，部分点を確実に得点できるからなんだね。だからどんな問題に対しても，「自分は絶対に **0** 点では終わらない！」という信念で本番の試験に臨んでほしい。

今回の問題でも，**(1)**, **(3)** の式による証明がうまくいかなかった場合でも，**Babaのレクチャー** で示したグラフによる解法を書いておけば，どれ程の得点になるかはボクにも分からないけれど，確実に部分点を取ることはできるはずなんだね。

典型的な刑コロ問題

演習問題 30　難易度 ★★★　CHECK1　CHECK2　CHECK3

数列 $\{a_n\}$ が，$a_1=2$，$a_{n+1}=\sqrt{a_n+3}-1$ $(n=1,\ 2,\ 3,\ \cdots)$ で定義されるとき，極限 $\lim_{n\to\infty} a_n$ を求めよ。　(神戸大＊)

Babaのレクチャー

まず，この漸化式：$a_{n+1}=\sqrt{a_n+3}-1$ ……① は，簡単に一般項 a_n が求まらない形なのはいいね。これから，一般項は求まらないけれど，その極限 $\lim_{n\to\infty} a_n$ だけは求まる“刑コロ型問題”になってることに気づいてくれ。よって，$|a_{n+1}-\alpha|\leqq r|a_n-\alpha|$ $(0<r<1)$ の形に持ち込んで解くんだけれど，この極限値 α の値は，次のように推定できるよ。

$\lim_{n\to\infty} a_n=\alpha$ と仮定すると，$\lim_{n\to\infty} a_n=\lim_{n\to\infty} a_{n+1}=\alpha$

$\lim_{n\to\infty} a_n=\alpha$ ならば，$n\to\infty$ のとき，n が $n+1$ と 1 つずれても，$\lim_{n\to\infty} a_{n+1}=\alpha$ が言える。

①は $n\to\infty$ のときも，当然成り立つので，①の a_n と a_{n+1} に α を代入して，

$\alpha=\sqrt{\alpha+3}-1$，$\alpha+1=\sqrt{\alpha+3}$（0以上）　$(\alpha+1\geqq 0$ より，$\alpha\geqq -1$ だね。)

この両辺を2乗して，$(\alpha+1)^2=\alpha+3$，$\alpha^2+2\alpha+1=\alpha+3$

$\alpha^2+\alpha-2=0$，$(\alpha+2)(\alpha-1)=0$　$\therefore\ \alpha=1$　$(\because\ \alpha\geqq -1)$

よって，$\lim_{n\to\infty} a_n=1$ と推定できる。でも，これはまだ答えじゃないよ。数列 $\{a_n\}$ が極限値 α をもつと仮定して，出てきたものだからだ。

ヒント！ レクチャーで説明したように，極限値 $\alpha=1$ と推定できたので，刑コロのパターン通り，$|a_{n+1}-1|\leqq r|a_n-1|$ $(0<r<1)$ の形に持ち込めばいいんだね。この解法に是非慣れてくれ。

解答＆解説

$a_1=2$，$a_{n+1}=\sqrt{a_n+3}-1$ ……①　$(n=1,\ 2,\ \cdots)$

①を変形して，

$$a_{n+1}-\underline{\underline{1}}=\sqrt{a_n+3}-1-\underline{\underline{1}}$$

①の両辺から $\underline{\underline{1}}$ を引く。

$$=\sqrt{a_n+3}-2$$

$$=\frac{a_n+3-4}{\sqrt{a_n+3}+2}$$

分子・分母に $\sqrt{a_n+3}+2$ をかけた。

$\lim_{n\to\infty} a_n=\underline{\underline{1}}$ と推定できるので，これから，$|a_{n+1}-\underline{\underline{1}}|\leqq r|a_n-\underline{\underline{1}}|$ $[F(n+1)\leqq r\ F(n)]$ $(0<r<1)$ の形に持ち込むんだ。まず①の両辺から $\underline{\underline{1}}$ を引いて，左辺に $a_{n+1}-\underline{\underline{1}}$ の形を作るんだね。

$$\therefore a_{n+1}-1=\frac{1}{2+\sqrt{a_n+3}}(a_n-1)$$

この両辺の絶対値をとって，

$$|a_{n+1}-1|=\left|\frac{1}{2+\sqrt{a_n+3}}(a_n-1)\right|$$

($2+\sqrt{a_n+3}$ は $\oplus$)

$A=B$ ならば $|A|=|B|$ としてもいいね。逆はダメ。$|A|=|B|$ ならば $A=\pm B$ となるからだ。

$$=\frac{1}{2+\sqrt{a_n+3}}|a_n-1|$$

これから r を作る。

$$\leqq\frac{1}{2}|a_n-1|$$

$|a_n-1|\geqq 0$ だから，これにかかる係数が $\frac{1}{2+\sqrt{a_n+3}}$ より，$\frac{1}{2}$ のときの方が大きな数になるね。

$$\therefore |a_{n+1}-1|\leqq\frac{1}{2}|a_n-1|$$

$$\left[F(n+1)\leqq\frac{1}{2}F(n)\right]$$

$$|a_n-1|\leqq|a_1-1|\cdot\left(\frac{1}{2}\right)^{n-1}=1\cdot\left(\frac{1}{2}\right)^{n-1}=\left(\frac{1}{2}\right)^{n-1}$$

($a_1=2$)

$$\left[F(n)\leqq F(1)\cdot\left(\frac{1}{2}\right)^{n-1}\right]$$

よって，$0\leqq|a_n-1|\leqq\left(\frac{1}{2}\right)^{n-1}$

各辺の $n\to\infty$ の極限をとって，

$$0\leqq\lim_{n\to\infty}|a_n-1|\leqq\lim_{n\to\infty}\left(\frac{1}{2}\right)^{n-1}=0$$

($\left(\frac{1}{2}\right)^{n-1}\to 0$)

0 と 0 とではさまれた！

ゆえに，はさみ打ちの原理より，

$\lim_{n\to\infty}|a_n-1|=0\quad\therefore\lim_{n\to\infty}a_n=1$ ……………………(答)

刑コロ問題と無限級数の融合

演習問題 31	難易度 ★★★★	CHECK 1	CHECK 2	CHECK 3

$a_1=\sqrt{5}$, $a_{n+1}=\sqrt{a_n+6}$ ……① $(n=1, 2, 3, \cdots)$ で定義される数列 $\{a_n\}$ について，以下の問いに答えよ。

(1) すべての自然数 n に対して，

$$a_n<3 \text{ ……}(*1),\quad 3-a_{n+1}<\frac{1}{3}(3-a_n) \text{ ……}(*2)$$

が成り立つことを示して，$\lim_{n\to\infty} a_n$ を求めよ。

(2) $\log(a_1-2)+\log(a_2-2)+\log(a_3-2)+\log(a_3+2)$ の値を求めよ。

(3) $\sum_{k=1}^{\infty}\log(a_k-2)$ を求めよ。　(早稲田大＊)

ヒント！ (1) $\lim_{n\to\infty} a_n=\alpha$ と仮定すると，$\alpha=3$ となるので，これを刑事コロンボ型の解法に従って，示せばいいね。(2)(3) について，①を変形すると，$a_{n+1}{}^2-4=a_n+2$ となる。これから，連鎖反応的に，$(a_1-2)(a_2-2)(a_3-2)(a_3+2)=a_1{}^2-4$ が導ける。面白いよ。

解答＆解説

(1) $a_1=\sqrt{5}$, $a_{n+1}=\sqrt{a_n+6}$ ……①
$(n=1, 2, 3, \cdots)$

> $\lim_{n\to\infty}a_n=\lim_{n\to\infty}a_{n+1}=\alpha$ と仮定すると，$n\to\infty$ のとき，①は，
> $\alpha=\sqrt{\alpha+6}$, $\alpha^2-\alpha-6=0$
> $(\alpha+2)(\alpha-3)=0$
> 明らかに $\alpha>0$ より，$\alpha=3$
> これと $(*1)$ から，
> $3-a_{n+1}<\frac{1}{3}(3-a_n)$ …$(*2)$
> $\left[F(n+1)<\frac{1}{3}F(n)\right]$
> の形に持ち込む。

(Ⅰ) $a_n<3$ ……$(*1)$ $(n=1, 2, 3, \cdots)$ が成り立つことを数学的帰納法により示す。

(i) $n=1$ のとき，
$a_1=\sqrt{5}<3$　∴成り立つ。

(ii) $n=k$ $(k=1, 2, 3, \cdots)$ のとき，
$a_k<3$ と仮定して，$n=k+1$ のときについて調べる。
①より，$a_{k+1}=\sqrt{a_k+6}<\sqrt{3+6}=3$　（a_k：3より小）
∴ $n=k+1$ のときも成り立つ。

(i)(ii) より，任意の自然数 n に対して $(*1)$ は成り立つ。…(終)

(Ⅱ) 次に，$3-a_{n+1}<\frac{1}{3}(3-a_n)$ ……$(*2)$ $(n=1,\ 2,\ 3,\ \cdots)$ が成り立つことを示す。

①より，

$$3-a_{n+1}=3-\sqrt{a_n+6}$$

$$=\frac{9-(a_n+6)}{3+\sqrt{a_n+6}}$$

分子・分母に，$3+\sqrt{a_n+6}$ をかけた。

よって，

$$3-a_{n+1}=\frac{1}{3+\sqrt{a_n+6}}(3-a_n)$$

（$3+\sqrt{a_n+6}$ は ⊕，$3-a_n$ は ⊕）

$(*1)$ より，$3-a_n>0$，$3-a_{n+1}>0$ は言えているので，今回は絶対値をとる必要はない！

$$<\frac{1}{3}(3-a_n)$$

$3-a_n>0$ だから，これにかかる係数が $\frac{1}{3+\sqrt{a_n+6}}$ より，$\frac{1}{3}$ のときの方が大きくなる。

$\therefore\ 3-a_{n+1}<\frac{1}{3}(3-a_n)$ ……$(*2)$ $(n=1,\ 2,\ \cdots)$ は成り立つ。……(終)

$$\left[F(n+1)<\frac{1}{3}\ F(n)\right]$$

$(*2)$ より，

$$3-a_n<(3-\underset{\sqrt{5}}{a_1})\cdot\left(\frac{1}{3}\right)^{n-1}$$

$$\left[F(n)<\ F(1)\ \cdot\left(\frac{1}{3}\right)^{n-1}\right]$$

$$\therefore\ 0\leqq 3-a_n\leqq(3-\sqrt{5})\left(\frac{1}{3}\right)^{n-1}$$

となる。

これから，
$0<3-a_n<(3-\sqrt{5})\left(\frac{1}{3}\right)^{n-1}$
だけれど，この範囲を広げて，
$0\leqq 3-a_n\leqq(3-\sqrt{5})\left(\frac{1}{3}\right)^{n-1}$
とできる。
"人間→動物"の考え方
何故，等号をつけるのかって？
たとえば，$n=1,\ 2,\ 3,\ \cdots$ のとき，常に，
$\frac{1}{n}>0$ だね。でも，$n\to\infty$ の極限では，$\lim_{n\to\infty}\frac{1}{n}=0$ となって，
等号が成り立つこともあるからだ。

各辺の $n\to\infty$ の極限をとって，

$$0\leqq\lim_{n\to\infty}(3-a_n)\leqq\lim_{n\to\infty}(3-\sqrt{5})\underbrace{\left(\frac{1}{3}\right)^{n-1}}_{\to 0}=0$$

ゆえに，はさみ打ちの原理より，

$\lim_{n\to\infty}(3-a_n)=0$ $\therefore\ \lim_{n\to\infty}a_n=3$ となる。……………………………(答)

(2) $P=\log(a_1-2)+\log(a_2-2)+\log(a_3-2)+\log(a_3+2)$ とおくと,

$P=\log(a_1-2)(a_2-2)\underline{(a_3-2)(a_3+2)}$

$=\log(a_1-2)(a_2-2)\underline{(a_3{}^2-4)}$ ……② となる。

Babaのレクチャー

これから，どう変形するか分かる？ ポイントは，①の漸化式だ。

$a_{n+1}=\sqrt{a_n+6}$ ……① の両辺を2乗して，変形すると,

$a_{n+1}{}^2=a_n+6$, $a_{n+1}{}^2-4=a_n+2$ ……㋐ となるだろう。

よって, ㋐ の式は,

$n=2$ のとき， $\underline{a_3{}^2-4}=\underline{a_2+2}$ となり,

$n=1$ のとき， $\underline{a_2{}^2-4}=\underline{a_1+2}$ となるだろう。よって,

P の式の値は,

$P=\log(a_1-2)(a_2-2)\underset{(a_2+2)}{\underline{(a_3{}^2-4)}}=\log(a_1-2)(a_2-2)\underline{(a_2+2)}$

$=\log(a_1-2)\underset{(a_1+2)}{\underline{(a_2{}^2-4)}}=\log(a_1-2)\underline{(a_1+2)}$

$=\log(a_1{}^2-4)$ と連鎖反応的に式が変形できる！

どう？ 面白かっただろう？

ここで，①を変形すると,

$a_{n+1}{}^2-4=a_n+2$ ……③ $(n=1,\ 2,\ 3,\ \cdots)$ となるので,

③は,

$n=2$ のとき， $\underline{a_3{}^2-4}=a_2+2$ ……③′

$n=1$ のとき， $\underline{a_2{}^2-4}=a_1+2$ ……③″ となる。

よって，②は次のように変形できる。

$P=\log(a_1-2)(a_2-2)\underline{(a_3{}^2-4)}$

$=\log(a_1-2)(a_2-2)\underline{(a_2+2)}$ （③′より）

$=\log(a_1-2)\underline{(a_2{}^2-4)}$

$=\log(a_1-2)\underline{(a_1+2)}$ （③″より）

$=\log(a_1{}^2-4)$

$=\log((\sqrt{5})^2-4)=\log 1=0$ となる。……………………………………(答)

(3) $S_n = \sum_{k=1}^{n} \log(a_k - 2)$ とおくと，

$$S_n = \log(a_1 - 2) + \log(a_2 - 2) + \cdots + \log(a_{n-1} - 2) + \log(a_n - 2)$$

となる。

(2) の結果より，この右辺に $\log(a_n + 2)$ をたせば，右辺は連鎖反応的な式の変形が起こるので，その分これを引いておけばいいんだね。この連鎖反応的な式の変形は，演習問題 28 (P88) とよく似ているね。

よって，

これをたした分，引く！

$$S_n = \log(a_1 - 2) + \cdots + \log(a_{n-1} - 2) + \log(a_n - 2) + \log(a_n + 2) - \log(a_n + 2)$$

$$= \log(a_1 - 2)(a_2 - 2) \cdot \cdots \cdot (a_{n-1} - 2)(a_n - 2)(a_n + 2) - \log(a_n + 2)$$

$(a_n - 2)(a_n + 2) = (a_n{}^2 - 4) = (a_{n-1} + 2)$ ← ③より

$(a_{n-1} - 2)(a_{n-1} + 2) = (a_{n-1}{}^2 - 4) = (a_{n-2} + 2)$ ← ③より

……………………………………………………

$(a_1 - 2)(a_1 + 2) = (a_1{}^2 - 4)$

S_n の右辺を (2) と同様に変形して，

$$S_n = \log(\underbrace{a_1{}^2}_{(\sqrt{5})^2} - 4) - \log(a_n + 2) = \underbrace{\log 1}_{0} - \log(a_n + 2)$$

$$\therefore\ S_n = -\log(a_n + 2) \quad (n = 1,\ 2,\ 3,\ \cdots)$$

以上より，求める無限級数は，(1) の $\lim_{n \to \infty} a_n = 3$ の結果を用いて，

$$\sum_{k=1}^{\infty} \log(a_k - 2) = \lim_{n \to \infty} \sum_{k=1}^{n} \log(a_k - 2) = \lim_{n \to \infty} S_n$$

$$= \lim_{n \to \infty} \{-\log(\underbrace{a_n}_{\to 3} + 2)\} = -\log 5$$ となる。 …………(答)

テーマ7 関数の極限の応用

● 極限の公式とグラフや図形を連動させよう！

さァ，これから，“**関数の極限**”について解説する。関数の極限で使われる主な公式は次の通りだ。

関数の極限の公式

(1) $\displaystyle\lim_{x\to 0}\frac{\sin x}{x}=1$　　(2) $\displaystyle\lim_{x\to 0}\frac{\tan x}{x}=1$

(3) $\displaystyle\lim_{x\to 0}\frac{1-\cos x}{x^2}=\frac{1}{2}$　　(4) $\displaystyle\lim_{x\to 0}\frac{e^x-1}{x}=1$

(5) $\displaystyle\lim_{x\to 0}\frac{\log(1+x)}{x}=1$　　(6) $\displaystyle\lim_{x\to\pm\infty}\left(1+\frac{1}{x}\right)^x=e$

これらの公式と，後は，**微分係数の定義式**が使いこなせれば，道具はすべてそろったと言えるんだね。でも，実際の難関大レベルの問題では，これらに加えて，図形的な要素や関数のグラフなど，他分野の要素が加わるため，かなり手ゴワイ問題になるんだよ。

でも，今回も，君達の実力を確実にアップさせる良問を選んでおいたから，シッカリ練習すれば，恐いものは何もなくなるはずだ。

まず，今回の主要テーマを下に書いておこう。

(1) 微分係数の定義式の応用

(2) 円に内接する小さな円群の問題

(3) ベクトルと関数の極限の融合

(4) 関数の連続性・微分可能性の応用

(5) 2次曲線や対数関数と関数の極限の融合

それでは，(1) のテーマの慶応大の問題から，解説しよう。

微分係数の定義式の極限への応用

演習問題 32　難易度 ★★★　CHECK 1　CHECK 2　CHECK 3

3 つの正の定数 a, b, c が与えられたとき,

極限 $\displaystyle\lim_{x \to 0}\frac{1}{x}\log\frac{a^x+b^x+c^x}{3}$ を求めよ。　(慶応大*)

ヒント！ $f(x)=\log(a^x+b^x+c^x)$ とおくと，与えられた極限の式は，$f'(0)$ の定義式となることに気付けばいいんだよ。頑張ろう！

解答＆解説

$$与式=\lim_{x \to 0}\frac{\log(a^x+b^x+c^x)-\log 3}{x}$$

$$=\lim_{x \to 0}\frac{\overset{f(x)}{\boxed{\log(a^x+b^x+c^x)}}-\overset{f(0)}{\boxed{\log(a^0+b^0+c^0)}}}{x-0}$$

一見複雑そうに見えるけど，
$f(x)=\log(a^x+b^x+c^x)$
$f(0)=\log(a^0+b^0+c^0)$
$=\log(1+1+1)=\log 3$
となるので，
$与式=\displaystyle\lim_{x\to 0}\frac{f(x)-f(0)}{x-0}$
$=f'(0)$
と，微分係数 $f'(0)$ の定義式が出てくるよ。この着眼力を養おう！

ここで，$f(x)=\log(a^x+b^x+c^x)$ とおくと，

$$f'(x)=\frac{(a^x+b^x+c^x)'}{a^x+b^x+c^x}$$ ← $(\log g)'=\dfrac{g'}{g}$ を使った！

$$=\frac{a^x\log a+b^x\log b+c^x\log c}{a^x+b^x+c^x}$$ ← $(a^x)'=a^x\cdot\log a\ (a>0)$ を使った！

よって，$$f'(0)=\frac{\overset{1}{\boxed{a^0}}\log a+\overset{1}{\boxed{b^0}}\log b+\overset{1}{\boxed{c^0}}\log c}{\underset{1}{\boxed{a^0}}+\underset{1}{\boxed{b^0}}+\underset{1}{\boxed{c^0}}}$$

$$=\frac{1}{3}(\log a+\log b+\log c)=\frac{1}{3}\log(abc)$$

以上より，求める極限は，

$$与式=\lim_{x \to 0}\frac{f(x)-f(0)}{x-0}=f'(0)=\frac{1}{3}\log(abc)$$ ……………………………(答)

円に内接する小さな円群と極限

演習問題 33	難易度 ★★★	CHECK1	CHECK2	CHECK3

n を 3 以上の整数として，半径 1 の円 C の内部に円 C と接する半径の等しい n 個の円 A_1, A_2, …, A_n を順にならべる。ただし，A_1 は A_n, A_2 に外接し，各円 A_j は隣り合う円 A_{j-1}, A_{j+1} と外接するものとする $(2 \leqq j \leqq n-1)$。

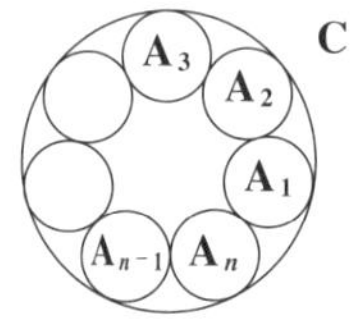

(1) n 個の円 A_1, A_2, …, A_n の面積の総和 S_n を求めよ。

(2) 極限値 $T = \lim_{n\to\infty} n \cdot S_n$ を求めよ。 (電気通信大)

Baba のレクチャー

1 つの大きな円に，複数の同じ半径の小さな円が外接したり，今回の問題のように内接したりする問題は，図形と極限の融合問題として，受験では，頻出分野の 1 つなんだよ。

この場合，各円の中心を，文字通り中心に考えるとウマクいく。小さな円の半径を r_n とおく。円 C と，小さな 2 つの円 A_1, A_2 の 3 つの中心を結ぶと，図 1 のように，等辺の長さが $1-r_n$ の 2 等辺三角形ができる。そして，その頂角は，$\frac{2\pi}{n}$ となる。

図 1 円の中心を結ぶ！

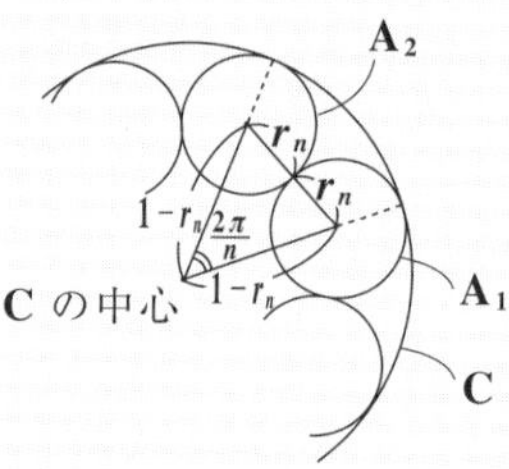

A_1, A_2 の 2 つの半円で，小さな 1 個分の円となるので，円 C の全角 2π を n 等分したものが，この頂角だ！

この 2 等辺三角形を図 2 のように，さらに 2 等分した網目部の直角三角形から，$\sin\frac{\pi}{n} = \frac{r_n}{1-r_n}$ が導かれるんだね。

図 2

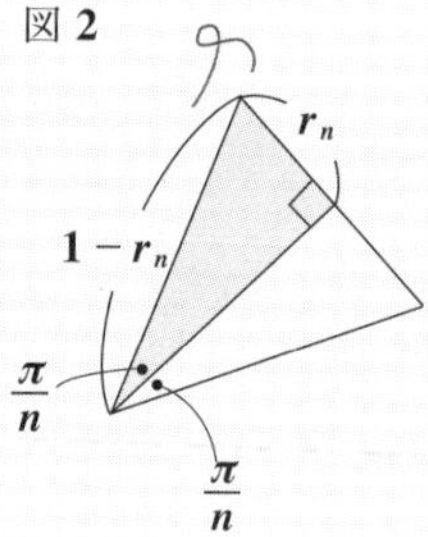

解答＆解説

(1) 円 A_1, A_2, …, A_n の半径を r_n とおくと，これら n 個の円の面積の総和 S_n は，

$S_n = n\cdot\pi r_n{}^2$ ……①

ここで，円Cと，円 A_1, A_2 の3つの中心を結んでできる2等辺三角形から，次式が導ける。

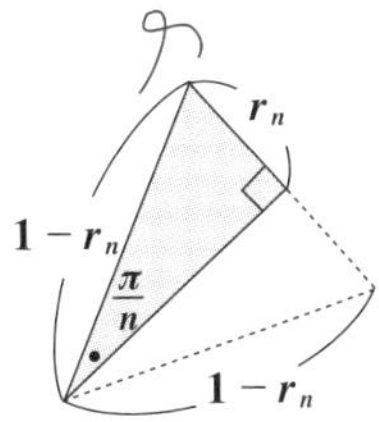

$$\sin\frac{\pi}{n} = \frac{r_n}{1-r_n},\quad (1-r_n)\sin\frac{\pi}{n} = r_n$$

$$\left(1+\sin\frac{\pi}{n}\right)r_n = \sin\frac{\pi}{n}\qquad \therefore\ r_n = \frac{\sin\frac{\pi}{n}}{1+\sin\frac{\pi}{n}}\ \cdots\cdots②$$

②を①に代入して，$S_n = n\pi\cdot\left(\dfrac{\sin\frac{\pi}{n}}{1+\sin\frac{\pi}{n}}\right)^2$ ……………………………………(答)

(2) 以上より，求める極限値Tは，

$$T = \lim_{n\to\infty} n\cdot S_n = \lim_{n\to\infty} \pi n^2\cdot\frac{\sin^2\frac{\pi}{n}}{\left(1+\sin\frac{\pi}{n}\right)^2}$$

（$n^2 \to \infty$，$\sin^2\frac{\pi}{n} \to 0$，$\sin\frac{\pi}{n} \to 0$）

これを分母の分母にもっていく！

$\frac{\pi}{n}=\theta$ とおくと，$n\to\infty$ のとき，$\theta\to 0$ より，$\displaystyle\lim_{\theta\to 0}\frac{\sin\theta}{\theta} = 1$ だね。

$$= \lim_{n\to\infty} \frac{\pi}{\left(1+\sin\frac{\pi}{n}\right)^2}\times\left(\frac{\sin\frac{\pi}{n}}{\frac{\pi}{n}}\right)^2\times\pi^2$$

（$\sin\frac{\pi}{n} \to 0$，$\dfrac{\sin\frac{\pi}{n}}{\frac{\pi}{n}} \to 1$）

$$= \frac{\pi}{(1+0)^2}\times 1^2\times\pi^2 = \pi^3$$ ……………………………………(答)

演習問題 34

難易度 ★★★★ CHECK1 CHECK2 CHECK3

第 **1** 象限で x 軸に接する円 **C** が，放物線 $y=x^2$ と点 $\mathrm{T}(t,\ t^2)$ を共有し，この点 **T** で共通の接線をもつ。ただし，$t>0$ とする。

円 **C** の中心を $\mathrm{P}(a,\ b)$ とし，次の問いに答えよ。

(1) a，b を t を用いて表せ。

(2) 原点と **P** を結ぶ直線の傾き $\dfrac{b}{a}$ の，$t\to\infty$ としたときの極限値を求めよ。

(宮城教育大)

Baba のレクチャー

これは関数の極限の問題であると同時に，ベクトルの重要な要素も含んでいるんだよ。そのポイントは，次の **2** つだ。

(Ⅰ) $\vec{a}$ と直交する大きさの等しいベクトル

図 **1** のように，平面ベクトル $\vec{a}=(x_1,\ y_1)$ が与えられたとき，これと垂直で大きさの等しいベクトル $\vec{b_1}$, $\vec{b_2}$ は，$\vec{a}$ の x 成分と y 成分を入れ替えて，そのいずれか一方に㊀を付ければいいんだよ。

図 1

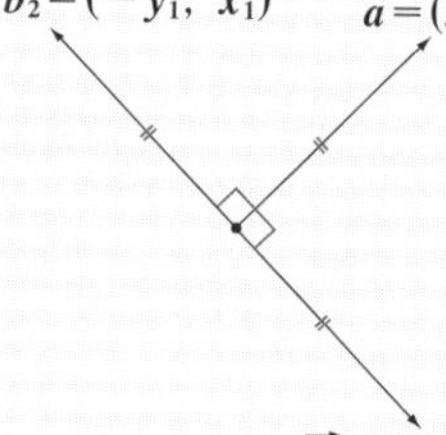

すると，

$|\vec{a}|=|\vec{b_1}|=|\vec{b_2}|$ であり，

$\vec{a}$ 成分の x，y を入れ替えて，いずれか一方の符号を変える！

かつ $\vec{a}\cdot\vec{b_1}=x_1y_1+y_1(-x_1)=0$，$\vec{a}\cdot\vec{b_2}=x_1(-y_1)+y_1\cdot x_1=0$

となって，$\vec{a}\perp\vec{b_1}$，$\vec{a}\perp\vec{b_2}$ なんだね。

(Ⅱ) $\vec{a}$ と同じ向きの単位ベクトル $\vec{e}$

$\vec{a}$ をその大きさ $|\vec{a}|$ で割ると，

$\vec{a}$ と同じ向きの単位ベクトル $\vec{e}$ (大きさ **1** のベクトル)

図 2

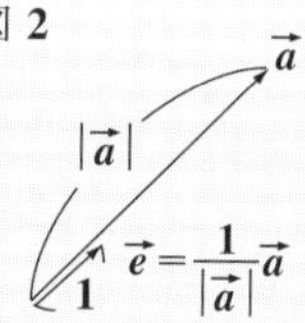

になる。数学では，この大きさ **1** を特に大事にするんだよ。何故って？ いったん大きさを **1** にすると，後は自分の好きな (?) 長さを自由にかけることができるからだ！

解答＆解説

(1) 中心 $\mathbf{P}(a,\ b)$，半径 b $(a>0,\ b>0)$ の円 $\mathbf{C}$ が，放物線 $y=x^2$ と点 $\mathbf{T}(t,\ t^2)$ で接しているものとすると，

（まわり道の原理だ！）

$\overrightarrow{\mathbf{OP}}=\overrightarrow{\mathbf{OT}}+\overrightarrow{\mathbf{TP}}$ ……………………………①

（$\overrightarrow{\mathbf{OP}}=(a,\ b)$，$\overrightarrow{\mathbf{OT}}=(t,\ t^2)$）（$\overrightarrow{\mathbf{TP}}$：これをどう求めるのかがポイントだ！）

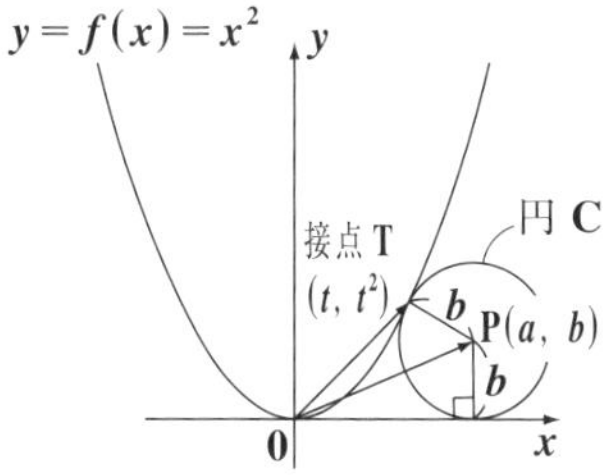

$\overrightarrow{\mathbf{OP}}=(a,\ b)$ ……②，$\overrightarrow{\mathbf{OT}}=(t,\ t^2)$ ……③

ここで，$y=f(x)=x^2$ とおくと，

$f'(x)=2x$，$f'(t)=2t$ より，

（この傾きを $\dfrac{2t}{1}$ とみると，この接線の方向ベクトル $\vec{d}$ は，$\vec{d}=(1,\ 2t)$ だね。）

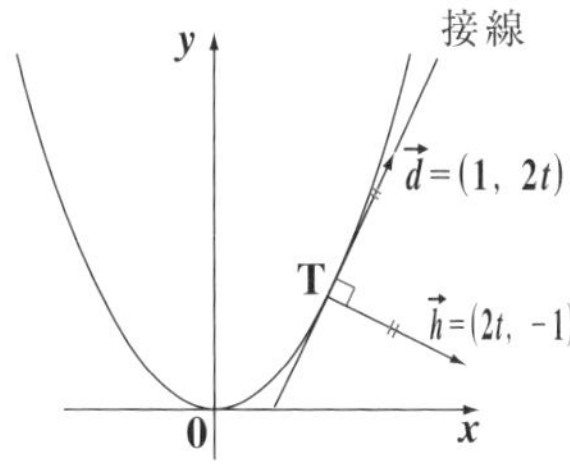

よって，点 $\mathbf{T}$ における $y=f(x)$ の接線の方向ベクトル $\vec{d}$ は，

$\vec{d}=(1,\ 2t)$ ⟶（x，y 成分を入れ替えて，y 成分を⊖）

$\overrightarrow{\mathbf{TP}}$ と同じ向きで，$\vec{d}$ と直交する大きさの等しいベクトルを $\vec{h}$ とおくと，$\vec{h}=(2t,\ -1)$ となる。

$|\overrightarrow{\mathbf{TP}}|=b$ ←（円 $\mathbf{C}$ の半径）より，（$\vec{h}/\!/\overrightarrow{\mathbf{TP}}$ より，後は大きさをそろえる！）

$\overrightarrow{\mathbf{TP}}=b\times\dfrac{1}{|\vec{h}|}\vec{h}$ 　（$\vec{h}$ をいったん単位ベクトル $\vec{e}$ にして，好きな長さ（今回は b）をかけた！）

（$\dfrac{1}{|\vec{h}|}\vec{h}=\vec{e}$（単位ベクトル））

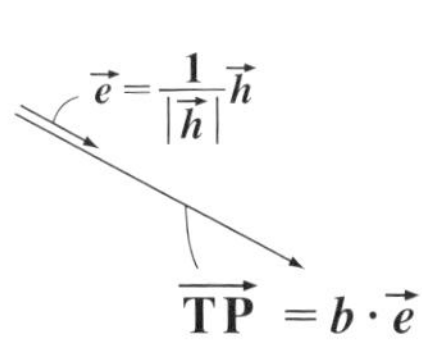

$$=b\times\frac{1}{\sqrt{(2t)^2+(-1)^2}}(2t,\ -1)$$

$$\therefore\ \overrightarrow{\mathbf{TP}}=\left(\frac{2bt}{\sqrt{4t^2+1}},\ -\frac{b}{\sqrt{4t^2+1}}\right)\ \cdots\cdots④$$

②，③，④を①に代入して，

$$(\underset{\sim}{a},\ \underline{b})=(t,\ t^2)+\left(\frac{2bt}{\sqrt{4t^2+1}},\ -\frac{b}{\sqrt{4t^2+1}}\right)$$

$$=\left(t+\frac{2bt}{\sqrt{4t^2+1}},\ t^2-\frac{b}{\sqrt{4t^2+1}}\right)$$

$$\therefore\ a=t+\frac{2bt}{\sqrt{4t^2+1}}\ \cdots\cdots⑤$$

$$b=t^2-\frac{b}{\sqrt{4t^2+1}}\cdots\cdots⑥$$

⑤，⑥を a，b について解いて，

$$\begin{cases} a=\dfrac{t}{2}\left(\sqrt{4t^2+1}+1\right)\ \cdots\cdots\cdots\cdots\cdots⑦ \\ b=\dfrac{\sqrt{4t^2+1}}{4}\left(\sqrt{4t^2+1}-1\right)\cdots\cdots⑧ \end{cases}$$

……………(答)

⑥より，

$$\frac{\sqrt{4t^2+1}+1}{\sqrt{4t^2+1}}b=t^2$$

$$b=\frac{t^2\sqrt{4t^2+1}}{\sqrt{4t^2+1}+1}$$

分子・分母に $(\sqrt{4t^2+1}-1)$ をかけた！

$$=\frac{t^2\sqrt{4t^2+1}\left(\sqrt{4t^2+1}-1\right)}{4t^2}$$

$$=\frac{\sqrt{4t^2+1}}{4}\left(\sqrt{4t^2+1}-1\right)$$

これを⑤に代入して，

$$a=t+\frac{t}{2}\left(\sqrt{4t^2+1}-1\right)$$

$$=\frac{t}{2}\left(\sqrt{4t^2+1}+1\right)$$

(2) 以上⑦，⑧より，求める極限値は，

$$\lim_{t\to\infty}\frac{b}{a}=\lim_{t\to\infty}\frac{\dfrac{\sqrt{4t^2+1}}{4}\left(\sqrt{4t^2+1}-1\right)}{\dfrac{t}{2}\left(\sqrt{4t^2+1}+1\right)}\ \left[=\frac{\infty}{\infty}\text{の不定形}\right]$$

$$=\lim_{t\to\infty}\frac{1}{2}\cdot\frac{\sqrt{4t^2+1}}{t}\cdot\frac{\sqrt{4t^2+1}-1}{\sqrt{4t^2+1}+1}$$

分子・分母を t で割る。

$\left[\dfrac{1\text{次の}\infty}{1\text{次の}\infty}\right]$

$$=\lim_{t\to\infty}\frac{1}{2}\cdot\sqrt{4+\frac{1}{t^2}}\cdot\frac{\sqrt{4+\frac{1}{t^2}}-\frac{1}{t}}{\sqrt{4+\frac{1}{t^2}}+\frac{1}{t}}$$

（$\frac{1}{t^2}\to0$，$\frac{1}{t}\to0$）

$$=\frac{1}{2}\cdot\sqrt{4}\cdot\frac{\sqrt{4}}{\sqrt{4}}=1\ \cdots\cdots\cdots\cdots\cdots\cdots\cdots\cdots\cdots(\text{答})$$

関数の微分可能性とグラフ

演習問題 35

難易度 ★★★★ CHECK 1 CHECK 2 CHECK 3

次のように定義された関数 $f(x)$ はすべての x の値において微分可能であるとする。

$$f(x)=\begin{cases} 1 & (1 \leqq x \text{ のとき}) \\ a(x-1)-b\sin x & (-1<x<1 \text{ のとき}) \\ c & (x \leqq -1 \text{ のとき}) \end{cases}$$

このとき，次の各問いに答えよ。

(1) 定数 a，b，c を求めよ。　(2) $c>0$ を証明せよ。

(3) $y=f(x)$ のグラフをかけ。　(首都大学東京)

Baba のレクチャー

関数の(Ⅰ)不連続，(Ⅱ)連続，(Ⅲ)微分可能のイメージを下に示すよ。

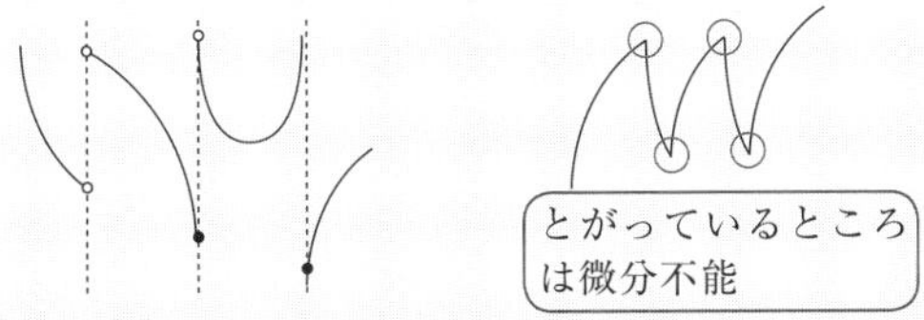

今回の関数 $f(x)$ は微分可能な関数であり，(ⅰ) $1 \leqq x$，(ⅱ) $-1<x<1$，(ⅲ) $x \leqq -1$ で，上記のように定義されているので，$x=-1$ と $x=1$ で，なめらかにつなげないといけないんだね。そのためには，$-1<x<1$ で定義されている関数を，$-\infty<x<\infty$ で定義しなおして，←実際にこれは可能だね！

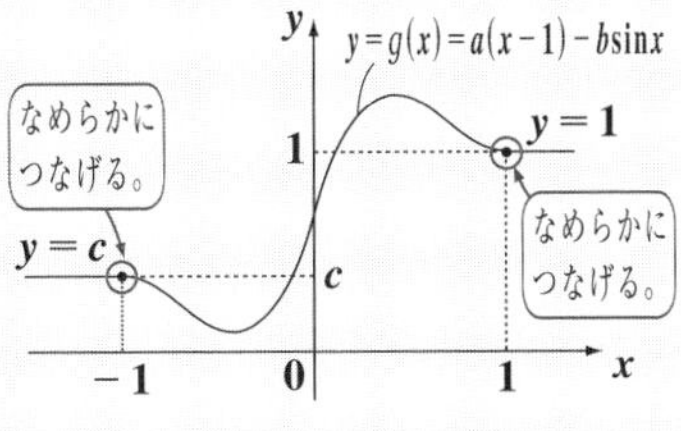

$y=g(x)=a(x-1)-b\sin x$ $(-\infty<x<\infty)$

とおくと，求める条件は，

$g(1)=1$，$g(-1)=c$，$g'(1)=g'(-1)=0$

となる。

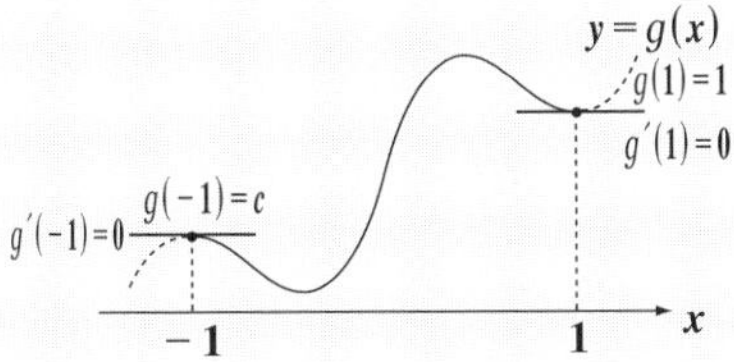

解答&解説

(1)
$$f(x)=\begin{cases}1 & (1\leqq x \text{ のとき})\\ a(x-1)-b\sin x & (-1<x<1 \text{ のとき})\\ c & (x\leqq -1 \text{ のとき})\end{cases}$$

$f(x)$ は，すべての x で微分可能なので，新たに $y=g(x)$ を，

$y=g(x)=a(x-1)-b\sin x\ (-\infty<x<\infty)$ とおくと，

$g'(x)=a-b\cos x$ より，

$$\begin{cases}g(1)=-b\sin 1=1 & \cdots\cdots①\\ g(-1)=-2a-b\underbrace{\sin(-1)}_{-\sin 1}=c & \cdots②\\ g'(1)=a-b\cos 1=0 & \cdots\cdots\cdots\cdots\cdots③\end{cases}$$

$g'(-1)=a-b\underbrace{\cos(-1)}_{\cos 1}=0$ は，$g'(1)=0$ と同じなので，省略できる！

①より，$b=-\dfrac{1}{\sin 1}$

③より，$a-\left(\underbrace{-\dfrac{1}{\sin 1}}_{b}\right)\cdot\cos 1=0\qquad \therefore\ a=-\dfrac{\cos 1}{\sin 1}$

②より，$c=-2\left(\underbrace{-\dfrac{\cos 1}{\sin 1}}_{a}\right)+\left(\underbrace{-\dfrac{1}{\sin 1}}_{b}\right)\cdot\sin 1=\dfrac{2\cos 1}{\sin 1}-1$

$\therefore\ a=-\dfrac{\cos 1}{\sin 1},\quad b=-\dfrac{1}{\sin 1},\quad c=\dfrac{2\cos 1}{\sin 1}-1$ ……………………………(答)

参考

$\sin 1$ や $\cos 1$ の 1 について，変に感じる？ でも，これって，別に変な数じゃないよ。もちろん，これは 1 (ラジアン) だから，1° じゃないけどね。π (ラジアン) $=180^\circ$ より，$\dfrac{\underbrace{\pi}_{3.14}}{3}$ (ラジアン) $=60^\circ$ だね。

ここで，$\pi\fallingdotseq 3.14$ だから，$\dfrac{\pi}{3}\fallingdotseq 1.05$ だ。

よって，1.05(ラジアン)$\fallingdotseq 60^\circ$ より，1(ラジアン)$\fallingdotseq 57^\circ$ ってとこだね。

(2) $c=\dfrac{2\cos 1}{\sin 1}-1$ の符号を調べるために，$\sin 1$，$\cos 1$ がどのような範囲内の値なのかを調べる。

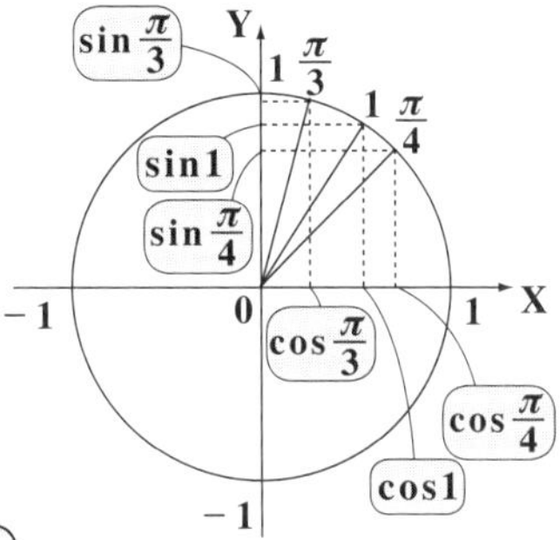

$\dfrac{\pi}{4}<1<\dfrac{\pi}{3}$ より，
（$\frac{\pi}{4}$ = 45°，1 ≒ 57°，$\frac{\pi}{3}$ = 60°）

$$\underset{\cos\frac{\pi}{3}}{\frac{1}{2}}<\cos 1<\underset{\cos\frac{\pi}{4}}{\frac{1}{\sqrt{2}}}$$

$$\underset{\sin\frac{\pi}{4}}{\frac{1}{\sqrt{2}}}<\sin 1<\underset{\sin\frac{\pi}{3}}{\frac{\sqrt{3}}{2}}$$

$\dfrac{1}{2}<\cos 1<\dfrac{1}{\sqrt{2}}$ かつ $\dfrac{1}{\sqrt{2}}<\sin 1<\dfrac{\sqrt{3}}{2}$ より

よって，$\dfrac{\cos 1}{\sin 1}>\dfrac{\frac{1}{2}}{\frac{\sqrt{3}}{2}}=\dfrac{1}{\sqrt{3}}$ → この両辺を 2 倍して 1 を引く。

よって，$c=\dfrac{2\cos 1}{\sin 1}-1>\dfrac{2}{\sqrt{3}}-1>0$ $\left(\because \dfrac{2}{\sqrt{3}}>1\right)$

$\therefore c>0$ ……………………………………………………(終)

(3) $-1<x<1$ のとき，$f(x)=a(x-1)-b\sin x$

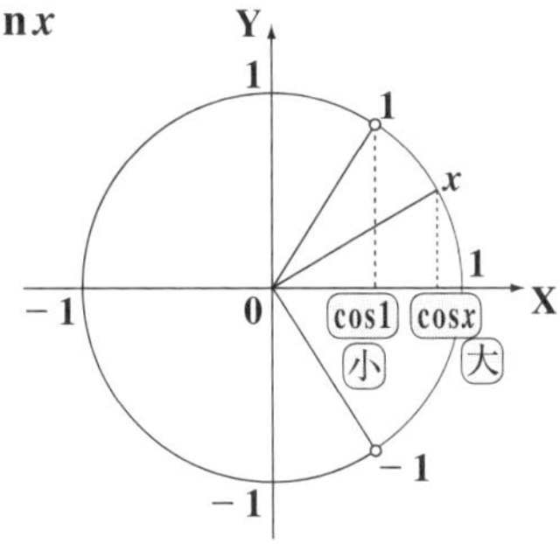

$$f'(x)=a-b\cos x=-\frac{\cos 1}{\sin 1}+\frac{1}{\sin 1}\cos x$$
$$=\frac{\cos x-\cos 1}{\sin 1}\quad(\sin 1 \text{ は } ⊕)$$

ここで，$-1<x<1$ より，右図から，

$\underset{大}{\cos x}>\underset{小}{\cos 1}$ $\therefore f'(x)>0$

よって，$-1<x<1$ のとき，$f(x)$ は単調に増加する。

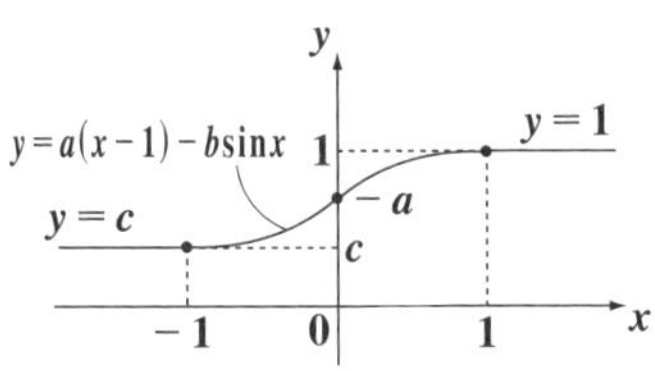

以上より，$y=f(x)$ のグラフの概形は，右図のようになる。……………………(答)

2次曲線と関数の極限の融合

演習問題 36	難易度 ☆☆☆☆	CHECK1	CHECK2	CHECK3

xy 平面上に準線を $y=-1$，点 $\mathrm{F}(0,\ 1)$ を焦点とする放物線がある。この放物線上の点 $\mathrm{P}(a,\ b)$ を中心として，準線に接する円 C を描き，接点を H とする。$a>2$ とし，円 C と y 軸との交点のうち F と異なるものを G とする。扇形 PFH (中心角の小さい方) の面積を $S(a)$，三角形 PGF の面積を $T(a)$ とするとき，$a\to\infty$ としたときの極限値 $\displaystyle\lim_{a\to\infty}\frac{T(a)}{S(a)}$ を求めよ。

(東京大)

ヒント！ 放物線上の点 $\mathrm{P}(a,\ b)$ から準線に下した垂線の足が H であり，$\mathrm{PH}=\mathrm{PF}$ であることがポイントとなる。また，扇形 PFH の中心角を θ とおいて，$\sin\theta$ を a で表すことも必要となる。図を描いて，よく考えながら解いてみよう！

解答＆解説

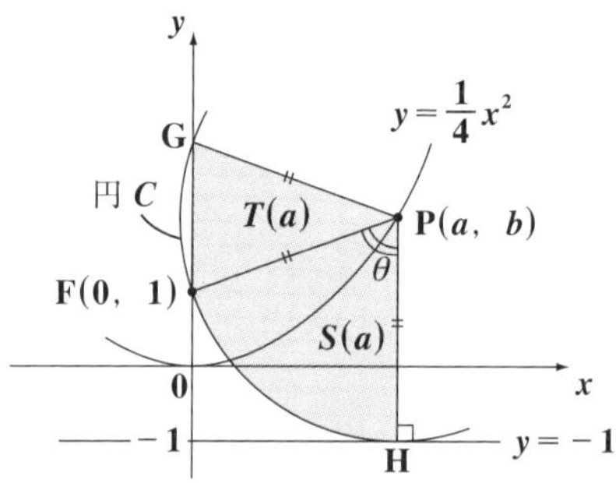

右図のように，準線 $y=-1$ と焦点 $\mathrm{F}(0,\ 1)$ をもつ放物線

$x^2=4\cdot1\cdot y$ ← $x^2=4\cdot p\cdot y$ 焦点 $\mathrm{F}(0,\ p)$ 準線 $y=-p$

すなわち，

$y=\dfrac{1}{4}x^2$ ……①

がある。①の放物線上の点 P を $\mathrm{P}(a,\ b)$ とおくと，$b=\dfrac{1}{4}a^2$ …②

である。P を中心とし，$y=-1$ と接する円 C と y 軸との交点を F，G とおく。すると，$\underline{\mathrm{PH}=\mathrm{PF}}=\mathrm{PG}$ となる。← すべて，円の半径で等しい。

（これは放物線の定義式だ。これから，$x^2=4\cdot p\cdot y$ の公式が導ける。）

(i) ここで，扇形 PFH の面積 $S(a)$ を求める。

$\angle\mathrm{FPH}=\theta$ とおくと，

$$S(a)=\frac{1}{2}\cdot\mathrm{PH}^2\cdot\theta=\frac{1}{2}\left(\frac{1}{4}a^2+1\right)^2\cdot\theta$$

（PH：$b-(-1)=b+1=\dfrac{1}{4}a^2+1$ (②より)）

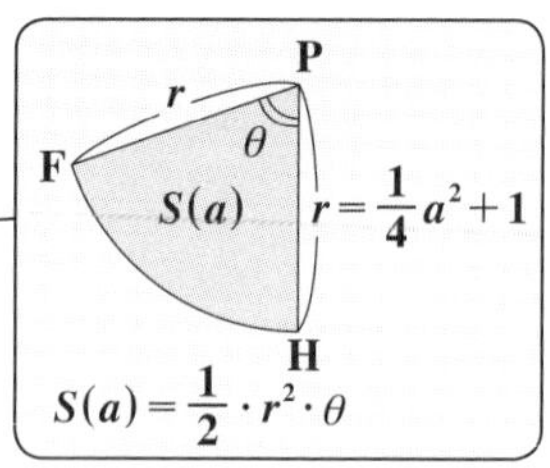

$$=\frac{1}{32}(a^2+4)^2\cdot\theta$$

ここで，点 F から線分 PH に下した垂線の足を I とおき，直角三角形 PFI を考えることにより，$\sin\theta$ を a で表すと，

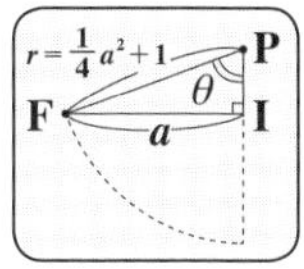

$$\sin\theta=\frac{\mathrm{FI}}{\mathrm{PF}}=\frac{a}{\frac{1}{4}a^2+1}=\frac{4a}{a^2+4}\quad\cdots\cdots③$$

これは，この後，極限 $\displaystyle\lim_{a\to\infty}\frac{T(a)}{S(a)}$ を求めるときに，必要となるんだね。

(ⅱ) 次に，三角形 PGF の面積 $T(a)$ を求める。

これは，

底辺 $\mathrm{GF}=2\cdot(b-1)=2\left(\frac{1}{4}a^2-1\right)$ （②より），

高さ a の二等辺三角形の面積なので，

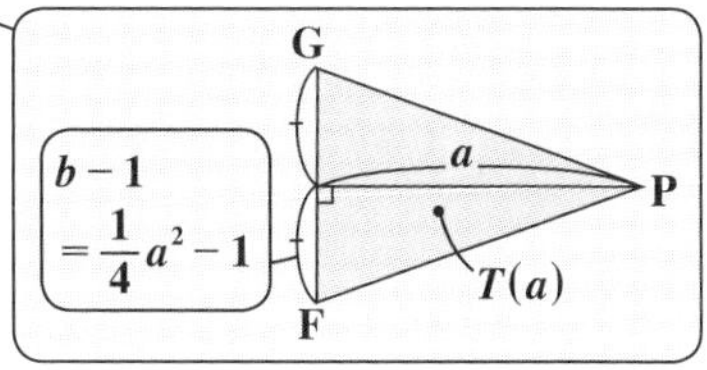

$$T(a)=\frac{1}{2}\cdot 2\cdot\left(\frac{1}{4}a^2-1\right)\cdot a$$
$$=\frac{1}{4}a(a^2-4)$$

以上 (ⅰ)(ⅱ) より，極限 $\displaystyle\lim_{a\to\infty}\frac{T(a)}{S(a)}$ を求める。

③より，$a\to\infty$ のとき，$\displaystyle\lim_{a\to\infty}\sin\theta=\lim_{a\to\infty}\frac{4a}{a^2+4}=\lim_{a\to\infty}\frac{\frac{4}{a}}{1+\frac{4}{a^2}}=\frac{0}{1+0}=0$ より，

（$\frac{4}{a}\to 0$，$\frac{4}{a^2}\to 0$）

$a\to\infty$ のとき，$\theta\to 0$ となる。これから，求める極限は，

$$\lim_{a\to\infty}\frac{T(a)}{S(a)}=\lim_{a\to\infty}\frac{\frac{1}{4}a(a^2-4)}{\frac{1}{32}(a^2+4)^2\theta}$$

$$=\lim_{a\to\infty}\frac{8a(a^2-4)}{(a^2+4)^2}\cdot\frac{1}{\frac{4a}{a^2+4}}\cdot\frac{\sin\theta}{\theta}$$

③より，$\sin\theta$ をかけた分 $\frac{4a}{a^2+4}$ で割った！

$$=\lim_{\substack{a\to\infty\\(\theta\to 0)}}2\cdot\frac{a^2-4}{a^2+4}\cdot\frac{\sin\theta}{\theta}=\lim_{\substack{a\to\infty\\(\theta\to 0)}}2\cdot\frac{1-\frac{4}{a^2}}{1+\frac{4}{a^2}}\cdot\frac{\sin\theta}{\theta}$$

（$\frac{4}{a^2}\to 0$，$\frac{\sin\theta}{\theta}\to 1$）

$$=2\cdot\frac{1}{1}\cdot 1=2$$ となる。 ……………………………………………(答)

面積と関数の極限

演習問題 37	難易度 ★★★	CHECK 1	CHECK 2	CHECK 3

a は 1 より大きい定数とし，xy 平面上の点 $(a,\ 0)$ を A，点 $(a,\ \log a)$ を B，曲線 $y=\log x$ と x 軸の交点を C とする。さらに x 軸，線分 BA および曲線 $y=\log x$ で囲まれた部分の面積を S_1 とする。

(1) $1 \leqq b \leqq a$ となる b に対し点 $(b,\ \log b)$ を D とする。四辺形 ABDC の面積が S_1 に最も近くなるような b の値とそのときの四辺形 ABDC の面積 S_2 を求めよ。

(2) $a \to \infty$ のときの $\dfrac{S_2}{S_1}$ の極限値を求めよ。　(東京大)

ヒント！ 面積 S_1 は $\log x$ を $[1,\ a]$ の区間で定積分してすぐに求まる。四辺形 ABDC の面積は，△ABC の面積が一定より，△DBC の面積が最大のとき最大となって，S_1 に最も近くなるんだね。

解答＆解説

図 1

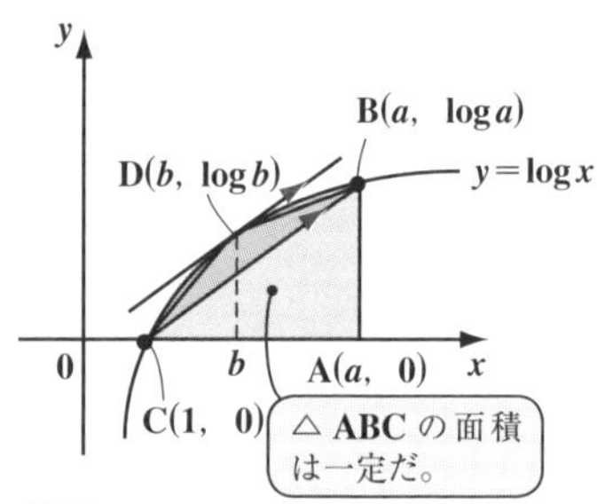

(1) 図 1 より，△ABC の面積は一定なので，△DBC の面積が最大のとき，四辺形 ABDC の面積は最大，すなわち面積 S_1 に最も近くなる。

△DBC の面積は，底辺 BC が一定より，点 D が，直線 BC と平行な，曲線 $y=\log x$ の接線の接点となるとき最大になる。$(\log x)'=\dfrac{1}{x}$ より，

$$\frac{1}{b}=\frac{\log a}{a-1}$$

（接線の傾き $f'(b)$）（直線 BC の傾き）

$\therefore\ b=\dfrac{a-1}{\log a}$ ……………………………(答)

図 2

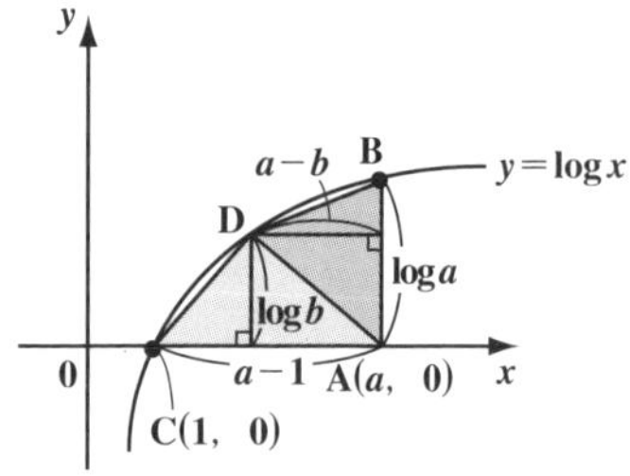

次に，図 2 より，求める面積 S_2 は

$$S_2=\triangle \mathrm{ABD}+\triangle \mathrm{ACD}=\frac{1}{2}(a-\boxed{b})\log a+\frac{1}{2}(a-1)\log\boxed{b}$$

（$b=\dfrac{a-1}{\log a}$）（$b=\dfrac{a-1}{\log a}$）

$$\therefore\ S_2=\frac{1}{2}\left[a\log a-(a-1)+(a-1)\{\log(a-1)-\log(\log a)\}\right]\quad\cdots(答)$$

(2) $y=\log x$ と AC と AB で囲まれる面積 S_1 は,

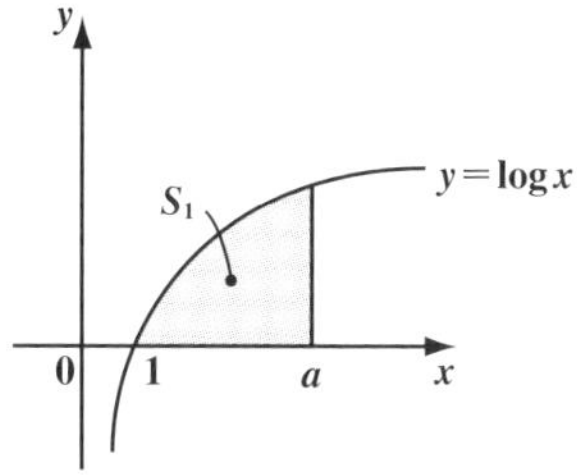

$$S_1=\int_1^a \log x\,dx$$
$$=\Big[x\log x-x\Big]_1^a$$
$$=a\log a-a+1$$

$\int\log x\,dx=x\log x-x+C$ は覚えてくれ!

以上より，求める極限は,

$$\lim_{a\to\infty}\frac{S_2}{S_1}=\lim_{a\to\infty}\frac{a\log a-(a-1)+(a-1)\{\log(a-1)-\log(\log a)\}}{2(a\log a-a+1)}$$

分母・分子を一番強い∞である $a\log a$ で割る!

この分母・分子を $a\log a$ で割って,

$$\lim_{a\to\infty}\frac{S_2}{S_1}=\lim_{a\to\infty}\frac{1-\dfrac{a-1}{a\log a}+\dfrac{a-1}{a\log a}\{\log(a-1)-\log(\log a)\}}{2\left(1-\dfrac{a-1}{a\log a}\right)}$$

$$=\lim_{a\to\infty}\frac{1-\left(1-\dfrac{1}{a}\right)\dfrac{1}{\log a}+\left(1-\dfrac{1}{a}\right)\left\{\dfrac{\log(a-1)}{\log a}-\dfrac{\log(\log a)}{\log a}\right\}}{2\left\{1-\left(1-\dfrac{1}{a}\right)\cdot\dfrac{1}{\log a}\right\}}$$

（$\dfrac{1}{a}\to0$，$\dfrac{1}{\log a}\to0$，$\dfrac{\log(a-1)}{\log a}\to1$，$\dfrac{\log(\log a)}{\log a}\to0$）

$$=\frac{1-(1-0)\cdot0+(1-0)\cdot(1-0)}{2\{1-(1-0)\cdot0\}}=\frac{2}{2}=1\quad\cdots\cdots\cdots\cdots\cdots(答)$$

注意

$$\lim_{a\to\infty}\frac{\log(a-1)}{\log a}=\lim_{a\to\infty}\frac{\log a\left(1-\dfrac{1}{a}\right)}{\log a}=\lim_{a\to\infty}\frac{\log a+\log\left(1-\dfrac{1}{a}\right)}{\log a}$$

$$=\lim_{a\to\infty}\left\{1+\frac{\log\left(1-\dfrac{1}{a}\right)}{\log a}\right\}=1\ \text{だし,}$$

$$\lim_{a\to\infty}\frac{\log(\log a)}{\log a}=\lim_{x\to\infty}\frac{\log x}{x}=0\ \text{だね。}$$

（$\log a=x$，$\dfrac{\text{弱い}\infty}{\text{中位}\infty}$）

テーマ8 微分法と最大・最小

● 微分法では，ヴィジュアル思考・置換テクニックが鍵だ！

今回は，微分法の1つのメインテーマ"**微分法と最大・最小**"について，詳しく解説するよ。ここでも，立体図形や法線と平面図形など，他分野との融合問題を集めておいた。かなり骨のある問題だけど，繰り返し練習することにより本物の実践力が身に付く良問ばかりを，またスバラシク親切に解説するから，楽しみにしてくれ。

それでは，ここで扱う主なテーマをまず書いておこう。

(1) 正四面体の切り口の三角形と最大値の問題

(2) $f''(x)$を調べることにより，$f(x)$の最大値を求める問題

(3) 正n角すいと最大値の応用問題

(4) 法線・微分係数と最小問題の融合

(1)は，京都大の問題で，正四面体の切り口の三角形の1つの頂角の余弦の最大値を求める問題だ。微分計算を正確に迅速に行うことがポイントだ。

(2)も京都大の問題だ。$f''(x)$まで計算して$f'(x)$のグラフの形状を調べて，$f(x)$の増減表を作って，$f(x)$の最大値を求める問題なんだね。

(3)は，東工大の問題で，立体図形の体積の最大値を求める問題だ。具体的には，正n角すいの体積計算の問題で，最終的には，$n \to \infty$の極限まで求めることになる。図形的なセンスを磨くのにいい練習になると思う。

(4)は，横浜国大の問題で，曲線の法線と微分係数，それに線分の最小問題が組み合わされた，かなり手ゴワイ問題だ。でも，変数の置換など，計算をできるだけ単純化するテクニックも，この問題で身に付けられるはずだ。

さァ，それでは講義を始めるよ。必ずマスターできるから，安心してついてらっしゃい。

空間図形と最大値の問題

演習問題 38	難易度 ★★★	CHECK 1	CHECK 2	CHECK 3

1 辺の長さが **1** の正四面体 **ABCD** において，**P** を辺 **AB** の中点とし，点 **Q** が辺 **AC** 上を動くとする。このとき，**cos∠PDQ** の最大値を求めよ。

（京都大）

ヒント！ 正四面体の問題であるけれど，$AQ = t\ (0 \leqq t \leqq 1)$ とおいて，$\triangle PQD$ の **3** 辺の長さを求め，$\angle PDQ = \theta$ とおいて，$\cos\theta$ を t の関数で表して，この最大値を求めればいいんだね。空間図形の問題だけれど，各三角形に分けて，余弦定理を多用することになる。難度は高くないけれど，計算力を試すのに最適な問題なので，正確に迅速に結果を出せるよう，頑張ろう！

解答＆解説

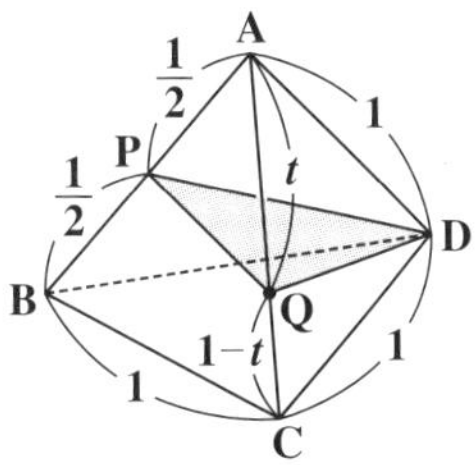

右図に示すように，**1** 辺の長さが **1** の正四面体 **ABCD** において，$AP = \dfrac{1}{2}$，$AQ = t\ \ (0 \leqq t \leqq 1)$ とおいて，まず $\triangle PQD$ の **3** 辺 **PQ**，**QD**，**DP** の長さを求める。

(i) $\triangle APQ$ に余弦定理を用いると，

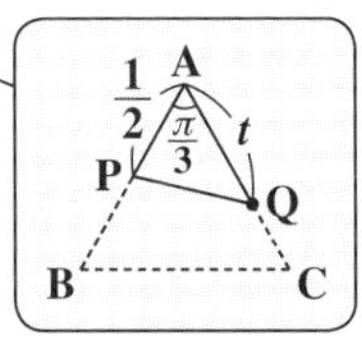

$$PQ^2 = AP^2 + AQ^2 - 2AP\cdot AQ\cdot\cos\frac{\pi}{3}$$
$$= \frac{1}{4} + t^2 - 2\cdot\frac{1}{2}\cdot t\cdot\frac{1}{2}$$
$$= t^2 - \frac{1}{2}t + \frac{1}{4} \text{ より，}$$

$$PQ = \sqrt{t^2 - \frac{1}{2}t + \frac{1}{4}} \quad \cdots\cdots①$$

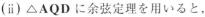

(ii) $\triangle AQD$ に余弦定理を用いると，

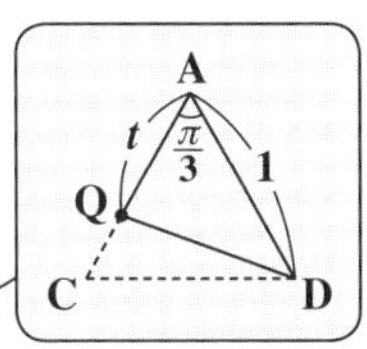

$$QD^2 = AQ^2 + AD^2 - 2AQ\cdot AD\cdot\cos\frac{\pi}{3}$$
$$= t^2 + 1 - 2\cdot t\cdot 1\cdot\frac{1}{2}$$
$$= t^2 - t + 1 \text{ より，}$$

$$QD = \sqrt{t^2 - t + 1} \quad \cdots\cdots\cdots\cdots②$$

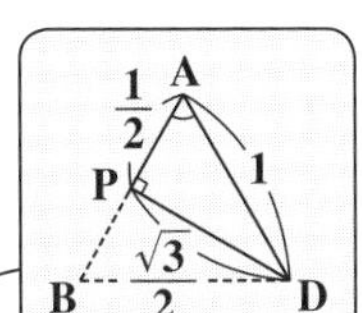

(iii) **DP** は，正三角形 **DAB** の中線より，$DP = \dfrac{\sqrt{3}}{2}$ $\cdots\cdots③$

①, ②, ③により，**3** 辺の長さが右図のように求まったので，$\angle \mathrm{PDQ} = \theta$ とおいて，$\cos\theta$ の最大値を求める。$\triangle \mathrm{DPQ}$ に余弦定理を用いて，

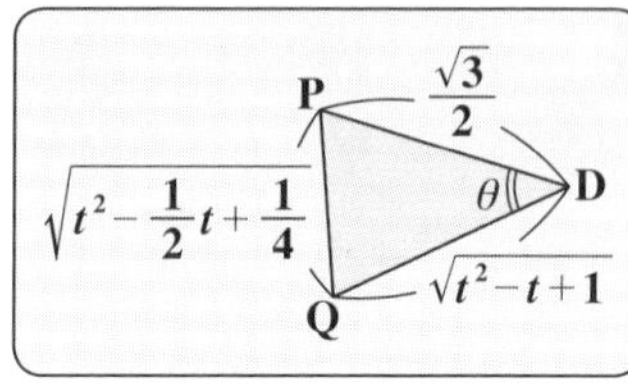

$$\cos\theta = \frac{\mathrm{DP}^2+\mathrm{DQ}^2-\mathrm{PQ}^2}{2\mathrm{DP}\cdot\mathrm{DQ}}$$

$$= \frac{\frac{3}{4}+t^2-t+1-\left(t^2-\frac{1}{2}t+\frac{1}{4}\right)}{2\cdot\frac{\sqrt{3}}{2}\cdot\sqrt{t^2-t+1}} = \frac{-\frac{1}{2}t+\frac{3}{2}}{\sqrt{3}\cdot\sqrt{t^2-t+1}}$$

$$= \frac{1}{2\sqrt{3}}\cdot\frac{3-t}{\sqrt{t^2-t+1}} \quad \cdots\cdots ④ \ (0 \leqq t \leqq 1) \text{ となる。}$$

（$\frac{1}{2\sqrt{3}}$：⊕の定数）（$\frac{3-t}{\sqrt{t^2-t+1}}$：$g(t)$ とおく）

ここで，$g(t) = \dfrac{3-t}{\sqrt{t^2-t+1}}$ ……⑤ $(0 \leqq t \leqq 1)$ とおいて，この最大値を求める。

$g(t)$ を t で微分して，

分数関数の微分公式
$\left(\dfrac{g}{f}\right)' = \dfrac{g'\cdot f - g\cdot f'}{f^2}$

$$g'(t) = \frac{-1\cdot\sqrt{t^2-t+1}-(3-t)\cdot\frac{1}{2}(t^2-t+1)^{-\frac{1}{2}}\cdot(2t-1)}{t^2-t+1}$$

$-2t^2+2t-2-(-2t^2+7t-3) = -5t+1$

$$= \frac{-2(t^2-t+1)-(3-t)(2t-1)}{2(t^2-t+1)\cdot\sqrt{t^2-t+1}}$$

分子・分母に $2\sqrt{t^2-t+1}$ をかけた

$$= \frac{-5t+1}{2(t^2-t+1)\cdot\sqrt{t^2-t+1}} \quad (0 \leqq t \leqq 1)$$

$\widetilde{g'(t)} = \begin{cases} ⊕ \\ ⓪ \\ ⊖ \end{cases}$ （分母：⊕）

ここで，$t^2-t+1 = \left(t-\dfrac{1}{2}\right)^2+\dfrac{3}{4} > 0$ より，常に

$(g'(t)\text{の分母}) = 2(t^2-t+1)\sqrt{t^2-t+1} > 0$ となって，$g'(t)$ の符号に影響しない。

よって，$g'(t)$ の符号に関係する本質的な部分を $\widetilde{g'(t)}$ とおくと，

$\widetilde{g'(t)} = -5t+1 \ (0 \leqq t \leqq 1)$ となる。

$\widetilde{g'(t)} = -5t + 1 = 0$ のとき，$t = \dfrac{1}{5}$ であり，

その前後で $\widetilde{g'(t)}$ の符号が正から負に変わる。

よって，関数 $g(t)$ の増減表は右下のようになり，⑤より，$g(t)$ は，

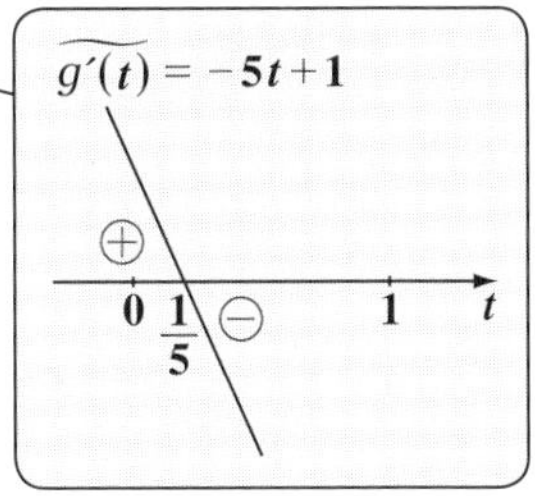

$t = \dfrac{1}{5}$ で最大値 (極大値)：

$$g\left(\frac{1}{5}\right) = \frac{3 - \frac{1}{5}}{\sqrt{\left(\frac{1}{5}\right)^2 - \frac{1}{5} + 1}} = \frac{14}{\sqrt{1 - 5 + 25}}$$

分子・分母に 5 をかけた

$$= \frac{14}{\sqrt{21}} \text{ をとる。}$$

$g(t)$ の増減表 $(0 \leqq t \leqq 1)$

t	0		$\frac{1}{5}$		1
$g'(t)$		$+$	0	$-$	
$g(t)$		↗	極大	↘	

以上より，$\cos\angle PDQ$ の最大値は，④より，

$$\frac{1}{2\sqrt{3}} \cdot g\left(\frac{1}{5}\right) = \frac{1}{2\sqrt{3}} \times \frac{14}{\sqrt{21}}$$

$$= \frac{7}{3\sqrt{7}} = \frac{\sqrt{7}}{3} \text{ である。} \cdots\cdots\cdots\cdots\cdots\cdots\cdots\cdots\text{(答)}$$

今回の問題のポイントは，分数関数の微分計算と，その導関数の中で，常に正である部分を除いて，符号に関係する本質的な部分を取り出して，その正，0，負を調べることだったんだね。難関大の問題としては，比較的解きやすい問題だったと思う。しかし，難関大で出題される解きやすい問題こそ，確実にそして迅速に解いて得点しておく必要があるんだね。繰り返し練習しよう！

$f''(x)$を調べて，$f(x)$の最大値を求める問題

演習問題 39	難易度 ★★★	CHECK1	CHECK2	CHECK3

$-\dfrac{\pi}{2} \leqq x \leqq \dfrac{\pi}{2}$ における $\cos x + \dfrac{\sqrt{3}}{4}x^2$ の最大値を求めよ。ただし，$\pi > 3.1$ および $\sqrt{3} > 1.7$ が成り立つことは証明なしに用いてよい。　（京都大）

ヒント！ $f(x) = \cos x + \dfrac{\sqrt{3}}{4}x^2$ とおくと，$f(-x) = f(x)$ より，まず $y = f(x)$ は偶関数であることが分かるので，$0 \leqq x \leqq \dfrac{\pi}{2}$ の範囲で，$f(x)$ の増減（グラフの概形）を調べればいいんだね。しかし，今回の問題では，$f''(x)$ まで調べる必要があるんだね。頑張ろう！

解答＆解説

$f(x) = \cos x + \dfrac{\sqrt{3}}{4}x^2 \quad \left(-\dfrac{\pi}{2} \leqq x \leqq \dfrac{\pi}{2}\right)$ とおく。

$f(-x) = \cos(-x) + \dfrac{\sqrt{3}}{4}(-x)^2 = \cos x + \dfrac{\sqrt{3}}{4}x^2 = f(x)$ となるので，

$y = f(x)$ は偶関数である。よって，まず $0 \leqq x \leqq \dfrac{\pi}{2}$ の範囲について調べる。

（y 軸に関して左右対称なグラフになる。）

・$f(x)$ を x で微分して，

$$f'(x) = -\sin x + \frac{\sqrt{3}}{2}x$$

・$f'(x)$ をさらに x で微分して，

$$f''(x) = -\cos x + \frac{\sqrt{3}}{2}$$

（$f'(x) = 0$ のとき，$\sin x = \dfrac{\sqrt{3}}{2}x$ となって，これをみたす $x = \alpha$ の解が分からない。よって，もう1回微分して，$f''(x)$ まで掘り下げる必要があるんだね。）

よって，$f''(x) = 0$ のとき $\cos x = \dfrac{\sqrt{3}}{2} \left(0 \leqq x \leqq \dfrac{\pi}{2}\right)$ より，

これをみたす x の値は，$x = \dfrac{\pi}{6}$

また，$f'(0) = 0$，$f'\left(\dfrac{\pi}{2}\right) = -1 + \dfrac{\sqrt{3}}{2} \cdot \dfrac{\pi}{2} = \dfrac{\sqrt{3} \cdot \pi}{4} - 1 > 0$ （$\because \pi > 3.1$，$\sqrt{3} > 1.7$）

（$\sqrt{3}\cdot\pi$：これは，$1.7 \times 3.1 = 5.27$ より大）

よって，$0 \leqq x \leqq \frac{\pi}{2}$ における $f'(x)$ の増減表は，右のようになる。

$f'(x)$ の増減表 $\left(0 \leqq x \leqq \frac{\pi}{2}\right)$

x	0		$\frac{\pi}{6}$		$\frac{\pi}{2}$
$f''(x)$		$-$	0	$+$	
$f'(x)$	0	↘	極小	↗	$\frac{\sqrt{3}\pi}{4}-1$

これから，$0 \leqq x \leqq \frac{\pi}{2}$ における $y'=f'(x)$ のグラフは右のようになるので，$\frac{\pi}{6}<\alpha<\frac{\pi}{2}$ をみたすある値 α のとき，$f'(\alpha)=0$ となり，$x=\alpha$ の前後で $f'(x)$ の符号は負から正に転ずる。

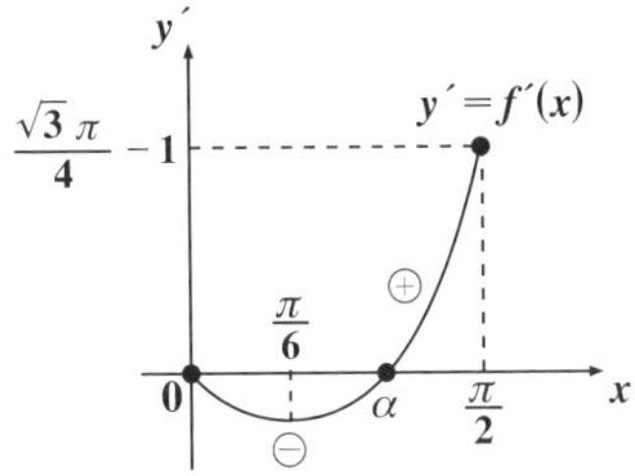

よって，$0 \leqq x \leqq \frac{\pi}{2}$ における $f(x)$ の増減表は右のようになる。

$f(x)$ の増減表 $\left(0 \leqq x \leqq \frac{\pi}{2}\right)$

x	0		α		$\frac{\pi}{2}$
$f'(x)$		$-$	0	$+$	
$f(x)$		↘	極小	↗	

これから，$f(0)$ または $f\left(\frac{\pi}{2}\right)$ のうち，いずれか大きい方が，$y=f(x)$ の最大値になる。

ここで，

$$f(0)=\cos 0+\frac{\sqrt{3}}{4}\cdot 0^2=1$$

$$f\left(\frac{\pi}{2}\right)=\cos\frac{\pi}{2}+\frac{\sqrt{3}}{4}\cdot\left(\frac{\pi}{2}\right)^2$$

これは，$1.7\times 3.1^2=16.337$ より大

$$=\frac{\sqrt{3}\cdot\pi^2}{16}>\frac{16.337}{16}>1$$

$$(\because\ \pi>3.1,\ \sqrt{3}>1.7)$$

以上より，$-\frac{\pi}{2} \leqq x \leqq \frac{\pi}{2}$ における

$f(x)=\cos x+\frac{\sqrt{3}}{4}x^2$ は，

$x=\pm\frac{\pi}{2}$ で，最大値 $\frac{\sqrt{3}\pi^2}{16}$ をとる。

……(答)

$y=f(x)$ のグラフのイメージ

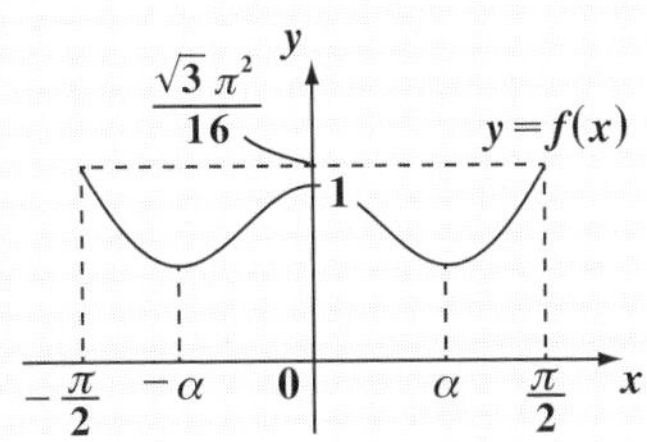

立体図形と最大問題の応用

演習問題 40	難易度 ★★★★	CHECK 1	CHECK 2	CHECK 3

斜辺の長さが $\mathbf{1}$ である正 n 角錐を考える。つまり，底面を正 n 角形 $A_1A_2\cdots A_n$，頂点を O と表せば，$OA_1=OA_2=\cdots=OA_n=1$ である。そのような正 n 角錐のなかで最大の体積をもつものを C_n とする。

(1) C_n の体積 V_n を求めよ。

(2) $\displaystyle\lim_{n\to\infty} V_n$ を求めよ。 （東京工業大）

ヒント！ この正 n 角錐の体積を V とおくと，$V=\frac{1}{3}\cdot S\cdot h$ で，S は正 n 角形の底面積，h は高さだ。後は，図形的に考えると，V は最終的には，h の3次関数になるよ。後は，微分して，V の最大値 V_n を求め，さらに，$n\to\infty$ の極限を求めるんだ。頑張ろう！

解答&解説

(1) 題意の正 n 角錐を図1に示す。

この正 n 角錐の底面積を S，高さを h で表すと，その体積 V は，

$$V=\frac{1}{3}\cdot S\cdot h \quad \cdots\cdots①$$

ここで，底面の正 n 角形の中心を C とおくと，$OC=h$

図1 正 n 角錐
（図は $n=6$ のとき）

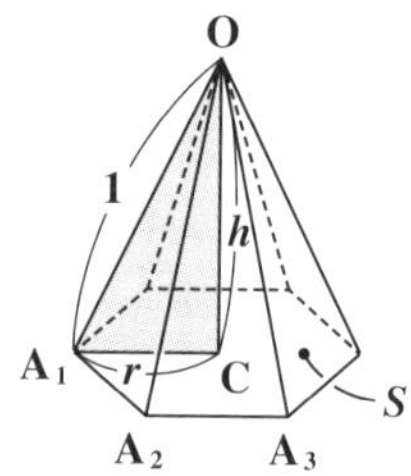

また，$CA_1=CA_2=\cdots\cdots=CA_n=r$ とおくと，直角三角形 OCA_1 に三平方の定理を用いて，

$$h^2+r^2=1^2 \qquad \therefore r^2=1-h^2 \quad \cdots\cdots②$$

最終的には V を h の関数で表すつもりなんだ。

ここで，$r>0$ より，$0<h<1$

図2より，この底面積 S は，$\triangle CA_1A_2$ の面積を n 倍したものであり，

$CA_1=CA_2=r$，$\angle A_1CA_2=\frac{2\pi}{n}$ から

図2 底面の正 n 角形
（図は $n=6$ のとき）

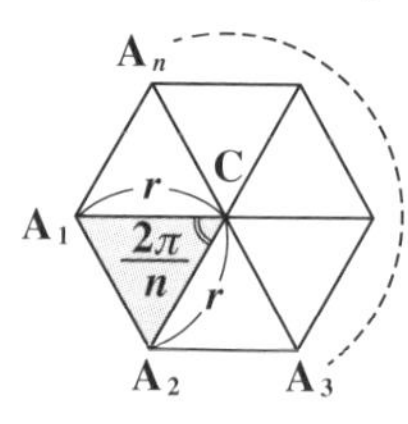

$$S = n\cdot\frac{1}{2}\cdot r^2\cdot\sin\frac{2\pi}{n}\quad\cdots\cdots③$$

（$r^2 = 1-h^2$（②より））

②を③に代入し，さらに③を①に代入すると，

$$V = \frac{1}{3}\cdot n\cdot\frac{1}{2}\cdot(1-h^2)\cdot\sin\frac{2\pi}{n}\cdot h$$

$$= \frac{n}{6}\cdot\sin\frac{2\pi}{n}\cdot(h-h^3)\quad(0<h<1)$$

（$\frac{n}{6}\cdot\sin\frac{2\pi}{n}$：これは今，定数扱い！（正の数））
（$h-h^3$：h の3次関数）

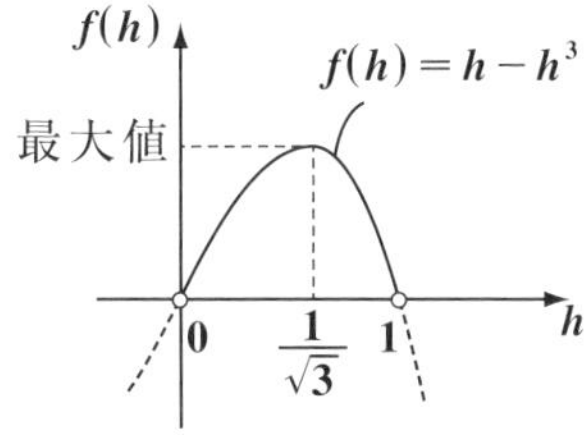

ここで，$f(h)=h-h^3\quad(0<h<1)$ とおくと，

$f'(h)=1-3h^2$，$f'(h)=0$ のとき，

$h^2=\frac{1}{3}\qquad\therefore\ h=\frac{1}{\sqrt{3}}$

増減表 $(0<h<1)$

h	(0)		$\frac{1}{\sqrt{3}}$		(1)
$f'(h)$		$+$	0	$-$	
$f(h)$	(0)	↗	極大	↘	(0)

増減表より，$h=\frac{1}{\sqrt{3}}$ のとき，$f(h)$

すなわち V は最大値 V_n をとる。

$$\therefore\ V_n = \frac{n}{6}\cdot\sin\frac{2\pi}{n}\cdot\left(\frac{1}{\sqrt{3}}-\frac{1}{3\sqrt{3}}\right)=\frac{\sqrt{3}}{27}n\cdot\sin\frac{2\pi}{n}\quad\cdots\cdots\cdots\cdots\cdots\cdots\text{(答)}$$

(2) 以上より，求める極限は，

$$\lim_{n\to\infty}V_n=\lim_{n\to\infty}\frac{\sqrt{3}}{27}n\cdot\sin\frac{2\pi}{n}$$

これには，極限の公式：
$\lim_{x\to 0}\frac{\sin x}{x}=1$ が使える。
$\frac{2\pi}{n}=x$ とおくと見えてくるね。

$$=\lim_{\substack{n\to\infty\\(x\to 0)}}\frac{\sqrt{3}}{27}\times\frac{\sin\frac{2\pi}{n}}{\frac{2\pi}{n}}\times 2\pi$$

（$\frac{2\pi}{n}=x$，$\frac{\sin x}{x}\to 1$）

$$=\frac{2\sqrt{3}}{27}\pi\quad\cdots\cdots\cdots\cdots\cdots\cdots\cdots\cdots\cdots\cdots\text{(答)}$$

法線，微分係数と最小問題

演習問題 41	難易度 ★★★★	CHECK 1	CHECK 2	CHECK 3

曲線 $\mathbf{C}$: $y = \log x$（log は自然対数）上の異なる 2 点 $\mathbf{A}(a,\ \log a)$，$\mathbf{B}(b,\ \log b)$ における $\mathbf{C}$ の法線の交点を $\mathbf{P}$ とする。次の問いに答えよ。

(1) b が限りなく a に近づくとき，$\mathbf{P}$ はある点 $\mathbf{Q}$ に限りなく近づく。

$\mathbf{Q}$ の座標を a で表せ。

(2) (1) で求めた $\mathbf{Q}$ に対して線分 $\mathbf{AQ}$ の長さ l を a で表せ。

(3) (2) で求めた l を最小にする a の値を求めよ。　　　　（横浜国立大）

Baba のレクチャー

$y = f(x) = \log x \quad (x > 0)$

上の 2 点 $\mathbf{A}(a,\ \log a)$，$\mathbf{B}(b,\ \log b)$ における法線の交点を $\mathbf{P}$ とおく。

ここで，$b \to a$，すなわち，点 $\mathbf{B}$ を点 $\mathbf{A}$ に限りなく近づけていくときの $\mathbf{P}$ の極限の点が $\mathbf{Q}$ なんだね。

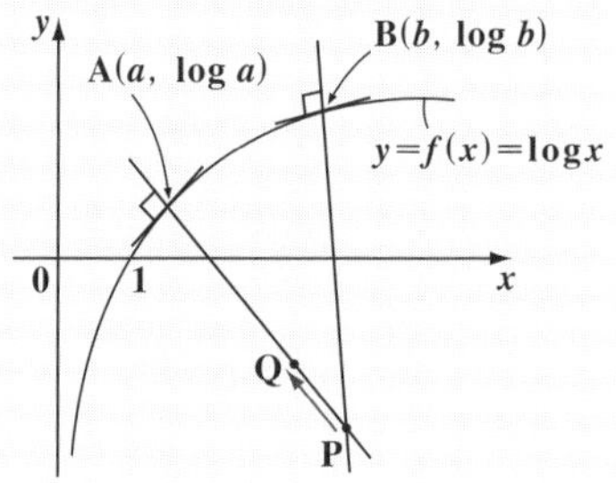

以上より，まず，2 点 $\mathbf{A}$，$\mathbf{B}$ における 2 本の法線の交点 $\mathbf{P}$ の x 座標を求め，

（x：（a と b の式）になるはずだ。）

次に極限 $\displaystyle\lim_{b \to a} x$（点 $\mathbf{Q}$ の x 座標）を求めると，これが点 $\mathbf{Q}$ の x 座標になる。ここで，動くのは点 $\mathbf{B}$ における法線の方で，点 $\mathbf{A}$ における法線は動かない。よって，この点 $\mathbf{Q}$ の x 座標を点 $\mathbf{A}$ における法線の式に代入すれば，点 $\mathbf{Q}$ の y 座標も求まるんだね。

解答＆解説

(1) $y=f(x)=\log x$ とおくと，$f'(x)=\dfrac{1}{x}$

(ⅰ) 曲線 $y=f(x)$ 上の点 $A(a,\ f(a))$ における法線の方程式は，

$$y=-a(x-a)+\log a$$

$$\left[y=-\frac{1}{f'(a)}(x-a)+f(a)\right]$$

$$y=-ax+a^2+\log a \quad \cdots\cdots ① \quad (a>0)$$

(ⅱ) 曲線 $y=f(x)$ 上の点 $B(b,\ f(b))$ における法線の方程式も同様に，

$$y=-bx+b^2+\log b \quad \cdots\cdots ② \quad (b>0)$$

①，②より y を消去して，交点 P の x 座標を求めると，

$$-ax+a^2+\log a=-bx+b^2+\log b \quad (a \neq b)$$

$$(b-a)x=\underline{b^2-a^2}+\log b-\log a$$

(b^2-a^2 → $(b+a)(b-a)$)

$b-a \neq 0$ より，両辺を $b-a$ で割って，点 P の x 座標を求めると，

$$x=b+a+\frac{\log b-\log a}{b-a}$$

ここで，$b \to a$ として，点 Q の x 座標を求める。

$$\lim_{b \to a} x=\lim_{b \to a}\left(b+a+\frac{\log b-\log a}{b-a}\right)$$

（$b \to a$）　$\dfrac{0}{0}$ の不定形

$$=\lim_{b \to a}\left\{b+a+\frac{f(b)-f(a)}{b-a}\right\}$$

（$b \to a$，$\dfrac{f(b)-f(a)}{b-a} \to f'(a)=\dfrac{1}{a}$）

$f(x)=\log x$ より，これは $\displaystyle\lim_{b \to a}\frac{f(b)-f(a)}{b-a}=f'(a)$ となって，微分係数 $f'(a)$ の定義式そのものだ。

$$=a+a+f'(a)=2a+\frac{1}{a}$$ ← 点 Q の x 座標

これを①に代入して，← 点 A の法線は動かないからね。

$$y=-a\cdot\left(2a+\frac{1}{a}\right)+a^2+\log a=-a^2+\log a-1$$

よって，求める極限点 $\mathbf{Q}$ の座標は，

$$\mathbf{Q}\left(2a+\frac{1}{a},\ -a^2+\log a-1\right)$$ ……………………………………(答)

(2) $\mathrm{A}(a,\ \log a)$，$\mathrm{Q}\left(2a+\dfrac{1}{a},\ -a^2+\log a-1\right)$ より，

線分 AQ の長さを l とおくと，

$$l^2=\left\{a-\left(2a+\frac{1}{a}\right)\right\}^2+\{\log a-(-a^2+\log a-1)\}^2$$

$$=\left(a+\frac{1}{a}\right)^2+(a^2+1)^2=\frac{1}{a^2}(a^2+1)^2+(a^2+1)^2$$

$$=(a^2+1)^2\left(\frac{1}{a^2}+1\right)=\frac{(a^2+1)^3}{a^2}$$

$$\therefore\ l=\sqrt{\frac{(a^2+1)^3}{a^2}}=\frac{(a^2+1)\sqrt{a^2+1}}{a}\quad(a>0)$$ ……………………………(答)

Babaのレクチャー

l の最小値を求めるために，(2) の結果から，

$l=g(a)=\dfrac{(a^2+1)\sqrt{a^2+1}}{a}$ $(a>0)$ とおいて，さァ，a で微分しよう！なんて意気込んでいる人，チョット待ってくれ！

$l=\sqrt{\dfrac{(a^2+1)^3}{a^2}}$ の式の $\sqrt{\ }$ 内の $\dfrac{(a^2+1)^3}{a^2}$ の最小値を求める方が，ずっ

（l^2 のこと ← これを最小にする！）

と易しいだろう。しかも，この式の a^2 を $a^2=t$ と置きかえて，

$g(t)=\dfrac{(t+1)^3}{t}$ $(t>0)$ とおくともっと易しくなるだろう。

このように，同じ計算をするならば，できるだけ楽になるように考えるのも，数学の大事なテクニックなんだよ。分かった？

(3) $l^2 = \dfrac{(a^2+1)^3}{a^2}$　$(a>0)$

ここで，$a^2 = t$　$(t>0)$ とおき，

$l^2 = g(t)$ とおくと，

$l^2 = g(t) = \dfrac{(t+1)^3}{t}$　$(t>0)$

$g'(t) = \dfrac{3(t+1)^2 \cdot t - (t+1)^3 \cdot 1}{t^2}$

$= \dfrac{(t+1)^2(2t-1)}{t^2}$　　$\widetilde{g'(t)} = \begin{cases} \oplus \\ 0 \\ \ominus \end{cases}$

t^2：⊕

$g'(t)$ の符号はこれで決まる！

$g'(t) = 0$ のとき，$2t-1=0$

$t = \dfrac{1}{2}$

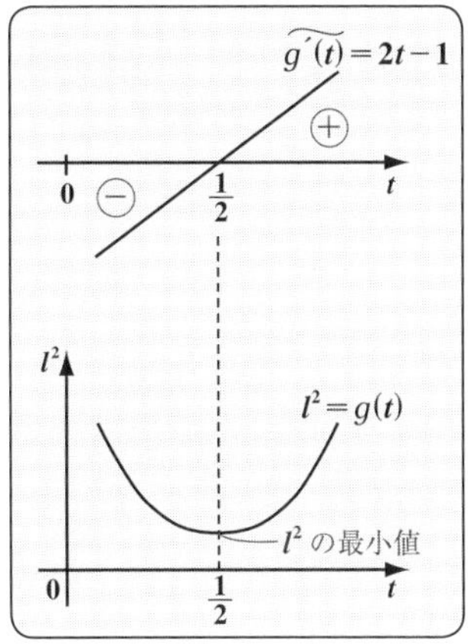

増減表 $(0<t)$

t	(0)		$\frac{1}{2}$	
$g'(t)$	／	$-$	0	$+$
$g(t)$	／	↘	極小	↗

以上より，l^2，すなわち l を最小にする t の値は，$t = a^2 = \dfrac{1}{2}$ である。

"なぜなら" 記号

$\therefore$ l を最小にする a の値は，$a = \dfrac{1}{\sqrt{2}}$　$(\because a>0)$ ……………………(答)

テーマ9 微分法の方程式・不等式への応用

● 様々な応用問題を解いてみよう！

さァ，これから“**微分法の応用**”について，詳しく教えるよ。微分法の方程式・不等式への応用は，受験での最重要テーマの**1**つなんだね。何故なら，思考力や応用力を試すのに最適なテーマであり，他分野との融合など，出題パターンを様々に変化させることができるからなんだね。ここでも，場合分けの必要なもの，直線群の通過領域の問題など，かなり骨のあるテーマまで扱うから，シッカリ勉強してくれ！

それでは，今回の主だったテーマを書いておこう。

(1) 微分法の不等式への応用の標準問題
(2) 文字定数分離型の不等式の問題
(3) 不等式の成立条件と微分法の応用
(4) 文字定数分離型の方程式の問題
(5) 直線群の通過領域の問題

(1) は，不等式 $2^{\frac{1}{2}} < e^{\frac{1}{e}}$ の証明問題で，関数 $f(x) = x^{\frac{1}{x}}$ $(x > 0)$ のグラフの概形を調べればよい問題だ。

(2) は，東大の問題で，これは微分法を使わずに，シュワルツの不等式 $\left(|\vec{a}||\vec{b}| \geqq \vec{a} \cdot \vec{b}\right)$ を利用しても解ける，興味深い問題だ。

(3) の東京学芸大の問題は，結構手ゴワイよ。でも，こういう場合分けの問題が確実にこなせるようになると，偏差値を大きく伸ばせるんだよ。頑張ろう！

(4) は，文字定数を分離して，グラフから共有点の個数を調べる典型的な問題だ。東京大の問題だけれど，それ程難しくはないと思うよ。

(5) は慶応大の問題だ。直線群の通過領域の問題は，微分法を方程式に応用する格好の問題となるんだ。グラフを使って考えるといい。この問題は，演習問題 **15** **(P46)** の類似問題でもあるんだね。

対数微分法を用いる不等式の証明

演習問題 42	難易度 ★★★	CHECK1	CHECK2	CHECK3

$\sqrt{2} < e^{\frac{1}{e}}$ ……(＊) を示せ。　　　　(信州大)

ヒント！ 問題が極めてシンプル過ぎて，逆に困っているかもしれないね。(＊)を $2^{\frac{1}{2}} < e^{\frac{1}{e}}$ と書き換えると，関数 $f(x) = x^{\frac{1}{x}}$ $(x>0)$ を調べればよいことが分かるはずだ。対数微分法も利用しよう。

解答＆解説

不等式：$2^{\frac{1}{2}} < e^{\frac{1}{e}}$ ……(＊) が成り立つことを示すために，まず，

関数 $y = f(x) = x^{\frac{1}{x}}$ ……① $(x>0)$ について考える。

①の両辺は正より，この両辺の自然対数をとって，

$\log y = \log x^{\frac{1}{x}} = \frac{1}{x} \cdot \log x$　$\therefore \log y = \frac{\log x}{x}$ ……②

となる。②の両辺を x で微分して，

> 対数微分法
> $y = x^{\frac{1}{x}}$ を x で直接微分することは難しいので，この両辺 (>0) の自然対数をとって，x で微分する。

$\frac{d(\log y)}{dx} = \frac{(\log x)' \cdot x - \log x \cdot x'}{x^2}$ より，$\frac{1}{y} \cdot y' = \frac{1-\log x}{x^2}$

$\left(\frac{d(\log y)}{dy} \cdot \frac{dy}{dx} = \frac{1}{y} \cdot \frac{dy}{dx} = \frac{1}{y} \cdot y'\right)$

$\therefore y' = f'(x) = y \cdot \frac{1-\log x}{x^2} = x^{\frac{1}{x}} \cdot \frac{1-\log x}{x^2} = x^{\frac{1}{x}-2} \cdot (1-\log x)$ となる。

（$x^{\frac{1}{x}-2}$ は常に⊕ $(\because x>0)$）

> $f'(x)$ の符号に関する本質的な部分
> $\widetilde{f'(x)} = \begin{cases} ⊕ \\ ⓪ \\ ⊖ \end{cases}$
> $\widetilde{f'(x)} = 1 - \log x$

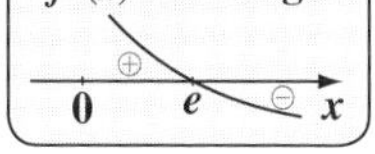

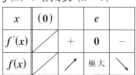

$f'(x) = 0$ のとき，$1 - \log x = 0$　$\log x = 1$ より，$x = e$ であり，$f'(x)$ は，この前後で正から負に転ずる。よって，$f(x)$ の増減表は右のようになり，$x = e$ で $f(x)$ は極大値，すなわち，最大値 $f(e) = e^{\frac{1}{e}}$ をとる。

$f(x)$ の増減表 $(x>0)$

x	(0)		e	
$f'(x)$	／	$+$	0	$-$
$f(x)$	／	↗	極大	↘

よって，$2 < e$ より，右のグラフから，

$\sqrt{2} < e^{\frac{1}{e}}$ ……(＊) は成り立つ。……………………(終)

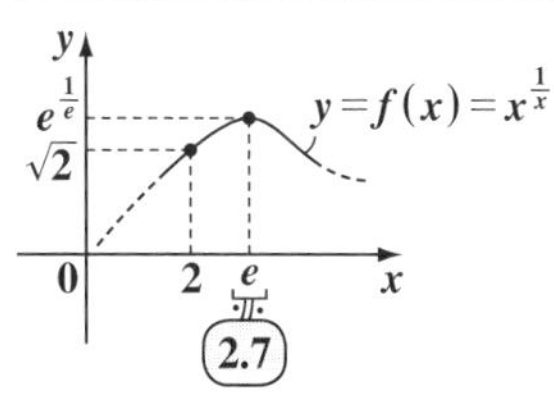

微分法の不等式への応用・シュワルツの不等式

演習問題 43	難易度 ★★★	CHECK 1	CHECK 2	CHECK 3

すべての正の実数 x, y に対し,

$\sqrt{x}+\sqrt{y} \leqq k\sqrt{2x+y}$

が成り立つような実数 k の最小値を求めよ。　　　　　　　　　　(東京大)

Baba のレクチャー

文字定数 k の入った不等式の問題だね。まず，定数 k を分離して，

$$\frac{\sqrt{x}+\sqrt{y}}{\sqrt{2x+y}} \leqq \boxed{k}^{\text{分離}} \quad (\because \sqrt{2x+y}>0)$$

ここで，左辺は x と y の 2 変数関数なので，わかりづらいね。

だから，分母・分子を $\sqrt{y}$ で割って，

$$\frac{\sqrt{\boxed{\frac{x}{y}}^{\,t}}+1}{\sqrt{2\boxed{\frac{x}{y}}_{\,t}+1}} \leqq k \cdots\cdots ㋐ \qquad \text{ここでさらに，} \frac{x}{y}=t \text{ とおくと，}$$

$x>0$, $y>0$ より，$t>0$ だね。

この左辺を $y=f(t)=\dfrac{\sqrt{t}+1}{\sqrt{2t+1}}$ 　$(t>0)$

また，右辺を $y=k$ とおいて分解すると，

㋐の不等式が成り立つためには，右の図のように，k は $y=f(t)$ の最大値以上でないといけないね。

つまり，$y=f(t)$ の最大値が k の最小値だ。

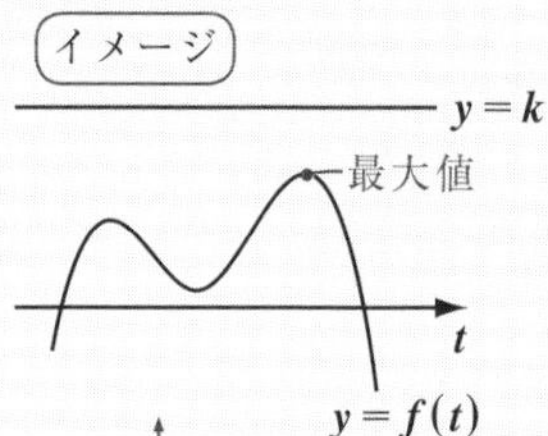

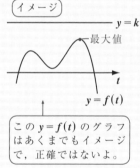

このは $y=f(t)$ のグラフはあくまでもイメージで，正確ではないよ。

解答＆解説

与式を変形して，$\dfrac{\sqrt{x}+\sqrt{y}}{\sqrt{2x+y}} \leqq k$ 　$(\because \sqrt{2x+y}>0)$

左辺の分母・分子を $\sqrt{y}\ (>0)$ で割って，$\dfrac{x}{y}=t$ とおくと，

$$\frac{\sqrt{t}+1}{\sqrt{2t+1}} \leqq k \quad (t>0) \cdots\cdots ①$$

ここで，$u=f(t)=\dfrac{\sqrt{t}+1}{\sqrt{2t+1}}=\dfrac{t^{\frac{1}{2}}+1}{(2t+1)^{\frac{1}{2}}}$ 　$(t>0)$ とおく。

$$f'(t)=\frac{\frac{1}{2}\cdot t^{-\frac{1}{2}}(2t+1)^{\frac{1}{2}}-(t^{\frac{1}{2}}+1)\frac{1}{\cancel{2}}(2t+1)^{-\frac{1}{2}}\cdot\cancel{2}}{2t+1}$$

$$=\frac{2t+1-2\sqrt{t}(\sqrt{t}+1)}{2\sqrt{t}\sqrt{2t+1}(2t+1)}=\frac{\boxed{1-2\sqrt{t}}}{\boxed{2\sqrt{t}\sqrt{2t+1}(2t+1)}}$$

$\widetilde{f'(t)}=\begin{cases}\oplus\\ 0\\ \ominus\end{cases}$ ← $f'(t)$ の符号に関する本質的な部分

（分母）常に⊖

$f'(t)=0$ のとき，

$1-2\sqrt{t}=0$

$t=\frac{1}{4}$

$\therefore\ t=\frac{1}{4}$ のとき，

増減表

t		$\frac{1}{4}$	
$f'(t)$	$+$	0	$-$
$f(t)$	↗		↘

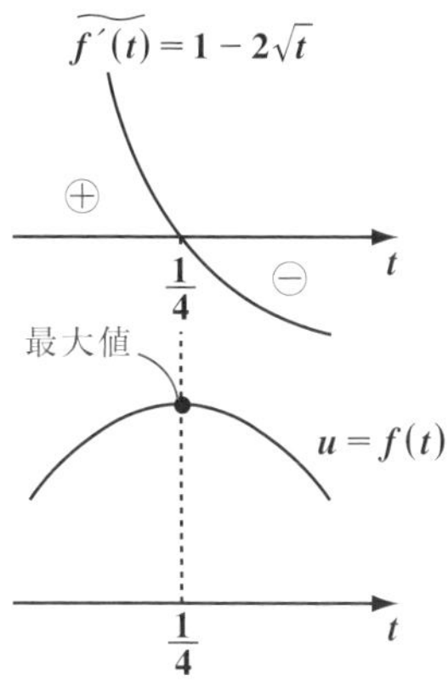

最大値 $f\left(\frac{1}{4}\right)=\frac{\sqrt{\frac{1}{4}+1}}{\sqrt{2\cdot\frac{1}{4}+1}}=\frac{\frac{3}{2}}{\sqrt{\frac{3}{2}}}=\frac{\sqrt{6}}{2}$

$\therefore$ ①をみたす k の最小値は $\frac{\sqrt{6}}{2}$ …………(答)

別解

これをベクトルの内積を使って解いてみよう。

一般に，$\vec{a}\cdot\vec{b}\leqq|\vec{a}||\vec{b}|$ だね。($\because\ \vec{a}\cdot\vec{b}=|\vec{a}||\vec{b}|\boxed{\cos\theta}$)（$\cos\theta$：1 以下）

（これを成分表示して，両辺を 2 乗したものがシュワルツの不等式だ。）

$|\vec{a}|=\sqrt{2x+y}$ と考えると，$\vec{a}=(\sqrt{2x},\ \sqrt{y})$ とおける。

また，$\sqrt{x}+\sqrt{y}=\frac{1}{\sqrt{2}}\cdot\sqrt{2x}+1\cdot\sqrt{y}=\vec{a}\cdot\vec{b}$ と考えると，

$\vec{b}=\left(\frac{1}{\sqrt{2}},\ 1\right)$ だね。

$\vec{a}\cdot\vec{b}\leqq|\vec{a}||\vec{b}|$ より，$\sqrt{x}+\sqrt{y}\leqq\sqrt{2x+y}\cdot\sqrt{\frac{1}{2}+1}$ ← 両辺を $\sqrt{2x+y}\ (>0)$ で割る！

$\therefore\ \frac{\sqrt{x}+\sqrt{y}}{\sqrt{2x+y}}\leqq\boxed{\frac{\sqrt{6}}{2}}$ ← k はこの値以上であれば①は必ず成り立つから，これが k の最小値だね。

よって，求める k の最小値は $\frac{\sqrt{6}}{2}$ となる。……………………………(答)

不等式の成立条件と微分法の応用

演習問題 44	難易度 ☆☆☆	CHECK1	CHECK2	CHECK3

$0 \leqq x \leqq 1$ をみたすすべての実数 x に対して，不等式 $e^x \geqq ax+b$ が成り立つような点 $(a,\ b)$ の範囲を求め，その領域を ab 座標平面上に図示せよ。

（東京学芸大）

Babaのレクチャー

題意より，$f(x)=e^x-(ax+b)$ とおいて，$0 \leqq x \leqq 1$ の範囲で $f(x) \geqq 0$

これは，不等式の大きい方から小さい方を引いた関数で，差関数と呼ぶよ。

となるような，a と b の条件を求めればいいんだね。そのためには，$0 \leqq x \leqq 1$ における $y=f(x)=e^x-ax-b$ の最小値を求め，その最小値でさえ 0 以上になるような a，b の条件を求めるんだよ。ここで，$f(x)$ を x で微分して，$f'(x)=e^x-a$

$0 \leqq x \leqq 1$ のとき，$1 \leqq e^x \leqq e$ となるので，

a を，(i) $a \leqq 1$，(ii) $1 < a < e$，(iii) $e \leqq a$ の3通りに場合分けして調べる必要がある。何故って？ それぞれの場合で，$y=f(x)$ が最小値をとる条件が次のように変化するからだ。

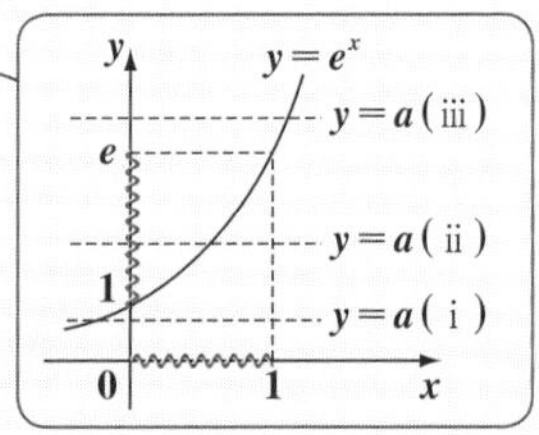

(i) $a \leqq 1$ のとき　　(ii) $1 < a < e$ のとき　　(iii) $e \leqq a$ のとき

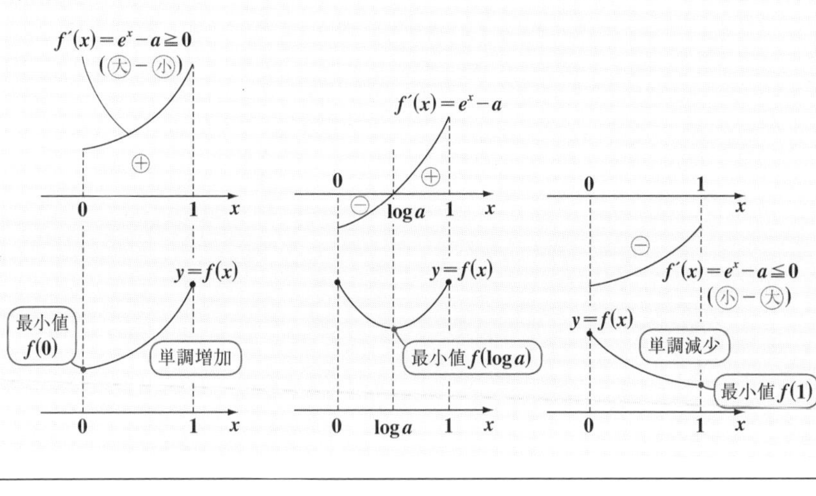

解答＆解説

（これは差関数）

$f(x)=e^x-ax-b\ \ (0\leqq x\leqq 1)$ とおいて，その最小値が 0 以上となる条件を求める。$f(x)$ を x で微分して，$f'(x)=e^x-a$

(i) $a\leqq 1$ の場合，$f'(x)=e^x-a\geqq 0$ より，

$0\leqq x\leqq 1$ で $f(x)$ は単調に増加する。

$\therefore$ 最小値 $f(0)=\boxed{e^0-a\cdot 0-b\geqq 0}$ より，

$b\leqq 1$

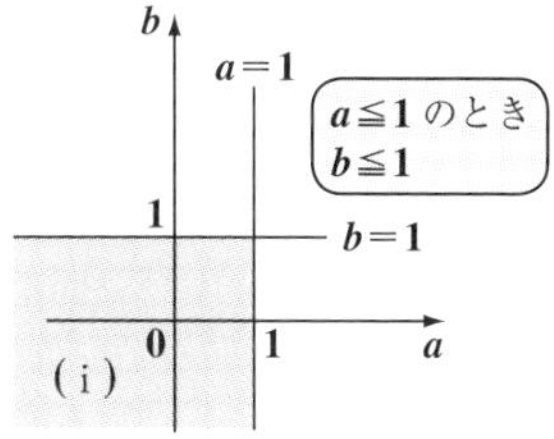

(ii) $1<a<e$ の場合，

$f'(x)=\boxed{e^x-a=0}$ のとき，$e^x=a$，$x=\log a$

$x=\log a$ の前後で，$f'(x)$ の符号は負から正に転ずる。

よって，最小値 $f(\log a)=\boxed{e^{\log a}-a\cdot\log a-b\geqq 0}$

（$e^{\log a}=a$ これも公式）

$\therefore\ b\leqq a-a\log a$

ここで，$b=g(a)=a-a\log a\ \ (1<a<e)$ とおくと，

（なぜなら記号）

$$g'(a)=1-\left(1\cdot\log a+a\cdot\frac{1}{a}\right)=-\log a<0\quad(\because\ \log a>0)$$

$$g''(a)=-\frac{1}{a}<0\quad(\because\ a>1)$$

よって，$1<a<e$ のとき，$g(a)$ は，上に凸な（$g''(a)<0$）単調減少関数（$g'(a)<0$）である。

$g(1)=1,\ g(e)=0$

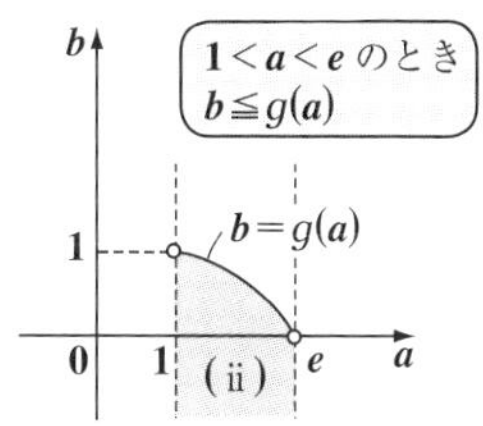

(iii) $e\leqq a$ の場合，$f'(x)=e^x-a\leqq 0$ より，

$0\leqq x\leqq 1$ で $f(x)$ は単調に減少する。

よって，最小値 $f(1)=\boxed{e^1-a\cdot 1-b\geqq 0}$ より，

$b\leqq -a+e$

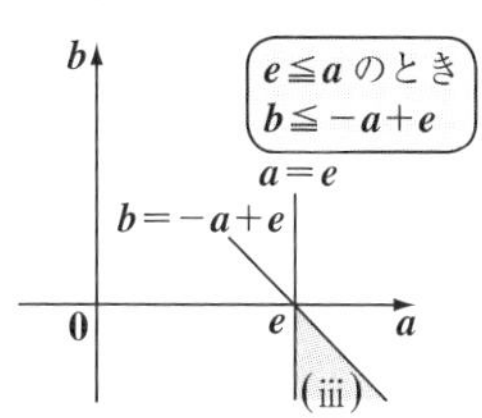

以上より，求める $(a,\ b)$ の条件とその存在領域を右図に網目部で示す。（境界を含む。）

$$\begin{cases}\text{(i)}\ a\leqq 1\ \text{のとき，}\ b\leqq 1\\ \text{(ii)}\ 1<a<e\ \text{のとき，}\ b\leqq a-a\log a\\ \text{(iii)}\ e\leqq a\ \text{のとき，}\ b\leqq -a+e\end{cases}\quad\cdots\cdots(\text{答})$$

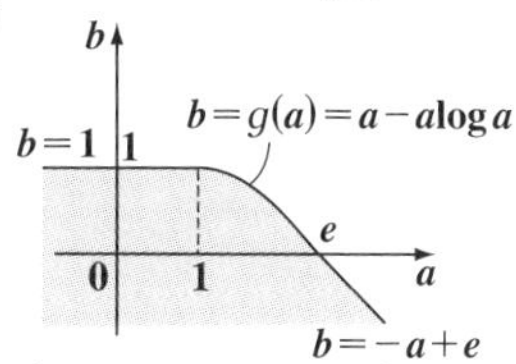

（境界線はすべて含む）

演習問題 45 難易度 ★★★ CHECK1 CHECK2 CHECK3

a を実数とし，$x>0$ で定義された関数 $f(x)$，$g(x)$ を次のように定める。

$$f(x)=\frac{\cos x}{x},\quad g(x)=\sin x+ax$$

このとき $y=f(x)$ のグラフと $y=g(x)$ のグラフが $x>0$ において共有点をちょうど 3 つもつような a をすべて求めよ。 (東京大)

ヒント！ $f(x)=g(x)$ から，定数 a を分離して，$\dfrac{\cos x-x\sin x}{x^2}=a$ とし，$y=a$ と $y=h(x)=\dfrac{\cos x-x\sin x}{x^2}$ のグラフの共有点が 3 個となるような a の値の範囲を調べればいいんだね。

解答＆解説

$f(x)=g(x)$ より，$\dfrac{\cos x}{x}=\sin x+ax$ これを変形して，

$$\frac{\cos x-x\sin x}{x^2}=a\ \cdots\cdots①\quad(x>0)$$ ← 文字定数 a を分離した！

①を分解して，
$$\begin{cases} y=h(x)=\dfrac{\cos x-x\sin x}{x^2}\ \cdots\cdots②\quad(x>0)\\ y=a\ \cdots\cdots③ \end{cases}$$ とおく。

よって，$x>0$ において，$y=f(x)$ と $y=g(x)$ のグラフが，共有点を 3 つもつ条件と，$y=h(x)$ と $y=a$ のグラフが 3 つの共有点をもつ条件とは等しいので，これを調べる。

②を x で微分して，

公式 $\left(\dfrac{g}{f}\right)'=\dfrac{g'f-gf'}{f^2}$

$$h'(x)=\frac{(-\sin x-\sin x-x\cos x)\cdot x^2-(\cos x-x\sin x)\cdot 2x}{x^4}$$

$$=\frac{-(x^2+2)\cos x}{x^3}=\frac{x^2+2}{x^3}\cdot(-\cos x)$$

($\dfrac{x^2+2}{x^3}$ は $\oplus$) $\widetilde{h'(x)}=-\cos x$：$\begin{cases}\oplus\\ 0\\ \ominus\end{cases}$ ($h'(x)$ の符号に関する本質的な部分)

$h'(x)=0$ のとき，$\cos x=0$ より，$x=\dfrac{\pi}{2}+n\pi$ $(n=0,\ 1,\ 2,\ \cdots)$ となる。

よって，$x>0$ における $h(x)$ の増減表を右に示す。
また，$x\to+0$，$x\to+\infty$ のときの $h(x)$ の極限は，

$x>0$ における $h(x)$ の増減表

x	(0)		$\frac{\pi}{2}$		$\frac{3}{2}\pi$		$\frac{5}{2}\pi$		$\frac{7}{2}\pi$	$\cdots$
$h'(x)$		$-$	0	$+$	0	$-$	0	$+$	0	$\cdots$
$h(x)$		↘	極小	↗	極大	↘	極小	↗	極大	$\cdots$

$$\lim_{x\to+0}h(x)=\lim_{x\to+0}\left(\frac{\cos x}{x^2}-\frac{\sin x}{x}\right)=+\infty,\quad \lim_{x\to+\infty}h(x)=\lim_{x\to+\infty}\left(\frac{\cos x}{x^2}-\frac{\sin x}{x}\right)=0$$

$\frac{\cos x}{x^2}$：$\frac{1}{+0}=+\infty$　$\frac{\sin x}{x}$：1

$\frac{\cos x}{x^2}$：0　$\frac{\sin x}{x}$：0　分母は∞になり，分子は有限な値だからね。

また，$h(x)$ の極値(極大値と極小値)は，

$$h\left(\frac{\pi}{2}+n\pi\right)=\frac{1}{\left(\frac{\pi}{2}+n\pi\right)^2}\cdot\left\{\cos\left(\frac{\pi}{2}+n\pi\right)-\left(\frac{\pi}{2}+n\pi\right)\sin\left(\frac{\pi}{2}+n\pi\right)\right\}$$

（$\cos\left(\frac{\pi}{2}+n\pi\right)=0$，$\sin\left(\frac{\pi}{2}+n\pi\right)=(-1)^n$）

$$=\frac{(-1)^{n+1}}{\frac{\pi}{2}+n\pi}=\frac{2(-1)^{n+1}}{(2n+1)\pi}$$ となる。よって，$h(x)$ の極限は，

極小値 $h\left(\frac{\pi}{2}\right)=-\frac{2}{\pi}$，極大値 $h\left(\frac{3}{2}\pi\right)=\frac{2}{3\pi}$，極小値 $h\left(\frac{5}{2}\pi\right)=-\frac{2}{5\pi}$，

（$n=0$ のとき）　（$n=1$ のとき）　（$n=2$ のとき）

極大値 $h\left(\frac{7}{2}\pi\right)=\frac{2}{7\pi}$，$\cdots$

（$n=3$ のとき）

と，正・負の値をとりながら，その絶対値は小さくなっていく。

以上より，$y=h(x)$ …②のグラフは右図のようになる。よって，②と直線 $y=a$ …③とがちょうど3つの共有点をもつときの a の値の範囲は，

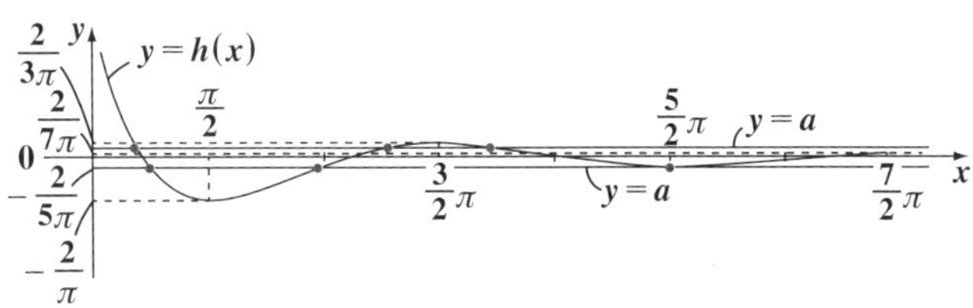

$\frac{2}{7\pi}<a<\frac{2}{3\pi}$，または $a=-\frac{2}{5\pi}$ である。……………………………(答)

直線群の通過領域と微分法の融合

演習問題 46	難易度 ★★★★	CHECK1	CHECK2	CHECK3

t を定数として，xy 平面上の直線 $C_t : y=(x+t)e^t$ を考える。t が $t>0$ の範囲を変化するとき，C_t が通る範囲を求め，それを xy 座標平面上に図示せよ。　(慶応大・医)

Babaのレクチャー

直線 $C_t : y=e^t \cdot x+t\cdot e^t$ は，傾き e^t，y 切片 te^t の直線だね。そして，この t が，$t>0$ の範囲で動けば，さまざまな直線を表すので，C_t は直線群の方程式と見なせるのもいいね。

図ア

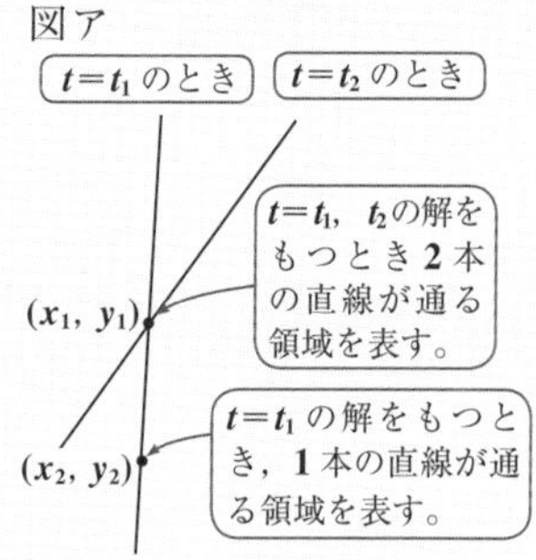

ここで，この直線群 C_t の通過する領域は，C_t を t の方程式

$(t+\boxed{x})\cdot e^t=\boxed{y}$ ……①

(定数扱い)(定数扱い)

とみたとき，図アのように，これが，t_1，t_2 など，少なくとも1つの正の実数解をもつときに対応するんだよ。

(逆に，①の方程式が，t の正の実数解を1つももたないとき，直線群 C_t が通過しない領域に対応する。)

解答&解説

直線 $C_t : y=(x+t)e^t$ $(t>0)$ を書き換えて，t の方程式とみると，

(ここで，まず x と y は定数とみなす。)

$(t+\boxed{x})e^t=\boxed{y}$ ……①

この①の t の方程式が，$t>0$ の範囲に少なくとも1つの実数解をもつとき，直線 C_t が通過する領域に対応する。

①を分解して

(新たに変数 z を導入して，tz 平面上で考える！)

$$\begin{cases} z=f(t)=(t+x)e^t & \cdots\cdots ② \\ z=y \quad [t\text{ 軸に平行な直線}] & \cdots\cdots ③ \end{cases}$$

とおくと，②と③の交点の正の t 座標が，①の方程式の正の実数解である。

②を t で微分して

$$f'(t)=1\cdot e^t+(t+x)e^t=(t+x+1)e^t$$

（$f'(t)=\begin{cases}\oplus\\0\\\ominus\end{cases}$、$e^t$ は $\oplus$）

$f'(t)=0$ のとき，

$t=-x-1$

（x はこれはまだ定数扱い）

(i) $-x-1\leqq 0$，すなわち $x\geqq -1$ のとき，

$$f(0)=(0+x)\cdot e^0=x$$

よって，①が正の実数解 t をもつための条件は，図 1 のグラフより，

$y>x$

(ii) $-x-1>0$，すなわち $x<-1$ のとき，

極小値 $f(-x-1)=-e^{-x-1}$

よって，①が正の実数解 t をもつための条件は，

図 2 のグラフより，

$y\geqq -e^{-x-1}$

(i)(ii) より，直線 C_t の通過する領域は，

$$\begin{cases}\text{(i)}\ x\geqq -1\ \text{のとき，}\ y>x\\ \text{(ii)}\ x<-1\ \text{のとき，}\ y\geqq -e^{-x-1}\end{cases}$$

を合わせたものである。それを，図 3 に網目部で示す。(境界線は，実線を含み，破線と白丸は含まない。) ……………………(答)

[類似問題として，演習問題 **15** (**P46**) と共に練習するといいよ。]

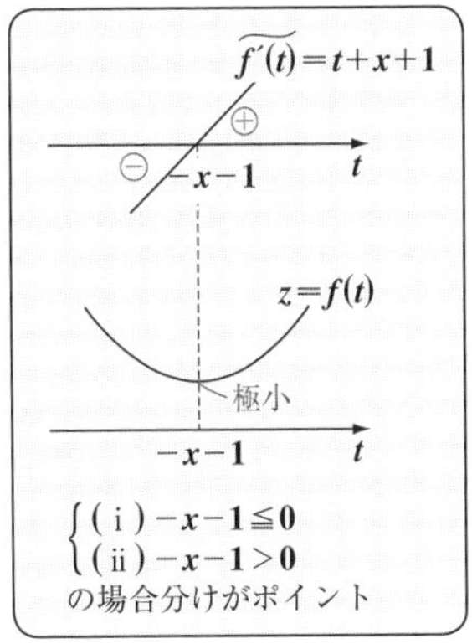

図 1 $x\geqq -1$ のとき

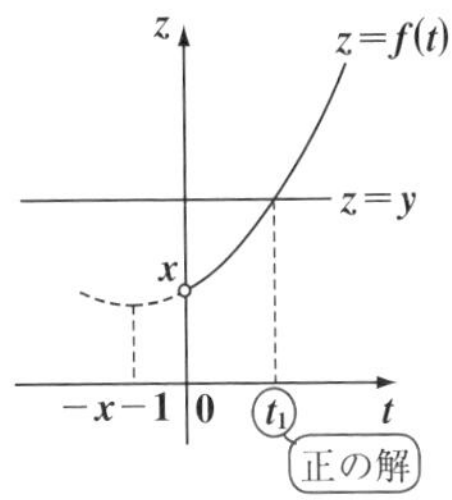

図 2 $x<-1$ のとき

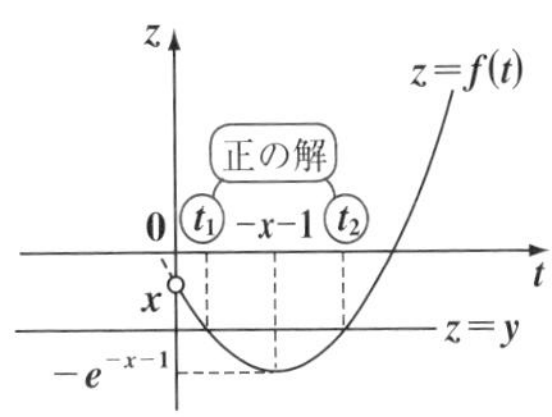

図 3

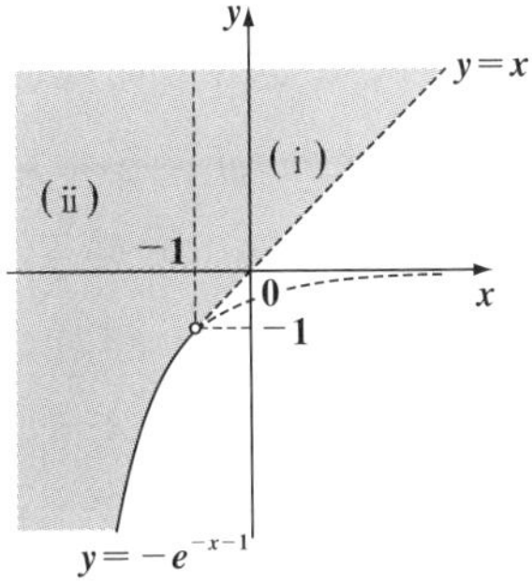

テーマ10 定積分の応用

● 様々な定積分の計算パターンをマスターしよう！

微分が終わったので，いよいよ積分の講義に入ろう。積分計算は，微分以上にヴァリエーションが豊富な分野で，そのため受験でも非常によく出題される。

ここでは，"**定積分の応用**"について解説するけれど，これがまた，定積分と数列の極限や，区分求積法など，さまざまな面から出題されるんだよ。エッ？　自信ないって？　大丈夫！　今回も，難関大がよく出題してくるテーマの良問を，分かりやすくズバリ解説していくからね。

この講義を受ければ，定積分の応用にも，相当の自信が持てるはずだよ。どうせ，君達は強くなるに決まってるんだから，安心して勉強していってくれ。それでは，今回のテーマをまず下に挙げておこう。

(1) 積分計算の標準問題

(2) 定積分と数列の極限の融合問題

(3) 区分求積法の応用問題

(対数をとって，区分求積法に持ち込む問題！)

(4) 定積分による不等式の証明と極限

(5) 定積分と不等式の応用(Ⅰ)

(6) 定積分と不等式の応用(Ⅱ)

(1) は，東京大の問題で，シンプルな積分計算の問題だ。うまく置換積分して解いていくことがポイントだね。

(2) は，北海道大の問題で，定積分と数列の融合問題だ。はさみ打ちの原理や $\sum_{k=1}^{n}(I_{k+1}-I_k)$ の形の無限級数の和なども利用して解く問題だ。総合力を試すのに最適だと思う。頑張って，チャレンジしよう！

(3) も，北海道大の問題で，ガチガチに固まった(？)形の式に対して，自然対数をとることにより，区分求積法：

$$\lim_{n\to\infty}\frac{1}{n}\sum_{k=1}^{n}f\left(\frac{k}{n}\right)=\int_0^1 f(x)\,dx$$

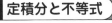

に持ち込む問題だ。これは，一時期いろんな大学でずい分よく出題された問題なんだよ。最近は，それ程出題されていないけれど，だからこそ，また流行する可能性が大きいと言えるので，シッカリ復習しておくといいよ。

(4) の大阪大の問題も，よく出題されるパターンの問題だ。$S_n=\sum_{k=1}^{n}\log k$ とおき，$S_n=\underline{\underline{1}}\times\log 1+\underline{\underline{1}}\times\log 2+\underline{\underline{1}}\times\log 3+\cdots+\underline{\underline{1}}\times\log n$ と意味深の $\underline{\underline{1}}$ を各項にかけることにより，S_n が xy 座標平面上で，長方形群の面積の総和になっていることが見えてくるはずだ。後は，これらの長方形を大きく，または小さくはさむ曲線を使って，面積の大小関係を導けばいいんだね。

(5) と **(6)** は，お茶の水女子大と京都大の問題で，複雑な被積分関数の **1** 部を定数化して，単純な定積分の不等式に持ち込む問題だ。要領を覚えると不等式の意味がよく分かるようになるはずだ。

一般に，定積分と不等式の公式は，次のようにとてもシンプルだ。

定積分と不等式

$a\leqq x\leqq b$ において

$f(x)\geqq g(x)$ ならば

$$\int_a^b f(x)dx>\int_a^b g(x)dx$$

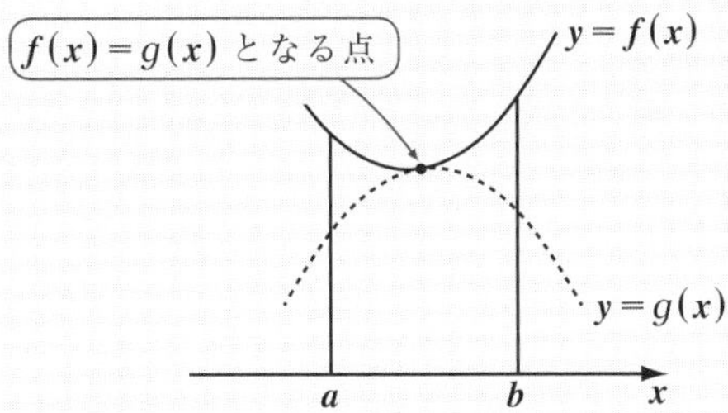

$f(x)=g(x)$ となる点があっても，$f(x)$ と $g(x)$ がまったく同じ関数でない限り，上のように面積は異なるので，積分したら等号は消える。

（人間ならば，動物である！）

でも，一般に $A>B$ ならば，$A\geqq B$ といえるから，

$\int_a^b f(x)dx\geqq\int_a^b g(x)dx$ と等号を入れて書いてももちろんいい。

この公式に，“定数化”の手法を覚えると，難関大が出題してくるハイレベルな定積分と不等式の問題も楽に解けるようになるんだね。楽しみにしてくれ。

定積分の計算

演習問題 47	難易度 ☆☆☆	CHECK 1	CHECK 2	CHECK 3

次の定積分の値を求めよ。$\displaystyle\int_0^1\left(x^2+\frac{x}{\sqrt{1+x^2}}\right)\left(1+\frac{x}{(1+x^2)\sqrt{1+x^2}}\right)dx$

（東京大）

ヒント！ これを，$\displaystyle\int_0^1 x^2dx+\int_0^1\left(\frac{x}{\sqrt{1+x^2}}+\frac{x^3}{(1+x^2)\sqrt{1+x^2}}\right)dx+\int_0^1\frac{x^2}{(1+x^2)^2}dx$ として，積分計算しよう。

解答＆解説

$$\int_0^1\left(x^2+\frac{x}{\sqrt{1+x^2}}\right)\left(1+\frac{x}{(1+x^2)\sqrt{1+x^2}}\right)dx$$

$$=\underbrace{\int_0^1 x^2dx}_{I_1}+\underbrace{\int_0^1\left(\frac{x}{\sqrt{1+x^2}}+\frac{x^3}{(1+x^2)\sqrt{1+x^2}}\right)dx}_{I_2}+\underbrace{\int_0^1\frac{x^2}{(1+x^2)^2}dx}_{I_3}\quad\cdots\cdots①$$

とおく。ここで①の右辺の第 **1**，第 **2**，第 **3** 項の積分を順に I_1，I_2，I_3 とおいて，それぞれ求めると，

・$\displaystyle I_1=\int_0^1 x^2dx=\frac{1}{3}\left[x^3\right]_0^1=\frac{1}{3}$ ……② となる。

・$\displaystyle I_2=\int_0^1\left(\frac{1}{\sqrt{1+x^2}}+\frac{x^2}{(1+x^2)\sqrt{1+x^2}}\right)xdx$ について，

$\sqrt{1+x^2}=t$ とおくと，$1+x^2=t^2$ より，

$x:0\to1$ のとき，$t:1\to\sqrt{2}$ であり，$2xdx=2tdt$ より，$xdx=tdt$ となる。よって，

$$I_2=\int_1^{\sqrt{2}}\underbrace{\left(\frac{1}{t}+\frac{t^2-1}{t^2\times t}\right)tdt}_{1+\frac{t^2-1}{t^2}=2-t^{-2}}=\int_1^{\sqrt{2}}(2-t^{-2})dt=\left[2t+t^{-1}\right]_1^{\sqrt{2}}$$

$$=2\sqrt{2}+\frac{1}{\sqrt{2}}-2-1=\frac{5\sqrt{2}}{2}-3\quad\cdots\cdots③\ となる。$$

公式
$1+\tan^2\theta=\dfrac{1}{\cos^2\theta}$
を利用する。

・$\displaystyle I_3=\int_0^1\frac{x^2}{(1+x^2)^2}dx$ について，$x=\tan\theta$ とおくと，

$x:0\to1$ のとき，$\theta:0\to\dfrac{\pi}{4}$ であり，$dx=\dfrac{1}{\cos^2\theta}d\theta$ より，

$$I_3=\int_0^1\frac{x^2}{(1+x^2)^2}dx=\int_0^{\frac{\pi}{4}}\frac{\tan^2\theta}{(1+\tan^2\theta)^2}\cdot\frac{1}{\cos^2\theta}d\theta=\int_0^{\frac{\pi}{4}}\frac{\tan^2\theta}{\left(\frac{1}{\cos^2\theta}\right)^2}\cdot\frac{1}{\cos^2\theta}d\theta$$

$$=\int_0^{\frac{\pi}{4}}\underbrace{\tan^2\theta\cdot\cos^2\theta}_{\sin^2\theta=\frac{1}{2}(1-\cos2\theta)}d\theta=\frac{1}{2}\int_0^{\frac{\pi}{4}}(1-\cos2\theta)d\theta$$

$$=\frac{1}{2}\left[\theta-\frac{1}{2}\sin2\theta\right]_0^{\frac{\pi}{4}}=\frac{1}{2}\left(\frac{\pi}{4}-\frac{1}{2}\right)=\frac{\pi}{8}-\frac{1}{4}$$ ……④ となる。

以上②, ③, ④を①に代入して，求める積分値は，

与式 $=I_1+I_2+I_3=\frac{1}{3}+\frac{5\sqrt{2}}{2}-3+\frac{\pi}{8}-\frac{1}{4}=\frac{\pi}{8}+\frac{5\sqrt{2}}{2}-\frac{35}{12}$ である。……(答)

I_2についての別解

$I_2=\int_0^1\left(\frac{x}{\sqrt{1+x^2}}+\frac{x^3}{(1+x^2)\sqrt{1+x^2}}\right)dx$ についても，I_3のときと同様に

$x=\tan\theta$ と置換して解くと，$x:0\to1$ のとき，$\theta:0\to\frac{\pi}{4}$ であり，

$dx=\frac{1}{\cos^2\theta}d\theta$ より，

公式
$1+\tan^2\theta=\frac{1}{\cos^2\theta}$

$$I_2=\int_0^{\frac{\pi}{4}}\underbrace{\left(\frac{\tan\theta}{\frac{1}{\cos\theta}}+\frac{\tan^3\theta}{\frac{1}{\cos\theta}\cdot\frac{1}{\cos^2\theta}}\right)}_{\tan\theta\cdot\cos\theta+\tan^3\theta\cdot\cos^3\theta=\sin\theta+\sin^3\theta=\sin\theta(1+\sin^2\theta)=\sin\theta\cdot(2-\cos^2\theta)}\frac{1}{\cos^2\theta}d\theta$$

$$=\int_0^{\frac{\pi}{4}}\frac{2-\cos^2\theta}{\cos^2\theta}\sin\theta d\theta$$

$\int f(\cos\theta)\cdot\sin\theta d\theta$ の場合，$\cos\theta=t$ とおく。

ここで，$\cos\theta=t$ とおくと，

$\theta:0\to\frac{\pi}{4}$ のとき，$t:1\to\frac{1}{\sqrt{2}}$ であり，$-\sin\theta d\theta=dt$ より，$\sin\theta d\theta=-dt$ である。

よって，

$$I_2=\int_1^{\frac{1}{\sqrt{2}}}\frac{2-t^2}{t^2}(-1)dt=\int_{\frac{1}{\sqrt{2}}}^1(2t^{-2}-1)dt=\left[-\frac{2}{t}-t\right]_{\frac{1}{\sqrt{2}}}^1$$

$=-2-1+2\sqrt{2}+\frac{1}{\sqrt{2}}=\frac{5\sqrt{2}}{2}-3$ となって，同じ結果が導けるんだね。

定積分と数列の極限の融合

演習問題 48	難易度 ★★★★	CHECK 1	CHECK 2	CHECK 3

自然数 n に対して $a_n=\int_0^{\frac{\pi}{4}}(\tan x)^{2n}\,dx$ とおく。次の問いに答えよ。

(1) a_1 を求めよ。　　(2) a_{n+1} を a_n で表せ。

(3) $\lim_{n\to\infty} a_n$ を求めよ。　　(4) $\lim_{n\to\infty}\sum_{k=1}^{n}\frac{(-1)^{k+1}}{2k-1}$ を求めよ。　（北海道大）

ヒント！ (1) $\tan^2 x=\frac{1}{\cos^2 x}-1$ と変形して，積分すればいい。(2) では，公式 $\int f^m\cdot f'\,dx=\frac{1}{m+1}f^{m+1}+C$，(3) では，はさみ打ちの原理を用いればいいよ。そして，(4) の無限級数の和の計算では，$\sum_{k=2}^{n}(I_k-I_{k-1})$ の形にもち込むとうまくいく。

解答＆解説

(1) $a_n=\int_0^{\frac{\pi}{4}}(\tan x)^{2n}\,dx$ ……①　とおく。$n=1$ のとき

$$a_1=\int_0^{\frac{\pi}{4}}\tan^2 x\,dx=\int_0^{\frac{\pi}{4}}\left(\frac{1}{\cos^2 x}-1\right)dx$$

公式 $1+\tan^2 x=\frac{1}{\cos^2 x}$ を使った。

$$=[\tan x-x]_0^{\frac{\pi}{4}}=\tan\frac{\pi}{4}-\frac{\pi}{4}=1-\frac{\pi}{4}$$ ……（答）

(2) ①の n に $n+1$ を代入して，

$$a_{n+1}=\int_0^{\frac{\pi}{4}}(\tan x)^{2(n+1)}\,dx=\int_0^{\frac{\pi}{4}}(\tan x)^{2n}\cdot\underbrace{\tan^2 x}_{\left(\frac{1}{\cos^2 x}-1\right)}\,dx$$

$$=\int_0^{\frac{\pi}{4}}(\tan x)^{2n}\cdot\frac{1}{\cos^2 x}\,dx-\underbrace{\int_0^{\frac{\pi}{4}}(\tan x)^{2n}\,dx}_{a_n}$$

$$=\frac{1}{2n+1}\left[(\tan x)^{2n+1}\right]_0^{\frac{\pi}{4}}-a_n$$

$\tan x=f$ とおくと，$f'=\frac{1}{\cos^2 x}$ より，これは，$\int_0^{\frac{\pi}{4}}f^{2n}\cdot f'\,dx=\frac{1}{2n+1}[f^{2n+1}]_0^{\frac{\pi}{4}}$ となるね。

$$\therefore\ a_{n+1}=\frac{1}{2n+1}-a_n \quad\cdots\cdots②\quad (n=1,\ 2,\ 3,\ \cdots)$$

……（答）

(3) $0 \leqq x \leqq \frac{\pi}{4}$ のとき，$\tan x \geqq 0$ より，

$$a_n = \int_0^{\frac{\pi}{4}} \underbrace{(\tan x)^{2n}}_{0\text{以上}} dx \geqq 0 \quad \cdots③,\quad \underbrace{a_{n+1}}_{\frac{1}{2n+1}-a_n\ (②より)} = \int_0^{\frac{\pi}{4}} \underbrace{(\tan x)^{2(n+1)}}_{0\text{以上}} dx \geqq 0 \quad \cdots④$$

よって，③より，$0 \leqq a_n$ ……⑤

また②，④より，$\frac{1}{2n+1} - a_n \geqq 0$　よって，$a_n \leqq \frac{1}{2n+1}$ ……⑥

⑤，⑥より，$0 \leqq a_n \leqq \frac{1}{2n+1}$ ……⑦

よって，⑦の各辺の $n \to \infty$ の極限をとると，

$$0 \leqq \lim_{n\to\infty} a_n \leqq \lim_{n\to\infty} \underbrace{\frac{1}{2n+1}}_{\to 0} = 0$$ となる。 ← はさみ打ちの原理を使った！

$\therefore \lim_{n\to\infty} a_n = 0$ である。 ……………………(答)

(4) ②の n に $k-1$ を代入すると，

$$a_k = \frac{1}{2k-1} - a_{k-1} \quad \therefore \frac{1}{2k-1} = a_k + a_{k-1} \quad \cdots\cdots⑧$$

⑧の両辺に $(-1)^{k+1}$ をかけると，

$$\frac{(-1)^{k+1}}{2k-1} = (-1)^{k+1}a_k + \underbrace{(-1)^{k+1}}_{-1\cdot(-1)^k} a_{k-1} = \underbrace{(-1)^{k+1}a_k}_{I_k} - \underbrace{(-1)^k a_{k-1}}_{I_{k-1}}$$

ここで，$(-1)^{k+1}a_k = I_k$ とおくと，$(-1)^k a_{k-1} = I_{k-1}$ $(k \geqq 2)$ となる。

よって，

$$\sum_{k=1}^{n} \underbrace{\frac{(-1)^{k+1}}{2k-1}}_{(I_k - I_{k-1})} = \frac{(-1)^2}{2\cdot 1 - 1} + \sum_{k=2}^{n} (I_k - I_{k-1})$$

← ただし，これは，$k \geqq 2$ なので，$k=1$ のときだけは別扱いにする。

$$= 1 + (I_2 - I_1) + (I_3 - I_2) + (I_4 - I_3) + \cdots + (I_n - I_{n-1})$$

$$= 1 + I_n - I_1 = 1 + (-1)^{n+1}a_n - (-1)^2 \cdot a_1 = 1 - a_1 + (-1)^{n+1}a_n$$

ゆえに，求める無限級数の和は，

$$\lim_{n\to\infty} \sum_{k=1}^{n} \frac{(-1)^{k+1}}{2k-1} = \lim_{n\to\infty} \{1 - a_1 + (-1)^{n+1} \cdot \underbrace{a_n}_{\to 0}\} = 1 - \underbrace{\left(1 - \frac{\pi}{4}\right)}_{(1)より} = \frac{\pi}{4} \quad \cdots\cdots(答)$$

（∵(3)より）

数列の極限と区分求積法の融合

演習問題 49	難易度 ★★★	CHECK1	CHECK2	CHECK3

$\displaystyle\lim_{n\to\infty}\left\{\frac{(2n)!}{n!n^n}\right\}^{\frac{1}{n}}$ を求めよ。　(北海道大)

Babaのレクチャー

$P_n=\left\{\dfrac{(2n)!}{n!n^n}\right\}^{\frac{1}{n}}$ とおくと，いかにも P_n はガチガチに固まった式って感じだね。料理でコチコチに固まった乾物は，水につけてほぐすだろ。それと同じで，この P_n も自然対数をとるとほぐれて(?)，その極限 $\displaystyle\lim_{n\to\infty}\log P_n$ を求めると，区分求積法：

$$\lim_{n\to\infty}\frac{1}{n}\sum_{k=1}^{n}f\left(\frac{k}{n}\right)=\int_0^1 f(x)\,dx$$

の形が見えてくるんだよ。

ここで，$\displaystyle\lim_{n\to\infty}\log\boxed{P_n}=\log\boxed{Q}$ の形にして，これから，$\displaystyle\lim_{n\to\infty}P_n=Q$ とすることも，大事なポイントだ！ 頑張ろう！

解答＆解説

$P_n=\left\{\dfrac{(2n)!}{n!n^n}\right\}^{\frac{1}{n}}$ とおく。

$$P_n=\left\{\frac{(2n)!}{n!}\times\frac{1}{n^n}\right\}^{\frac{1}{n}}$$

$$\frac{(2n)!}{n!}=\frac{2n\cdot(2n-1)\cdots(n+2)(n+1)\cancel{n(n-1)\cdots3\cdot2\cdot1}}{\cancel{n\cdot(n-1)\cdots3\cdot2\cdot1}}$$

$2n(2n-1)\cdots(n+1)$ を逆に並べた！

$$=\left\{\frac{(n+1)(n+2)\cdots(n+n)}{n^n}\right\}^{\frac{1}{n}}$$

$$=\left(\frac{n+1}{n}\cdot\frac{n+2}{n}\cdot\cdots\cdot\frac{n+n}{n}\right)^{\frac{1}{n}}$$

分子の ( ) も，分母の n も n 個ずつあるので，
それぞれ 1 つずつ対応させて割れるね。

$\therefore P_n = \left\{\left(1+\frac{1}{n}\right)\left(1+\frac{2}{n}\right)\cdots\left(1+\frac{n}{n}\right)\right\}^{\frac{1}{n}}$

よって，$P_n > 0$ より，P_n の自然対数をとって，その極限を求めると，

（これは真数条件）

$$\lim_{n\to\infty}\log P_n = \lim_{n\to\infty}\log\left\{\left(1+\frac{1}{n}\right)\left(1+\frac{2}{n}\right)\cdots\left(1+\frac{n}{n}\right)\right\}^{\frac{1}{n}}$$

$$= \lim_{n\to\infty}\frac{1}{n}\left\{\log\left(1+\frac{1}{n}\right)+\log\left(1+\frac{2}{n}\right)+\cdots+\log\left(1+\frac{n}{n}\right)\right\}$$

（パラパラパラ…とほぐれたね！）

$$= \lim_{n\to\infty}\frac{1}{n}\sum_{k=1}^{n}\log\left(1+\frac{k}{n}\right) \quad \left(= f\left(\frac{k}{n}\right)\right)$$

（区分求積法の公式通りだ！）

$$= \int_0^1 \log(1+x)\,dx \quad (= f(x))$$

$$= \int_0^1 (1+x)'\cdot\log(1+x)\,dx$$

（積分 $\int\log(a+x)\,dx$ は，$\int(a+x)'\log(a+x)\,dx$ として部分積分すると，ウマクいく！）

$$= \left[(1+x)\cdot\log(1+x)\right]_0^1 - \int_0^1 (1+x)\cdot\frac{1}{1+x}\,dx$$

（$\int_0^1 f'\cdot g\,dx = [f\cdot g]_0^1 - \int_0^1 f\cdot g'\,dx$）

$$= 2\cdot\log 2 - [x]_0^1$$

$$= 2\cdot\log 2^{\square} - 1 \quad (1 = \log e)$$

$$= \log 4 - \log e = \log\frac{4}{e}$$

以上より，$\lim_{n\to\infty}\log P_n = \log\frac{4}{e}$

$\therefore$ 求める極限は，$\lim_{n\to\infty}P_n = \frac{4}{e}$ ……………………………………(答)

定積分による不等式の証明と極限

演習問題 50	難易度 ★★★★	CHECK 1	CHECK 2	CHECK 3

n を 2 以上の自然数とする。次の問いに答えよ。

(1) 不等式 $\displaystyle\int_1^n \log x\,dx < \sum_{k=1}^{n} \log k < \log n + \int_1^n \log x\,dx$ ……(*)

が成り立つことを示せ。

(2) 極限値 $\displaystyle\lim_{n\to\infty}(n!)^{\frac{1}{n\log n}}$ を求めよ。（大阪大＊）

ヒント！ $S_n = \displaystyle\sum_{k=1}^{n} \log k = \log 1 + \log 2 + \cdots + \log n = 1\times\log 1 + 1\times\log 2 + \cdots + 1\times\log n$ とおくと，S_n は n 個の長方形群の面積の和になるんだね。後は図形的に考えて，面積の大小関係を押さえて，はさみ打ちに持ち込むんだよ。頑張れ！

解答＆解説

図 1　S_n は n 個の長方形の面積の総和だ！

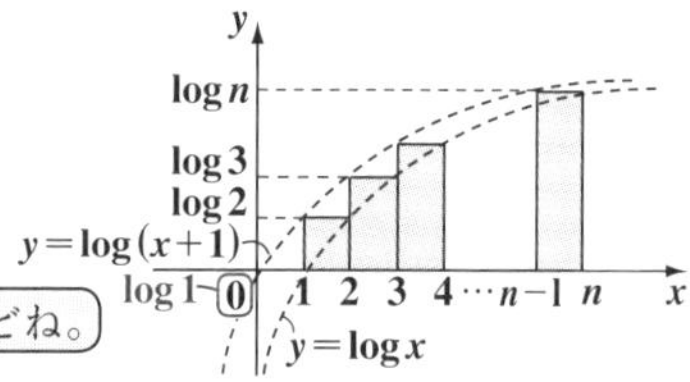

(1) $S_n = \displaystyle\sum_{k=1}^{n} \log k$ とおくと

$S_n = \log 1 + \log 2 + \log 3 + \cdots + \log n$

（これは高さ $\log 1 = 0$ だから長方形になってないけどね。）

$= 1\times\log 1 + 1\times\log 2 + 1\times\log 3 + \cdots + 1\times\log n$

（S_n は幅 1，高さ $\log k$ の n 個の長方形の面積の和と考える！（図 1））

図 2　2 曲線 $y=\log(x+1)$ と $y=\log x$ ではさむ

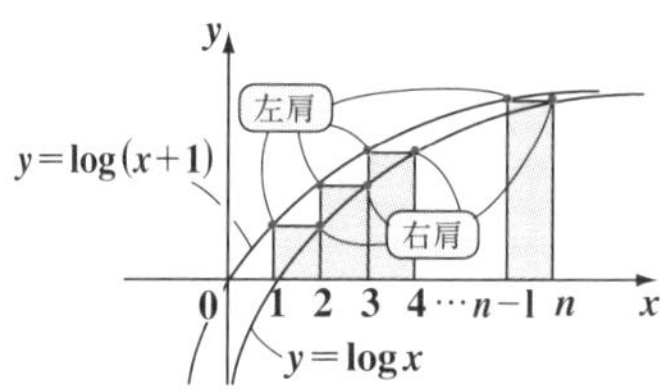

この長方形群の

(i) 右肩を通る曲線：$y=\log x$ と，

(ii) 左肩を通る曲線：$y=\log(x+1)$

を考え，これらと x 軸とではさまれる部分の面積と，S_n との大小関係を調べると，明らかに次式が成り立つ。

$$\int_1^n \log x\,dx < \underbrace{\sum_{k=1}^{n} \log k}_{S_n} < \int_0^{n-1} \log(x+1)\,dx + 1\times\log n \quad \cdots\cdots ①$$

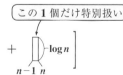

（この 1 個だけ特別扱い）

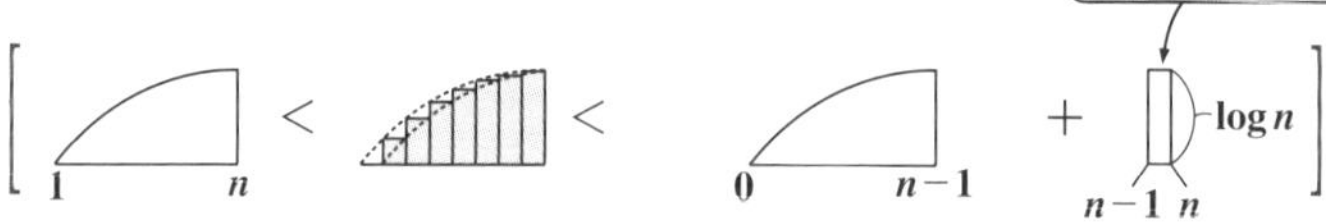

ここで，$\int_0^{n-1}\log(x+1)\,dx$ について，$x+1=t$ とおくと，

$x:0\to n-1$ のとき $t:1\to n$，また $dx=dt$ より，

$$\int_0^{n-1}\log(x+1)\,dx=\int_1^n\log t\,dt=\int_1^n\log x\,dx \quad \cdots\cdots②$$

(これは置換積分)　(文字は t でも x でも同じ積分だ！)

②を①に代入して，次式が成り立つ。

$$\underbrace{\int_1^n\log x\,dx}_{ア}<\underbrace{\sum_{k=1}^n\log k}_{イ}<\log n+\underbrace{\int_1^n\log x\,dx}_{ア} \quad \cdots\cdots(*) \quad \cdots\cdots\cdots\cdots(終)$$

(求める極限は，$(n!)^{\frac{1}{n\log n}}$ の極限だから，$\frac{1}{n\log n}\cdot\log(n!)$ とすればいいね。つまり，$(*)$ の各辺を $n\cdot\log n\ (>0)$ で割ればいいんだね。)

(2) ㋑は，

$$\sum_{k=1}^n\log k=\log 1+\log 2+\log 3+\cdots+\log n$$
$$=\log(1\times2\times3\times\cdots\times n)=\log(n!)$$

(これは $n!$ のこと)

㋐は，

(これは公式として覚えよう！　$\int\log x\,dx=x\cdot\log x-x+C$)

$$\int_1^n\log x\,dx=\big[x\cdot\log x-x\big]_1^n$$
$$=n\cdot\log n-n+1$$

以上より，$(*)$ は，

$$n\log n-n+1<\log(n!)<(n+1)\log n-n+1 \quad \cdots\cdots③$$

$n\geqq2$ より，$n\log n>0$　　よって，$n\log n$ で③の各辺を割って

$$1-\frac{1}{\log n}+\frac{1}{n\log n}\leqq\frac{1}{n\log n}\log(n!)\leqq\left(1+\frac{1}{n}\right)-\frac{1}{\log n}+\frac{1}{n\log n}$$

(各項 $\to 0$)　(極限を調べるときは等号をつけた方がいい！)

ここで $n\to\infty$ のとき，$\frac{1}{\log n}\to0$，$\frac{1}{n\log n}\to0$，$\frac{1}{n}\to0$ より，

左右両辺は，共に 1 に収束する。よって，はさみ打ちの原理より，

$$\lim_{n\to\infty}\log(n!)^{\frac{1}{n\log n}}=1=\log e$$

$$\therefore\ \lim_{n\to\infty}(n!)^{\frac{1}{n\log n}}=e \quad \cdots\cdots\cdots\cdots(答)$$

定積分と不等式の応用

演習問題 51	難易度 ☆☆☆☆	CHECK 1	CHECK 2	CHECK 3

自然数 n に対して，$I(n)=\int_0^1 x^n e^{-x^2}dx$ とおく。このとき，

$I(n+2)=-\frac{1}{2}e^{-1}+\frac{n+1}{2}I(n)$ ……$(*1)$ と

$0 \leqq I(n) \leqq \frac{1}{n+1}$ ……………………$(*2)$ が成り立つことを示して，

$\lim_{n\to\infty} nI(n)$ を求めよ。 （お茶の水女子大）

ヒント！ $(*1)$ の等式は部分積分法により証明できる。$(*2)$ は e^{-x^2} を定数化することによって示せる。これについては，Baba のレクチャーで詳しく解説しよう！

解答＆解説

$I(n)=\int_0^1 x^n e^{-x^2}dx$ ……① $(n=1, 2, 3, \cdots)$ とおく。

> x の関数 $x^n e^{-x^2}$ を x で積分した結果，x には 1 と 0 が代入されるので，x はなくなって，最終的には n だけの式になる。よって，それを $I(n)$ とおいたんだ。ただし，この定積分は手ゴワイので，導入に従って 1 つずつ解いていけばいいんだよ。

まず，$(*1)$ を部分積分法により証明しよう。①の n に $n+2$ を代入して，

$$I(n+2)=\int_0^1 x^{n+2}e^{-x^2}dx$$

> $(e^{-x^2})'=-2x\cdot e^{-x^2}$ なので，これから部分積分にもち込む！

$$=-\frac{1}{2}\int_0^1 x^{n+1}(-2x\cdot e^{-x^2})dx$$

$$=-\frac{1}{2}\int_0^1 x^{n+1}(e^{-x^2})'dx$$

> 部分積分の公式：
> $\int_0^1 f\cdot g'dx=[f\cdot g]_0^1-\int_0^1 f'\cdot g\,dx$

$$=-\frac{1}{2}\left\{[x^{n+1}\cdot e^{-x^2}]_0^1-\int_0^1(n+1)x^n\cdot e^{-x^2}dx\right\}$$

$$=-\frac{1}{2}\left\{1\cdot e^{-1}-(n+1)\underbrace{\int_0^1 x^n e^{-x^2}dx}_{I(n)}\right\}$$

$\therefore\ I(n+2)=-\frac{1}{2}e^{-1}+\frac{n+1}{2}I(n)$ ……$(*1)$ $(n=1, 2, 3, \cdots)$

は成り立つ。 ……………………………………………………（終）

Babaのレクチャー

$I(n)=\int_0^1 x^n e^{-x^2}dx$ の右辺の定積分を直接求めることは難しいけれど，これから，$0 \leqq I(n) \leqq \dfrac{1}{n+1}$ ……$(*2)$ の不等式が成り立つことは容易に示せる。エッ，よく分からんって？ いいよ，これから解説しよう。

$I(n)$ の定積分が難しいのは x^n と e^{-x^2} の 2 つの関数の積を積分しないといけないからであって，x^n だけを区間 $0 \leqq x \leqq 1$ で積分するのなら，$\int_0^1 x^n dx=\left[\dfrac{1}{n+1}x^{n+1}\right]_0^1=\dfrac{1}{n+1}$ とアッという間にできるんだね。

この結果は $(*2)$ の右辺と一致する。

図（ア）

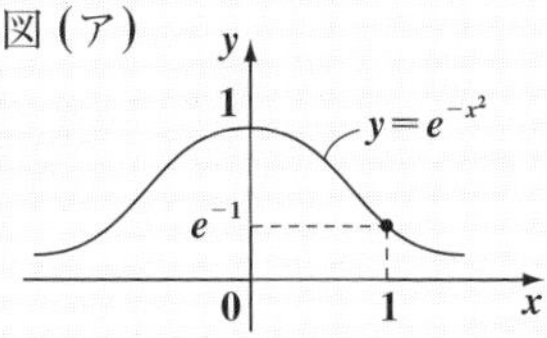

ということは e^{-x^2} が何かある定数に変わってくれればいいんだね。

ここで，$y=e^{-x^2}$ のグラフは図（ア）のようになるので，$0 \leqq x \leqq 1$ の範囲では

$\underset{e^{-1^2}}{\underline{e^{-1}}} \leqq e^{-x^2} \leqq \underset{e^{-0^2}}{\underline{1}}$ となる。よって，

$0 \leqq e^{-x^2} \leqq 1$ ……㋐

（0：定数）（1：定数になった！）

これは“人間ならば動物である”が真であると同様に，$e^{-1} \leqq e^{-x^2} \leqq 1$ ならば範囲を広げて $0 \leqq e^{-x^2} \leqq 1$ とできる。

このように，e^{-x^2} を不等式の形だけれど，定数で置き換えることができるので，ボクはこれを“定数化（ていすうか）”と呼んでいる。ここまでくれば，㋐の各辺に x^n $(\geqq 0)$ をかけて，区間 $0 \leqq x \leqq 1$ で積分すれば，$(*2)$ も簡単に証明できることが分かるはずだ。考え方が面白かっただろう？

次，$(*2)$ を証明しよう。

$0 \leqq x \leqq 1$ のとき，$e^{-1} \leqq e^{-x^2} \leqq 1$ より

$0 \leqq e^{-x^2} \leqq 1$ ……② とできる。← e^{-x^2} を定数化した！

ここで，$x^n\ (\geqq 0)$ を②の各辺にかけて，区間 $0 \leqq x \leqq 1$ で定積分すると，

$$0 \leqq x^n \cdot e^{-x^2} \leqq x^n$$

$$\underline{0} \leqq \boxed{\int_0^1 x^n e^{-x^2} dx} \leqq \underline{\int_0^1 x^n dx}$$

（$\int_0^1 x^n e^{-x^2} dx$ は $I(n)$，0 は $\int_0^1 0\,dx$ のこと，$\int_0^1 x^n dx = \left[\frac{1}{n+1}x^{n+1}\right]_0^1 = \frac{1}{n+1}$）

$$\therefore\ 0 \leqq I(n) \leqq \frac{1}{n+1} \quad \cdots\cdots(*2) \quad (n=1,\ 2,\ 3,\ \cdots)$$

は成り立つ。 ……………………………………………………………………(終)

Babaのレクチャー

$0 \leqq I(n) \leqq \frac{1}{n+1}$ ……$(*2)$ の各辺に $n\ (>0)$ をかけて

$0 \leqq n \cdot I(n) \leqq \frac{n}{n+1}$ として，$n \to \infty$ としても，

$\lim_{n\to\infty} \frac{n}{n+1} = \lim_{n\to\infty} \frac{1}{1+\boxed{\frac{1}{n}}} = 1$ となるので，（$\frac{1}{n} \to 0$）

$0 \leqq \lim_{n\to\infty} nI(n) \leqq 1$ となって，極限 $\lim_{n\to\infty} nI(n)$ の値の範囲が出てくるだけで，極限値は求まらない。だからここは $(*1)$ の結果を利用することを考えなければいけないんだね。

$(*2)$ の n に $n+2$ を代入して，

$0 \leqq I(n+2) \leqq \frac{1}{n+3}$ ……$(*2)'$ ← この形にして $I(n+2)$ に $(*1)$ の結果を代入する！

$(*2)'$ に $(*1)$ を代入して，

$$0 \leqq -\frac{1}{2}e^{-1}+\frac{n+1}{2}I(n) \leqq \frac{1}{n+3}$$

各辺に $\frac{1}{2}e^{-1}$ をたして

$$\frac{1}{2}e^{-1} \leqq \frac{n+1}{2}I(n) \leqq \frac{1}{2}e^{-1}+\frac{1}{n+3}$$

各辺に $\frac{2}{n+1}$ (>0) をかけて

$$\frac{1}{n+1}e^{-1} \leqq I(n) \leqq \frac{1}{n+1}e^{-1}+\frac{2}{(n+1)(n+3)}$$

各辺に n をかけて

$$\underbrace{\frac{n}{n+1}}_{1}e^{-1} \leqq nI(n) \leqq \underbrace{\frac{n}{n+1}}_{1}e^{-1}+\underbrace{\frac{2n}{(n+1)(n+3)}}_{0}$$

ここで，$n \to \infty$ のとき

$$\lim_{n\to\infty}\frac{n}{n+1}=\lim_{n\to\infty}\frac{1}{1+\frac{1}{n}}=1,\quad \lim_{n\to\infty}\frac{2n}{(n+1)(n+3)}=0$$ となるので，

（$\frac{1}{n} \to 0$，$\frac{1\text{次の}\infty}{2\text{次の}\infty}$）

はさみ打ちの原理より，

$\displaystyle\lim_{n\to\infty}nI(n)=e^{-1}$　となる。……………………………………(答)

かなりレベルの高い問題だったけれど，理解できただろう？　定数化による定積分と不等式の考え方に慣れて，(＊2) の不等式が明らかであることが分かるようになるまで，何回でも練習するといいよ。頑張ってくれ！

定積分と不等式の応用(Ⅱ)

演習問題 52	難易度 ★★★★	CHECK1	CHECK2	CHECK3

自然数 n に対して，$a_n=\int_0^1(1+x)^{-n-1}e^{x^2}dx$，$b_n=\int_0^1(1+x)^{-n}xe^{x^2}dx$

とおく。

(1) $b_n \leqq e\cdot\int_0^1(1+x)^{-n}dx$ が成り立つことを示し，$\lim_{n\to\infty} b_n$ を求めよ。

(2) $\lim_{n\to\infty} na_n$ を求めよ。 (京都大)

Baba のレクチャー(Ⅰ)

$b_n=\int_0^1(1+x)^{-n}\boxed{xe^{x^2}}dx$ について， 定数化

$b_n \leqq e\cdot\int_0^1(1+x)^{-n}dx$ を示すには，xe^{x^2} を定数化するんだね。

ここで，$0\leqq x\leqq 1$ より，$x\cdot e^{x^2}\leqq 1\cdot e^{1^2}=e$

この両辺に $(1+x)^{-n}$ $(\geqq 0)$ をかけて，区間 $[0,\ 1]$ で積分すればいい。

解答＆解説

$$a_n=\int_0^1(1+x)^{-n-1}e^{x^2}dx,\quad b_n=\int_0^1(1+x)^{-n}xe^{x^2}dx$$

(1) $0\leqq x\leqq 1$ のとき，$0\leqq x\cdot e^{x^2}\leqq e$

この各辺に $(1+x)^{-n}$ $(\geqq 0)$ をかけて，区間 $[0,\ 1]$ で積分すると，

$$0\leqq \underbrace{\int_0^1(1+x)^{-n}\cdot xe^{x^2}dx}_{b_n} \leqq e\underbrace{\int_0^1(1+x)^{-n}dx}_{㋐} \cdots\cdots ① \quad (n=1,\ 2,\ \cdots)$$

$$\therefore b_n\leqq e\int_0^1(1+x)^{-n}dx$$ ……………………………………(終)

ここで，$n\geqq 2$ のとき，

$$㋐\int_0^1(1+x)^{-n}dx=\left[\frac{1}{-n+1}(1+x)^{-n+1}\right]_0^1=\frac{1}{1-n}(2^{-n+1}-1)$$

$$=\frac{1}{n-1}\cdot\left(1-\frac{1}{2^{n-1}}\right)$$

ⓐを①に代入して，

$$0 \leqq b_n \leqq \frac{e}{n-1} \cdot \left(1-\frac{1}{2^{n-1}}\right)$$

$$0 \leqq \lim_{n\to\infty} b_n \leqq \lim_{n\to\infty} \boxed{\frac{e}{n-1}}^{\nearrow 0} \left(1-\boxed{\frac{1}{2^{n-1}}}^{\nearrow 0}\right)=0$$ ←はさみ打ちだ！

$\therefore \lim_{n\to\infty} b_n=0$ ……………………………………………………………………(答)

Babaのレクチャー（Ⅱ）

$$a_n=\int_0^1 (1+x)^{-n-1}e^{x^2}dx=\int_0^1 \left\{-\frac{1}{n}(1+x)^{-n}\right\}' \cdot e^{x^2}dx$$

（これから b_n が出てくる）

$$=\left[-\frac{1}{n}(1+x)^{-n}\cdot e^{x^2}\right]_0^1-\underline{\int_0^1 \left\{-\frac{1}{n}(1+x)^{-n}\right\}\cdot 2x\cdot e^{x^2}dx}$$

逆に，$b_n=\int_0^1 (x+1)^{-n}\left(\frac{1}{2}e^{x^2}\right)'dx$ として，a_n の式を導くこともできる。

(2) $a_n=\int_0^1 \left\{-\frac{1}{n}(1+x)^{-n}\right\}' \cdot e^{x^2}dx$

$$=-\frac{1}{n}\cdot 2^{-n}\cdot e+\frac{1}{n}+\frac{2}{n}\underbrace{\int_0^1 (1+x)^{-n}\cdot xe^{x^2}dx}_{b_n}$$

$\therefore a_n=-\frac{e}{n\cdot 2^n}+\frac{1}{n}+\frac{2}{n}\cdot b_n$ より，

$na_n=1-\frac{e}{2^n}+2b_n$ $(n=1,\ 2,\ \cdots)$

よって，求める極限は，

$$\lim_{n\to\infty} na_n=\lim_{n\to\infty}\left(1-\boxed{\frac{e}{2^n}}^{\nearrow 0}+2\cdot\boxed{b_n}^{\nearrow 0}\right)=1$$ ……………………………………………(答)

$(\because \lim_{n\to\infty} b_n=0)$

“定数化”に慣れてくると，京都大のこの問題もシンプルに見えてくるだろう？

テーマ11 面積計算

● 極方程式・媒介変数曲線の面積計算にも慣れよう！

さァ，それでは積分の中でも，最も中心的なテーマ“**面積計算**”の解説に入るよ。ここでは，媒介変数表示された曲線や，極方程式で表された曲線で囲まれた図形の面積についても詳しく解説するつもりだ。

だから，この講義内容を反復練習すれば，面積計算の応用問題にも自信が持てるようになるはずだ。楽しみだね。

それでは，今回の主なテーマを列挙しておこう。

(1) 面積計算と極限の融合問題
(2) 極方程式と面積計算の融合
(3) 媒介変数表示された曲線で囲まれる図形の面積(Ⅰ)
(4) 媒介変数表示された曲線で囲まれる図形の面積(Ⅱ)

(2) では，極方程式で表された曲線の面積公式：

面積 $S = \frac{1}{2}\int_{\alpha}^{\beta} r^2 d\theta$ をうまく使って解けばいいんだよ。

(3) は東京大の問題で，与えられた媒介変数表示された曲線 C の概形の描き方を丁寧に解説しよう。また，この場合の面積の求め方も大切な解法のパターンなので，ぜひマスターしておこう。

(4) は，おデコの出た形の曲線の面積計算の問題で，よく出題される問題だよ。しかし，これも一度こうして，典型的な良問を解いておけば，不安はなくなるはずだ。

それでは，まず **(1)** の大阪大の面積計算と極限の応用問題を，**2** 題続けて解いてみることにしよう。

面積公式と極限の融合問題

演習問題 53　難易度 ★★★★　CHECK1　CHECK2　CHECK3

n を 3 以上の自然数とする。点 O を中心とする半径 1 の円において，円周を n 等分する点 P_0, P_1, …, P_{n-1} を時計回りにとる。各 $i=1, 2, \cdots, n$ に対して，直線 OP_{i-1}, OP_i とそれぞれ点 P_{i-1}, P_i で接するような放物線を C_i とする。ただし，$P_n=P_0$ とする。放物線 C_1, C_2, …, C_n によって囲まれる部分の面積を S_n とするとき，$\lim_{n\to\infty} S_n$ を求めよ。（大阪大）

ヒント！ n 個の放物線のうち，2 直線 OP_0 と OP_1 とそれぞれ 2 点 P_0, P_1 で接する放物線 C_1 を，y 軸に関して対称になるようにとり，さらに，放物線 C_1 と 2 接線 OP_0, OP_1 とで囲まれる図形の面積を A とおこう。この A は面積公式で求められるね。さらに，$S_n=nA$ だから，これから S_n の極限を求めればいいんだね。

解答＆解説

図 1

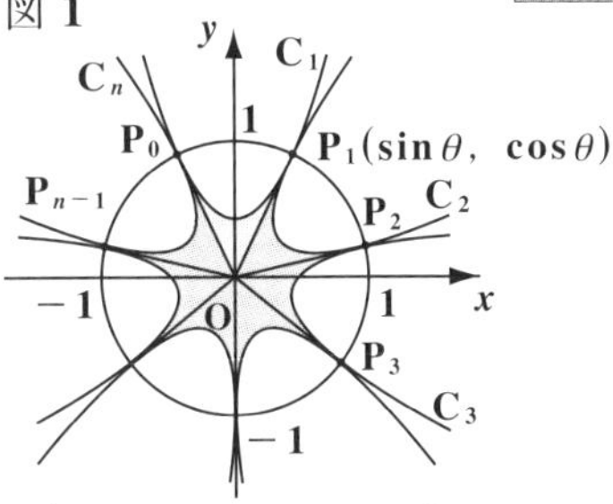

（図 1 は $n=7$ のときのものだ。）

図 1 に示すように，半径 1 の円周を n 等分する点 P_0, P_1, P_2, …, P_{n-1} をとる。特に P_0 と P_1 を y 軸に関して対称となるようにとると，2 点 P_0, P_1 で，2 直線 OP_0, OP_1 と接する放物線 C_1 も y 軸に関して対称なグラフになる。

ここで，放物線 C_1 と 2 接線 OP_0, OP_1 とで囲まれる図形の面積を A とおくと，図 1 から明らかに n 個の放物線 C_1, C_2, …, C_n で囲まれる図形の面積 S_n は，$S_n=nA$ ……① $(n=3, 4, \cdots)$ と表される。

$\angle P_0OP_1=\dfrac{2\pi}{n}$ より，$\dfrac{\pi}{n}=\theta$ $\left(0<\theta\leqq\dfrac{\pi}{3}\right)$ とおく。（$\because n\geqq 3$）図 2 に示すように，2 点 P_0, P_1 の座標は，

$P_0(-\sin\theta,\ \cos\theta)$, $P_1(\sin\theta,\ \cos\theta)$

となる。

図 2

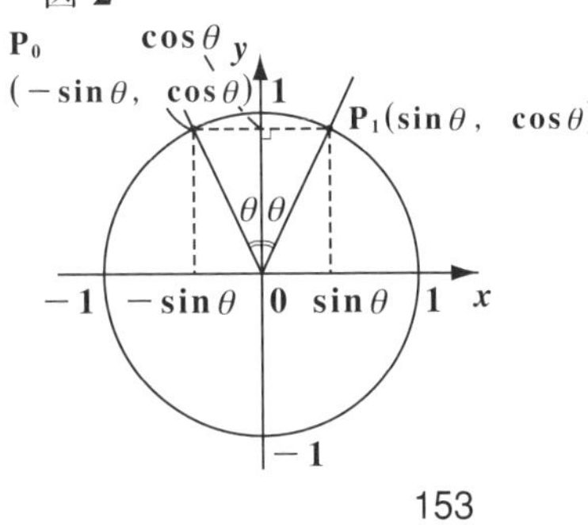

ここで，y 軸に関して対称な下に凸の放物線 C_1 を $y=f(x)=ax^2+b$ とおき，直線 OP_1 を，$y=g(x)=\dfrac{\cos\theta}{\sin\theta}x$ とおく。

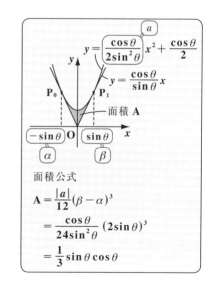

図 3

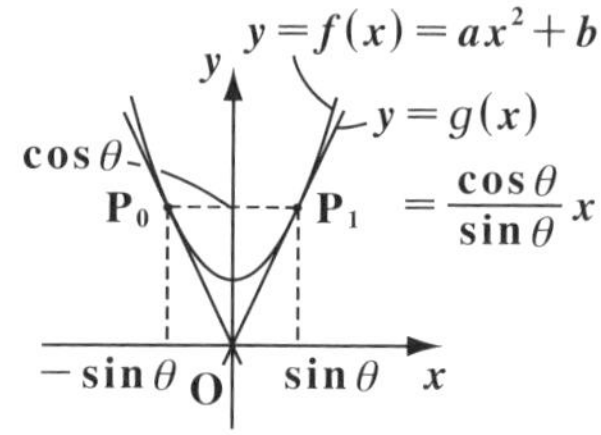

すなわち，

$$\begin{cases} \text{放物線 } C_1 : y=f(x)=ax^2+b \\ \text{直線 } OP_1 : y=g(x)=\dfrac{\cos\theta}{\sin\theta}x \end{cases} \text{ とおく。}$$

原点を通る傾き $\dfrac{\cos\theta}{\sin\theta}$ の直線

$f(x)$ と $g(x)$ を x で微分すると，

$$\begin{cases} f'(x)=2ax \\ g'(x)=\dfrac{\cos\theta}{\sin\theta} \end{cases}$$

2 曲線の共接条件：
$y=f(x)$ と $y=g(x)$ が
$x=t$ で接するとき，
$$\begin{cases} f(t)=g(t) \\ f'(t)=g'(t) \end{cases}$$

放物線 C_1 と直線 OP_1 は $x=\sin\theta$ のとき接するので，

$$\begin{cases} a\sin^2\theta+b=\dfrac{\cos\theta}{\cancel{\sin\theta}}\cancel{\sin\theta} \cdots\cdots② \ [f(\sin\theta)=g(\sin\theta)] \\ 2a\sin\theta=\dfrac{\cos\theta}{\sin\theta} \cdots\cdots\cdots\cdots\cdots\cdots③ \ [f'(\sin\theta)=g'(\sin\theta)] \end{cases}$$

③より，$a=\dfrac{\cos\theta}{2\sin^2\theta}$

②より，$b=\cos\theta-\underbrace{\dfrac{\cos\theta}{2\cancel{\sin^2\theta}}}_{a}\cdot\cancel{\sin^2\theta}$

$$=\frac{1}{2}\cos\theta$$

よって，放物線 C_1 と 2 直線 OP_0，OP_1 とで囲まれる図形の面積 A は，

$$\underline{\underline{A}}=2\int_0^{\sin\theta}\left(ax^2+b-\frac{\cos\theta}{\sin\theta}x\right)dx$$

[2× ]

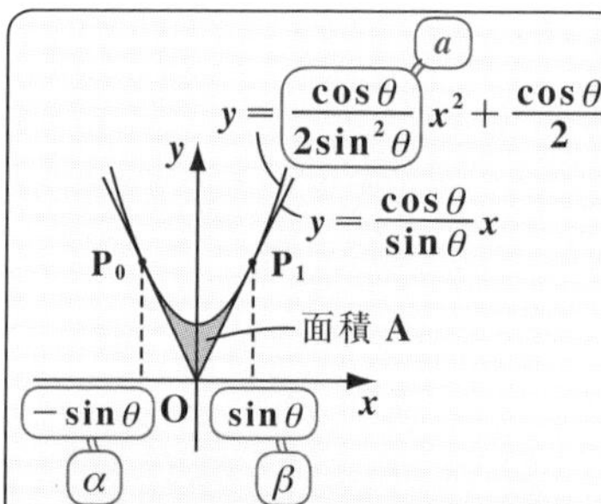

面積公式

$$A=\frac{|a|}{12}(\beta-\alpha)^3$$
$$=\frac{\cos\theta}{24\sin^2\theta}(2\sin\theta)^3$$
$$=\frac{1}{3}\sin\theta\cos\theta$$

$$= 2\int_0^{\sin\theta}\left(\frac{\cos\theta}{2\sin^2\theta}x^2 - \frac{\cos\theta}{\sin\theta}x + \frac{1}{2}\cos\theta\right)dx$$

$$= 2\left[\frac{\cos\theta}{6\sin^2\theta}x^3 - \frac{\cos\theta}{2\sin\theta}x^2 + \frac{1}{2}\cos\theta\cdot x\right]_0^{\sin\theta}$$

$$= \underline{\underline{\frac{1}{3}\sin\theta\cos\theta}}$$

ここまで定積分の計算式をキチンと書いて，後は面積公式の結果を示せばいい。

よって，n 個の放物線 C_1，C_2，…，C_n で囲まれる図形の面積 S_n は，①より

$$S_n = n\cdot\underline{\underline{A}} = \frac{n}{3}\sin\theta\cdot\cos\theta$$

ここで，$\theta = \frac{\pi}{n}$ より，$n = \frac{\pi}{\theta}$ となる。

$$\therefore S_n = \frac{\pi}{3\theta}\sin\theta\cdot\cos\theta \quad \left(\text{ただし } \theta = \frac{\pi}{n}\right)$$

よって，$n\to\infty$ のとき $\theta\to 0$ より，求める極限は

$$\lim_{n\to\infty}S_n = \lim_{\theta\to 0}\frac{\pi}{3\theta}\sin\theta\cdot\cos\theta$$

$$= \lim_{\theta\to 0}\frac{\pi}{3}\cdot\boxed{\frac{\sin\theta}{\theta}}\cdot\boxed{\cos\theta}$$

（$\frac{\sin\theta}{\theta}\to$ 1，$\cos\theta\to$ $\cos 0 = 1$）

$$= \frac{\pi}{3}\cdot 1\cdot 1 = \frac{\pi}{3} \text{ となる。}$$ ……………………………………(答)

面積公式

放物線 $y = ax^2 + bx + c$ と，それに接する2直線 l_1，l_2 とで囲まれる図形の面積 S は，2接点の x 座標をそれぞれ α，β $(\alpha < \beta)$ とおくと，面積公式より，

$S = \frac{|a|}{12}(\beta - \alpha)^3$ となるんだね。

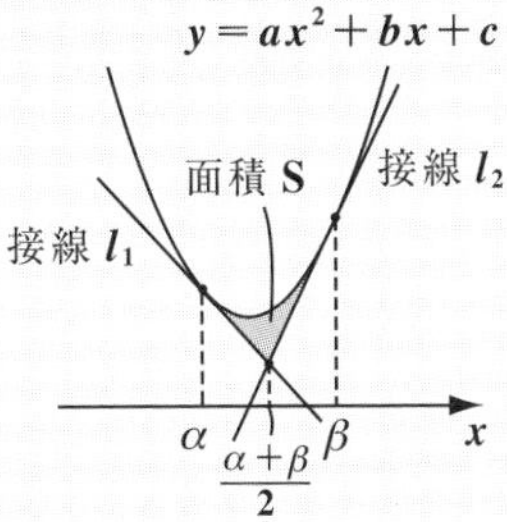

面積計算と極限の融合問題

演習問題 54　難易度★★★★　CHECK1　CHECK2　CHECK3

a は正の定数とする。$t>1$ に対し，曲線 $y=x^a\log x$ 上の点 $\mathrm{P}(t,\ t^a\log t)$ における接線が，x 軸と交わる点を Q とし，点 $(t,\ 0)$ を R とする。三角形 PQR の面積を $S_1(t)$，曲線 $y=x^a\log x$ の $x\geqq 1$ の部分と，2 つの直線 $y=0,\ x=t$ とで囲まれた部分の面積を $S_2(t)$ とする。

$\displaystyle\lim_{t\to+\infty}\frac{S_2(t)}{S_1(t)}$ の値を求めよ。

（大阪大）

ヒント！ 2 つの面積 $S_1(t)$ と $S_2(t)$ を t の関数として求め，極限 $\displaystyle\lim_{t\to+\infty}\frac{S_2(t)}{S_1(t)}$ を求めさせる典型的な応用問題だね。この極限を求める際に，収束する分子・分母の対応関係をうまく考えていくことが，ポイントになるんだね。

解答＆解説

$y=f(x)=x^a\log x$ ……①（a：正の定数）

とおく。$f(x)$ を x で微分して

$$f'(x)=ax^{a-1}\log x+x^a\cdot\frac{1}{x}$$

$$=x^{a-1}(a\log x+1)$$

よって，点 $\mathrm{P}(t,\ f(t))$ $(t>1)$ における接線の方程式は，次のようになる。

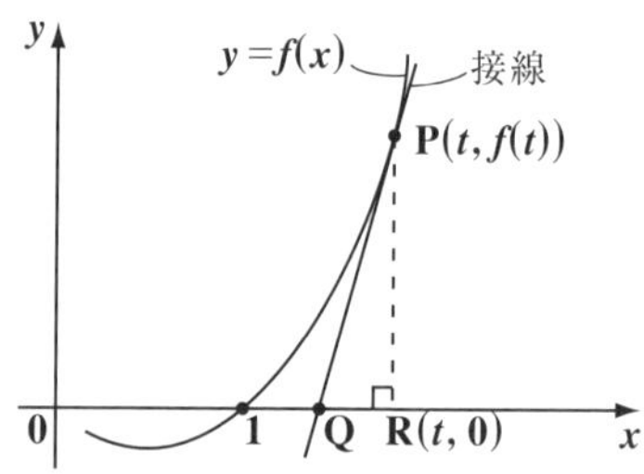

$$y=t^{a-1}(a\log t+1)(x-t)+t^a\log t \quad\cdots\cdots②$$

$$\left[y=\quad f'(t)\quad\times(x-t)+\ f(t)\right]$$

②に $y=0$ を代入して，両辺を $t^{a-1}\,(>0)$ で割ると

$$(\underbrace{a\log t+1}_{\oplus})(x-t)+t\log t=0$$

よって点 Q の x 座標は

$$x=t-\frac{t\log t}{a\log t+1}\ \text{となる。}$$

$y=f(x)$ の y 座標は，$y=x^a$ と $y=\log x$ の 2 つの y 座標の積より，次のようなグラフになることが分かるはずだ。

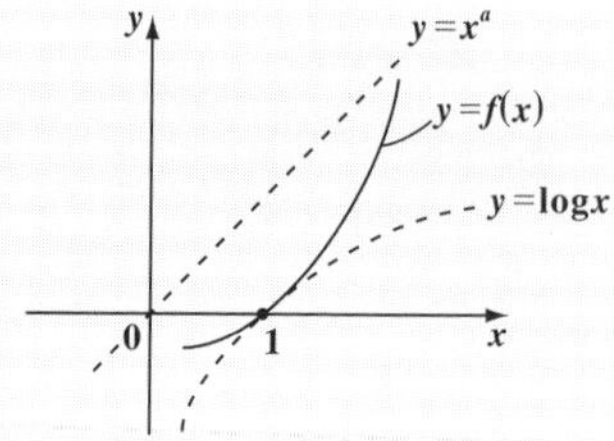

よって，△PQR の面積 $S_1(t)$ は，

$$S_1(t)=\frac{1}{2}\cdot\underbrace{\frac{t\log t}{a\log t+1}}_{QR}\cdot\underbrace{t^a\log t}_{PR=f(t)}=\frac{t^{a+1}(\log t)^2}{2(a\log t+1)}\quad\cdots\cdots③$$

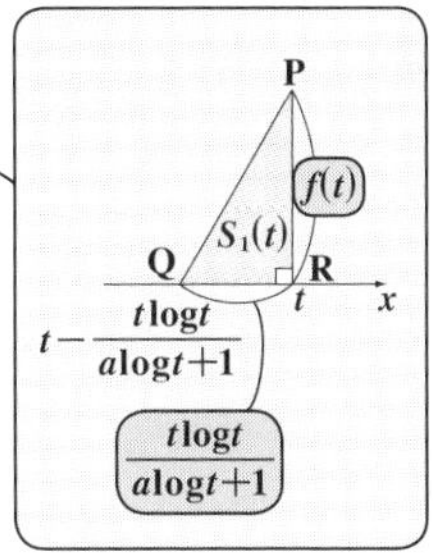

次に，$y=f(x)$ $(x\geqq 1)$ と $y=0$ と $x=t$ とで囲まれる部分の面積 $S_2(t)$ は

$$S_2(t)=\int_1^t x^a\log x\,dx$$

$$=\int_1^t\frac{1}{a+1}(x^{a+1})'\log x\,dx$$

部分積分法
$\int f'\cdot g\,dx=f\cdot g-\int f\cdot g'dx$

$$=\frac{1}{a+1}\Big[x^{a+1}\log x\Big]_1^t-\frac{1}{a+1}\underbrace{\int_1^t x^{a+1}\cdot\frac{1}{x}dx}_{\int_1^t x^a dx=\frac{1}{a+1}\left[x^{a+1}\right]_1^t}$$

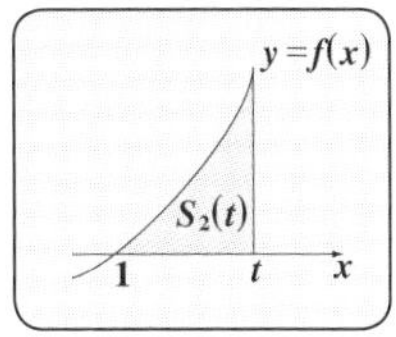

$$=\frac{t^{a+1}\log t}{a+1}-\frac{t^{a+1}-1}{(a+1)^2}\quad\cdots\cdots④$$ となる。

以上③，④より，求める極限は，

$$\lim_{t\to+\infty}\frac{S_2(t)}{S_1(t)}=\lim_{t\to+\infty}\underbrace{\frac{2(a\log t+1)}{t^{a+1}(\log t)^2}}_{\frac{1}{S_1(t)}}\cdot\underbrace{\left\{\frac{t^{a+1}\log t}{a+1}-\frac{t^{a+1}-1}{(a+1)^2}\right\}}_{S_2(t)}$$

$$=\lim_{t\to+\infty}2\cdot\frac{a\log t+1}{\log t}\cdot\frac{1}{t^{a+1}\log t}\left\{\frac{t^{a+1}\log t}{a+1}-\frac{t^{a+1}-1}{(a+1)^2}\right\}$$

$$=\lim_{t\to+\infty}2\left(a+\underbrace{\frac{1}{\log t}}_{0}\right)\left\{\frac{1}{a+1}-\frac{1}{(a+1)^2}\cdot\underbrace{\frac{1}{\log t}}_{0}\left(1-\underbrace{\frac{1}{t^{a+1}}}_{0}\right)\right\}$$

$$=2a\cdot\frac{1}{a+1}=\frac{2a}{a+1}$$ ……………………………………………………(答)

極方程式と面積計算

演習問題 55　難易度 ★★★　CHECK 1　CHECK 2　CHECK 3

xy 平面において，原点 O を極とし，x 軸の正の部分を始線とする極座標 (r, θ) に関して，極方程式 $r=1+\cos\theta$ によって表される曲線 C を考える。ただし，偏角 θ の動く範囲は $0 \leqq \theta \leqq \pi$ とする。

(1) 曲線 C 上の点で，y 座標が最大となる点 P_1 の極座標 (r_1, θ_1)，および x 座標が最小となる点 P_2 の極座標 (r_2, θ_2) を求めよ。

(2) 上の (1) の点 P_1，P_2 に対して，2 つの線分 OP_1，OP_2 および曲線 C で囲まれた部分の面積 S を求めよ。　（大阪市大）

ヒント！ (1) 極方程式 $r=f(\theta)$ の媒介変数表示は，$x=f(\theta)\cdot\cos\theta$, $y=f(\theta)\cdot\sin\theta$ となるんだね。(2) は，極方程式の面積公式 $S=\dfrac{1}{2}\displaystyle\int_{\theta_1}^{\theta_2} r^2 d\theta$ を使うといいよ。

解答＆解説

(1) 曲線 C：$r=f(\theta)=1+\cos\theta$ …① $(0 \leqq \theta \leqq \pi)$ ← これは，カージオイド（心臓形）の極方程式だ。

とおく。C 上の点 $P(x, y)$ の x, y 座標は，

$$\begin{cases} x=r\cdot\cos\theta=(1+\cos\theta)\cdot\cos\theta & \cdots② \\ y=r\cdot\sin\theta=(1+\cos\theta)\cdot\sin\theta & \cdots③ \end{cases}$$

$(0 \leqq \theta \leqq \pi)$ と表される。

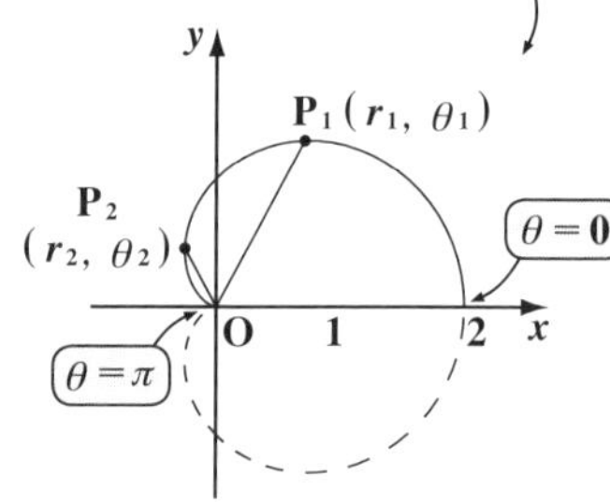

(i) ③より，y が最大となる点 $P_1(r_1, \theta_1)$ を求める。

$$\frac{dy}{d\theta}=-\sin\theta\cdot\sin\theta+(1+\cos\theta)\cdot\cos\theta$$

$$=-(1-\cos^2\theta)+\cos\theta+\cos^2\theta$$

$$=2\cos^2\theta+\cos\theta-1=(2\cos\theta-1)\cdot(\cos\theta+1)$$

（$2\cos\theta-1$：符号に関する本質的部分，$\cos\theta+1$：0 以上）

$\dfrac{dy}{d\theta}=0$ のとき，$\cos\theta=\dfrac{1}{2}$，-1 より，

$\theta=\dfrac{\pi}{3}$，π　よって，y の増減表は右のようになる。よって，y が最大となる点 $P_1(r_1, \theta_1)$ は，

y の増減表 $(0 \leqq \theta \leqq \pi)$

θ	0		$\frac{\pi}{3}$		π
$\frac{dy}{d\theta}$		$+$	0	$-$	0
y		↗	極大	↘	

$\theta_1 = \dfrac{\pi}{3}$，①より，$r_1 = 1 + \dfrac{1}{2} = \dfrac{3}{2}$

$\therefore \mathbf{P}_1(r_1,\ \theta_1) = \mathbf{P}_1\left(\dfrac{3}{2},\ \dfrac{\pi}{3}\right)$ ……………………………………………(答)

(ⅱ) ②より，x が最小となる点 $\mathbf{P}_2\ (r_2,\ \theta_2)$ を求める。

$$\frac{dx}{d\theta} = -\sin\theta\cdot\cos\theta + (1+\cos\theta)\cdot(-\sin\theta)$$

$$= \underline{-(2\cos\theta+1)}\cdot\underline{\sin\theta}$$

（符号に関する本質的部分）（0 以上）

$\dfrac{dx}{d\theta} = 0$ のとき，$\cos\theta = -\dfrac{1}{2}$，$\sin\theta = 0$ より，

$\theta = \dfrac{2}{3}\pi,\ 0,\ \pi$　よって，x の増減表は右のようになる。よって，x が最小となる点 $\mathbf{P}_2(r_2,\ \theta_2)$ は，

x の増減表 $(0 \leqq \theta \leqq \pi)$

θ	0		$\frac{2}{3}\pi$		π
$\frac{dx}{d\theta}$	0	$-$	0	$+$	0
x		↘	極小	↗	

$\theta_2 = \dfrac{2}{3}\pi$，①より，$r_2 = 1 - \dfrac{1}{2} = \dfrac{1}{2}$

$\therefore \mathbf{P}_2(r_2,\ \theta_2) = \mathbf{P}_2\left(\dfrac{1}{2},\ \dfrac{2}{3}\pi\right)$ ……………………………………………(答)

(2) 曲線 C と直線 $\mathbf{OP}_1\left(\theta = \dfrac{\pi}{3}\right)$，$\mathbf{OP}_2\left(\theta = \dfrac{2}{3}\pi\right)$

とで囲まれる図形の面積 S を求めると，

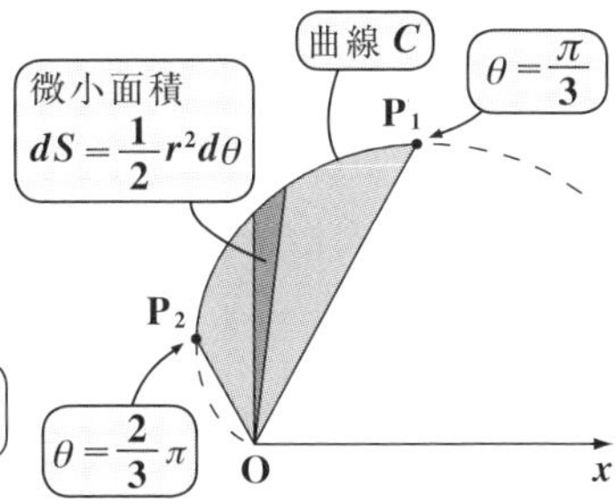

$$S = \frac{1}{2}\int_{\frac{\pi}{3}}^{\frac{2}{3}\pi} r^2\,d\theta \quad \leftarrow \text{（極方程式の面積公式）}$$

$$= \frac{1}{2}\int_{\frac{\pi}{3}}^{\frac{2}{3}\pi} \underline{(1+\cos\theta)^2}\,d\theta \quad (\text{①より})$$

$$1 + 2\cos\theta + \cos^2\theta = 1 + 2\cos\theta + \frac{1+\cos 2\theta}{2}$$

$$= \frac{1}{2}\int_{\frac{\pi}{3}}^{\frac{2}{3}\pi}\left(\frac{3}{2} + 2\cos\theta + \frac{1}{2}\cos 2\theta\right)d\theta$$

$$= \frac{1}{2}\left[\frac{3}{2}\theta + 2\sin\theta + \frac{1}{4}\sin 2\theta\right]_{\frac{\pi}{3}}^{\frac{2}{3}\pi}$$

$$= \frac{3}{4}\left(\frac{2}{3}\pi - \frac{\pi}{3}\right) + \cancel{\frac{\sqrt{3}}{2}} - \cancel{\frac{\sqrt{3}}{2}} + \frac{1}{8}\left(-\frac{\sqrt{3}}{2} - \frac{\sqrt{3}}{2}\right)$$

$= \dfrac{\pi}{4} - \dfrac{\sqrt{3}}{8}$　である。……………………………………………(答)

演習問題 56 難易度 ★★★★ CHECK1 CHECK2 CHECK3

$-1 \leqq t \leqq 1$ を満たす実数 t に対して，

$x(t)=(1+t)\sqrt{1+t}$，$y(t)=3(1+t)\sqrt{1-t}$

とする。座標平面上の点 $\mathrm{P}(x(t),\ y(t))$ を考える。

(1) $-1<t \leqq 1$ における t の関数 $\dfrac{y(t)}{x(t)}$ は単調に減少することを示せ。

(2) 原点と P の距離を $f(t)$ とする。$-1 \leqq t \leqq 1$ における t の関数 $f(t)$ の増減を調べ，最大値を求めよ。

(3) t が $-1 \leqq t \leqq 1$ を動くときの P の軌跡を C とし，C と x 軸で囲まれた領域を D とする。原点を中心として D を時計回りに 90° 回転させるとき，D が通過する領域の面積を求めよ。 (東京大)

Baba のレクチャー

曲線 C：$x(t)=(1+t)\sqrt{1+t}$，$y(t)=3(1+t)\sqrt{1-t}$ $(-1 \leqq t \leqq 1)$ の xy 座標平面上における概形は，次の 3 つの手順で求められる。

(Ⅰ) まず，x と t，y と t の曲線を描く。

(Ⅱ) 始点，終点，および特徴的な点(極大点，極小点，t 軸との交点)を押さえる。

(Ⅲ) xy 座標平面上に始点，終点，特徴的な点をとって，それらをなめらかな曲線で結ぶ。

では，この手順に従って C の概形を求めよう。

(Ⅰ)

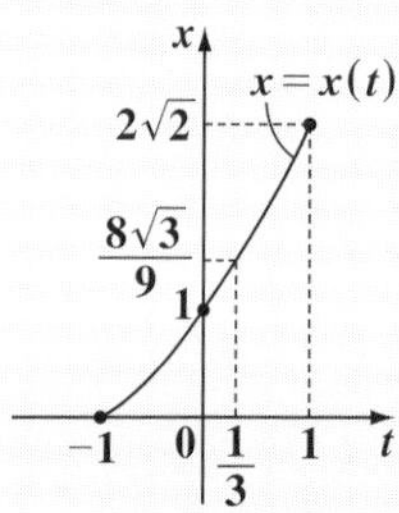

($x=t\sqrt{t}$ を t 軸方向に -1 だけ平行移動したもの)

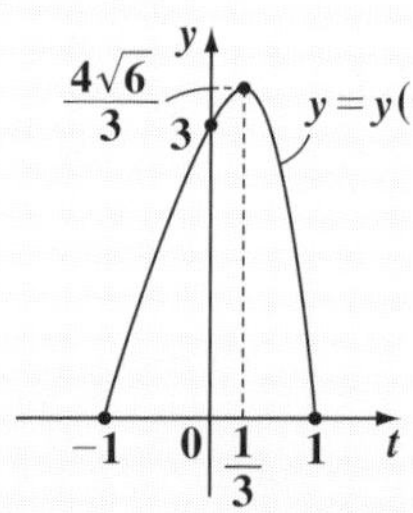

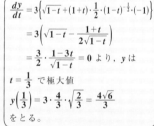

$\dfrac{dy}{dt}=3\left\{\sqrt{1-t}+(1+t)\cdot\dfrac{1}{2}\cdot(1-t)^{-\frac{1}{2}}\cdot(-1)\right\}$

$=3\left(\sqrt{1-t}-\dfrac{1+t}{2\sqrt{1-t}}\right)$

$=\dfrac{3}{2}\cdot\dfrac{1-3t}{\sqrt{1-t}}=0$ より，y は

$t=\dfrac{1}{3}$ で極大値

$y\left(\dfrac{1}{3}\right)=3\cdot\dfrac{4}{3}\cdot\sqrt{\dfrac{2}{3}}=\dfrac{4\sqrt{6}}{3}$

をとる。

(Ⅱ) t ： $-1 \longrightarrow 0 \longrightarrow \dfrac{1}{3} \longrightarrow 1$

$(x,\ y)$：$(0,\ 0) \longrightarrow (1,\ 3) \longrightarrow \left(\dfrac{8\sqrt{3}}{9},\ \dfrac{4\sqrt{6}}{3}\right) \longrightarrow (2\sqrt{2},\ 0)$

↑始点　↑$t=0$ のときの点　↑y の極大点　↑終点

(Ⅲ) これらの点をなめらかな曲線で結ぶことにより，xy 平面上に曲線 C の概形を，右図のように描くことができる。予め，この概形を知った上で問題を解いていこう。

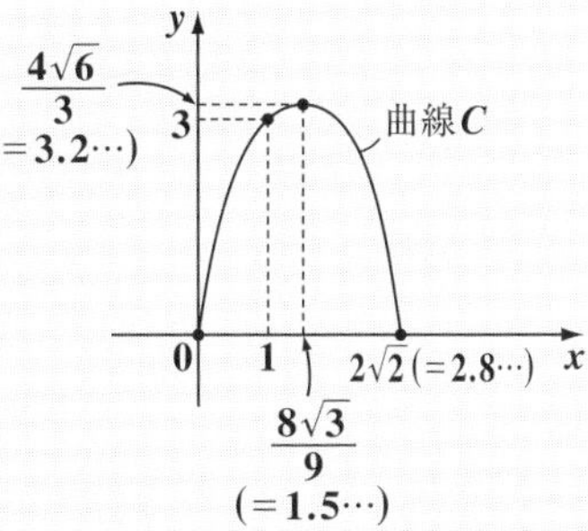

解答＆解説

曲線 $C\begin{cases} x(t)=(1+t)\sqrt{1+t} & \cdots\cdots\cdots ① \\ y(t)=3(1+t)\sqrt{1-t} & \cdots\cdots ② \end{cases}$ $(-1\leqq t\leqq 1)$ とおく。

(1) $-1<t\leqq 1$ のとき，①，②を $\dfrac{y(t)}{x(t)}$ に代入すると，

$$\frac{y(t)}{x(t)}=\frac{3\cancel{(1+t)}\sqrt{1-t}}{\cancel{(1+t)}\sqrt{1+t}}=\frac{3\sqrt{1-t}}{\sqrt{1+t}}\quad(-1<t\leqq 1)$$ となる。

ここで，$t:(-1)\to 1$ に変化するとき，

$\begin{cases} \cdot 分子：3\sqrt{1-t} は，\left(3\sqrt{2}\right)\to 0 に減少し， \\ \cdot 分母：\sqrt{1+t} は，(0)\to\sqrt{2} に増加する。\end{cases}$

よって，$-1<t\leqq 1$ において $\dfrac{y(t)}{x(t)}$ は単調に減少する。……………………(終)

(2) 曲線 C 上の点 P と原点との距離を右図に示すように，

$r=f(t)=\mathrm{OP}=\sqrt{x^2+y^2}$

とおいて，$r=f(t)$ の最大値を求める。

$r=f(t)\ (>0)$ より，$r^2=\{f(t)\}^2$ が最大のとき，$r=f(t)$ も最大となるので，$r^2=g(t)=\{f(t)\}^2$ とおいて，この最大値を求めると，①，②より，

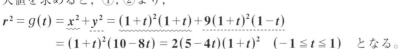

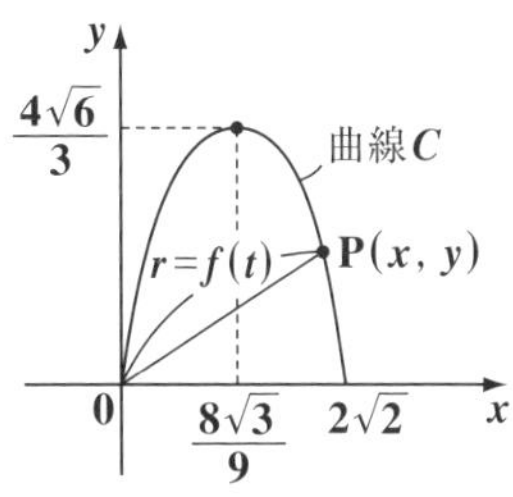

$$r^2=g(t)=\underset{\sim\sim}{x^2}+\underset{---}{y^2}=\underset{\sim\sim\sim\sim\sim\sim\sim\sim\sim\sim}{(1+t)^2(1+t)}+\underline{9(1+t)^2(1-t)}$$
$$=(1+t)^2(10-8t)=2(5-4t)(1+t)^2\quad(-1\leqq t\leqq 1)$$ となる。

$r^2=g(t)$ を t で微分して，

$$g'(t)=2\{\underbrace{-4\cdot(1+t)^2+(5-4t)\cdot2(1+t)}_{(1+t)(-4-4t+10-8t)}\}$$

$$=2(1+t)(6-12t)$$

$$=\underbrace{12(1+t)}\underbrace{(1-2t)}\quad となる。$$

$t=-1$ のときのみ 0 で，それ以外は常に⊕で，符号に無関係な部分

$g'(t)$ の符号に関する本質的な部分 $\widetilde{g'(t)}=\begin{cases}\oplus\\ 0\\ \ominus\end{cases}$

$r=f(t)=\mathrm{OP}=\sqrt{x^2+y^2}$
$r^2=g(t)=x^2+y^2$
$=2(5-4t)(1+t)^2$
$(-1\leqq t\leqq 1)$

よって，$g'(t)=0$ のとき，$t=-1,\ \dfrac{1}{2}$ より，

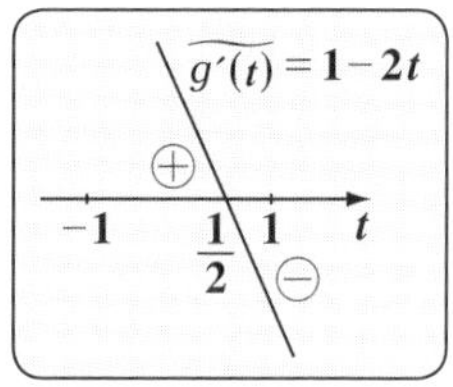

$$g(-1)=0,\ g\left(\frac{1}{2}\right)=2\cdot3\cdot\left(\frac{3}{2}\right)^2=\frac{27}{2},$$

$$g(1)=2\cdot1\cdot2^2=8$$

以上より，$g(t)\left(=\{f(t)\}^2\right)$，すなわち $f(t)$ の増減表は右のようになる。……………(答)

$f(t)$, $g(t)$ の増減表

t	-1		$\frac{1}{2}$		1
$g'(t)$	0	$+$	0	$-$	
$g(t)$	0	↗	$\frac{27}{2}$	↘	8
$f(t)$	0	↗	$\frac{3\sqrt{6}}{2}$	↘	$2\sqrt{2}$

よって，$t=\dfrac{1}{2}$ のとき，$f(t)$ は，極大値，すなわち最大値

$$f\left(\frac{1}{2}\right)=\sqrt{g\left(\frac{1}{2}\right)}=\sqrt{\frac{27}{2}}=\frac{3\sqrt{3}}{\sqrt{2}}$$

$$=\frac{3\sqrt{6}}{2}\ をとる。$$ ……………………………………………………(答)

(3) 図(i)に示すように，$t=\dfrac{1}{2}$ のときの点 P を特に点 Q とおく。そして曲線 C と x 軸とで囲まれる領域 D を，線分 OQ によって，D_1 と D_2 の 2 つの領域に分割する。そして，この領域 D を原点 O を中心として時計まわりに $90°$ だけ回転させたときの様子を図(ii)に

図(i)

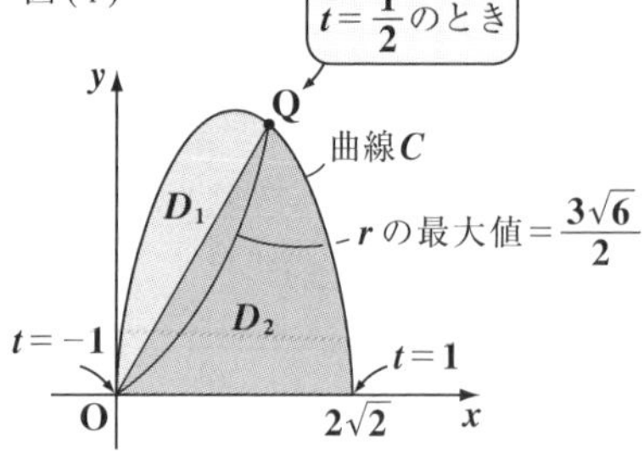

示す。領域 D_2 と点 Q を時計まわりに $90°$ だけ回転したものをそれぞれ D_2' と Q' とおくことにする。すると図(ii)より，領域 D がこの回転により通過する領域を A とおくと，これは，扇形 OQQ' と D_1 と D_2' を併せてできる図形になる。ここで，D_2 と D_2' の面積は等しいので，D_1 と D_2' を併せた図形は領域 D そのものである。

図(ii)

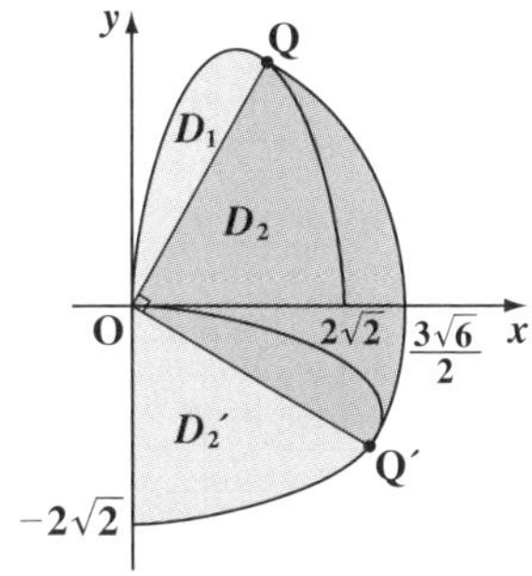

A，D_1，D_2'，扇形 $\triangledown OQQ'$ が，そのまま面積を表すものとすると，求める面積 A は，

$$A = \underline{\underline{D_1}} + \triangledown OQQ' + \underline{\underline{D_2'}} = \triangledown OQQ' + \underline{\underline{D_1 + D_2}} = \triangledown OQQ' + \underline{\underline{D}} \quad \cdots\cdots③$$

となる。

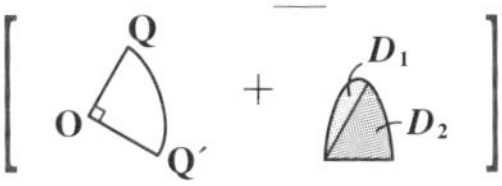

よって，順に $\triangledown OQQ'$，D を求めると，

$$\cdot \triangledown OQQ' = \frac{1}{4}\times\pi\times OQ^2 = \frac{\pi}{4}\times\left(\frac{3\sqrt{6}}{2}\right)^2 = \frac{\pi}{4}\times\frac{27}{2} = \frac{27}{8}\pi \quad \cdots\cdots④$$

となる。

$$\cdot D = \int_0^{2\sqrt{2}} y\,dx = \int_{-1}^{1} y\cdot\frac{dx}{dt}\,dt$$

y: $3(1+t)\sqrt{1-t}$

$\frac{dx}{dt}$: $\left\{(1+t)^{\frac{3}{2}}\right\}' = \frac{3}{2}(1+t)^{\frac{1}{2}}\times 1$

← まず，曲線 C が $y=f(x)$ の形で表されているものとして，$\int_0^{2\sqrt{2}} y\,dx$ とし，次にこれを t での積分 $\int_{-1}^{1} y\cdot\frac{dx}{dt}\,dt$ にして解く。($x:0\to 2\sqrt{2}$ のとき，$t:-1\to 1$)

$$= \int_{-1}^{1} 3(1+t)\sqrt{1-t}\cdot\frac{3}{2}\sqrt{1+t}\,dt$$

$$= \frac{9}{2}\int_{-1}^{1}(1+t)\sqrt{1-t^2}\,dt = \frac{9}{2}\left(\int_{-1}^{1}\sqrt{1-t^2}\,dt + \int_{-1}^{1} t\sqrt{1-t^2}\,dt\right)$$

（これは奇関数より，この定積分は 0 となる。）

$$= \frac{9}{2}\int_{-1}^{1}\sqrt{1-t^2}\,dt = \frac{9}{2}\times\frac{1}{2}\times\pi\times 1^2 = \frac{9}{4}\pi \quad \cdots\cdots⑤$$ となる。

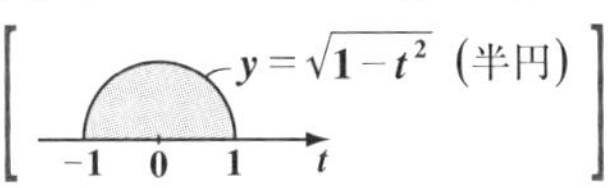

以上より，④，⑤を③に代入すると，求める領域の面積 A は，

$$A = \frac{27}{8}\pi + \frac{9}{4}\pi = \frac{27+18}{8}\pi = \frac{45}{8}\pi$$ である。……………………………(答)

媒介変数表示された曲線が囲む図形の面積(Ⅱ)

演習問題 57	難易度 ★★★★	CHECK1	CHECK2	CHECK3

xy 座標平面上で，原点 $\mathbf{O}$ を中心とする半径 $\mathbf{1}$ の円 $\mathbf{C_1}$ のまわりを，半径 $\mathbf{1}$ の円 $\mathbf{C_2}$ が，$\mathbf{C_1}$ に接しながら滑らずに，反時計回りに回転する。円 $\mathbf{C_2}$ 上の点 $\mathbf{P}(x,\ y)$ は，初め点 $\mathbf{A}(1,\ 0)$ にあるものとする。

(1) 円 $\mathbf{C_2}$ の中心を $\mathbf{Q}$ とする。$\angle\mathbf{AOQ}=\theta$ のとき，動点 $\mathbf{P}$ の x 座標，y 座標を θ を用いて表せ。

(2) θ が $0\leqq\theta\leqq2\pi$ の範囲で変化するとき，動点 $\mathbf{P}$ の描く曲線で囲まれる図形の面積 $\mathbf{S}$ を求めよ。

Baba のレクチャー

xy 座標平面上に，原点 $\mathbf{O}$ を中心とする半径 $\mathbf{1}$ の固定された円 $\mathbf{C_1}$ と，それに外接しながら，反時計回りに回転する半径 $\mathbf{1}$ の円 $\mathbf{C_2}$ がある。

円 $\mathbf{C_2}$ の中心 $\mathbf{Q}$ が $(2,\ 0)$ にあるとき，$\mathbf{C_2}$ 上の点で $\mathbf{C_1}$ と接していた点を $\mathbf{P}$ とおくよ。

図ア　点 $\mathbf{P}$ の位置

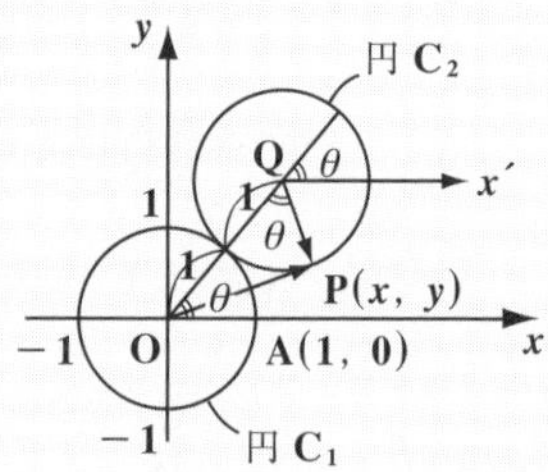

図アは，$\angle\mathbf{AOQ}=\theta$ となるように $\mathbf{C_2}$ が回転したときの，点 $\mathbf{P}(x,\ y)$ の位置を示している。このとき，$x,\ y$ を θ で表してみるよ。

まず、$\overrightarrow{\mathbf{OP}}=(x,\ y)$ とおいて，まわり道の原理より，

$\overrightarrow{\mathbf{OP}}=(x,\ y)=\overrightarrow{\mathbf{OQ}}+\overrightarrow{\mathbf{QP}}$ ……㋐

図イ　$\overrightarrow{\mathbf{OQ}}$ の成分表示

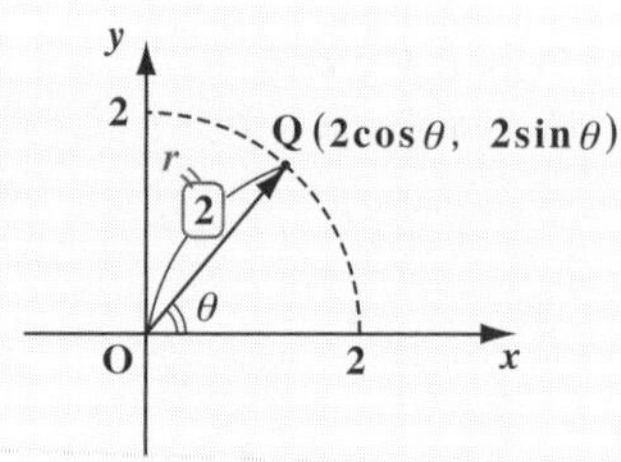

(i) 円 $\mathbf{C_2}$ の中心 $\mathbf{Q}$ は，円 $\mathbf{C_2}$ の反時計回りの回転（自転）とは関係なく，半径 $\mathbf{2}$ の円周上を θ だけ回転した位置にあるね。よって，円の媒介変数表示より，

$\overrightarrow{\mathbf{OQ}}=(2\cos\theta,\ 2\sin\theta)$ ……㋑となる。

(ii) $\overrightarrow{QP}$ を成分表示するためには，点 Q を原点と考えて，そのときの点 P の座標を求めればいいんだね。

図ウ $\overrightarrow{QP}$ の成分表示

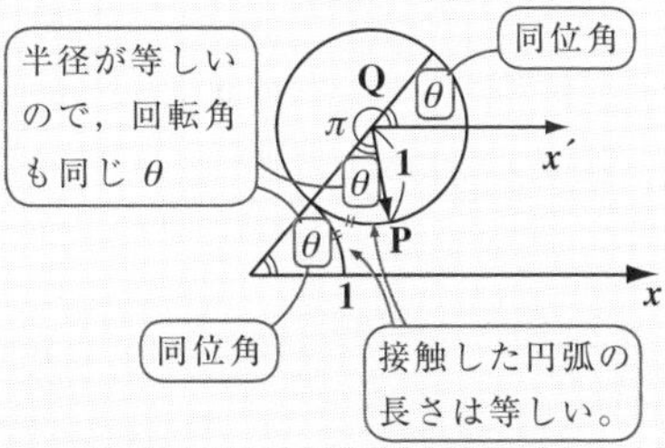

点 Q を原点とみると，図ウのように，点 P は，半径 1 の円周上を $\theta+\pi+\theta=2\theta+\pi$ だけ回転した位置にあるので，円の媒介変数表示より，

$\overrightarrow{QP}=\left(1\cdot\cos(2\theta+\pi),\ 1\cdot\sin(2\theta+\pi)\right)$ ……㋒となる。

㋑，㋒を㋐に代入すると，点 P の描く曲線が媒介変数 θ で表せるんだね。ナットクいった？

解答＆解説

原点を中心とする半径 1 の固定された円 C_1 に，外接しながら反時計回りに回転する円 C_2 上の点 $P(x,\ y)$ の x，y 座標を θ で表す。

$\overrightarrow{OP}=(x,\ y)=\overrightarrow{OQ}+\overrightarrow{QP}$ ……①

(Q：円 C_2 の中心)

図 1

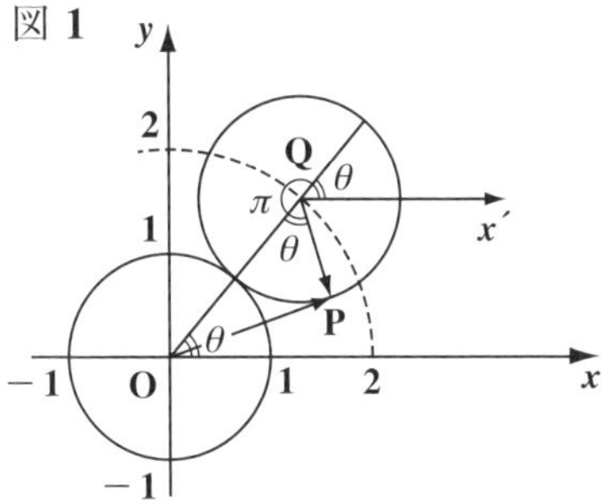

図 1 より，

(i) $\overrightarrow{OQ}=(2\cos\theta,\ 2\sin\theta)$ ……②

(ii) $\overrightarrow{QP}=\left(1\cdot\underbrace{\cos(2\theta+\pi)}_{-\cos2\theta},\ 1\cdot\underbrace{\sin(2\theta+\pi)}_{-\sin2\theta}\right)$

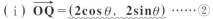

$=(-\cos2\theta,\ -\sin2\theta)$ ……③

(1) ②，③を①に代入して，

$\overrightarrow{OP}=(x,\ y)=(2\cos\theta,\ 2\sin\theta)+(-\cos2\theta,\ -\sin2\theta)$

$=(2\cos\theta-\cos2\theta,\ 2\sin\theta-\sin2\theta)$

媒介変数表示された曲線

$\therefore\begin{cases}x=2\cos\theta-\cos2\theta\\ y=2\sin\theta-\sin2\theta\end{cases}$ ……………………………………(答)

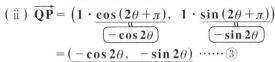

(2) θ が，$0 \leqq \theta \leqq 2\pi$ の範囲で変化するとき，点 P の描く曲線の概形を図 2 に示す。この図形は，明らかに，x 軸に関して対称なので，求める面積 S は，図 2 の網目部の面積の 2 倍である。

図 2

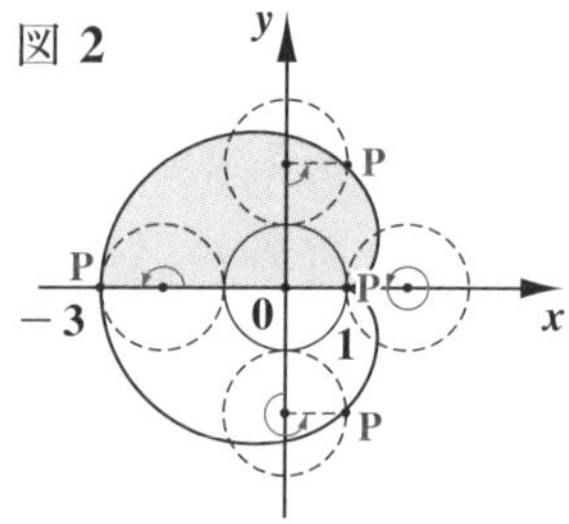

Baba のレクチャー

x 軸の上側の網目部の図形は，おデコが出てる形をしているので，そのデコの先端の点の x 座標を x_1，また，そのときの θ を θ_1 とおくよ。

図エ

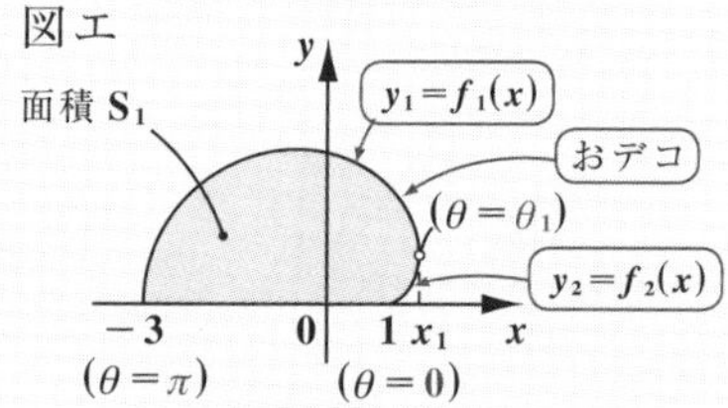

ここで，図エのようにこの曲線が，

$$\begin{cases} y_1 = f_1(x) & (-3 \leqq x \leqq x_1) \\ y_2 = f_2(x) & (1 \leqq x \leqq x_1) \end{cases}$$

$1 \leqq x \leqq x_1$ の範囲で，曲線の y 座標は上下 2 つ出てくるので，y_1，y_2 と書いて区別する必要がある！

と表されたものとすると，この面積 S_1 は，

もちろん，本当は違うんだけど，まず便宜上こう考える！

$S_1 = \int_{-3}^{x_1} y_1 dx - \int_1^{x_1} y_2 dx$ と表される。

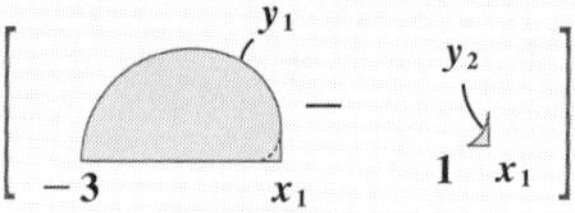

ここで，$dx = \dfrac{dx}{d\theta} \cdot d\theta$ とおいて，θ での積分に切り替えると，

θ の関数　　θ の関数

$S_1 = \int_{\pi}^{\theta_1} y \dfrac{dx}{d\theta} d\theta - \int_0^{\theta_1} y \dfrac{dx}{d\theta} d\theta$ となるね。

θ の関数を θ で積分するので，次のように積分区間も切り替える！

$\begin{cases} x: -3 \to x_1 \\ \theta: \pi \to \theta_1 \end{cases}$，　$\begin{cases} x: 1 \to x_1 \\ \theta: 0 \to \theta_1 \end{cases}$ となる。

このとき，θ の積分で，積分区間が $\pi \to \theta_1$，$0 \to \theta_1$ と重なることはないので，y_1 と y_2 の区別は不要になる！

求める図形の面積 $\mathbf{S}$ は，

$$\mathbf{S}=2\Big(\underbrace{\int_{-3}^{x_1}y_1dx-\int_1^{x_1}y_2dx}_{\mathbf{S}_1(\text{上半分の面積})}\Big)$$

（x_1 は，動点 $\mathbf{P}$ の x 座標の最大値を表し，θ_1 は，そのときの θ の値を表す。）

$$=2\Big(\underbrace{\int_{\pi}^{\theta_1}y\frac{dx}{d\theta}d\theta}_{-\int_{\theta_1}^{\pi}y\frac{dx}{d\theta}d\theta}-\int_0^{\theta_1}y\frac{dx}{d\theta}d\theta\Big)$$ ← θ での積分に置換！

$$=-2\Big(\int_0^{\theta_1}y\frac{dx}{d\theta}d\theta+\int_{\theta_1}^{\pi}y\frac{dx}{d\theta}d\theta\Big)$$

$$=-2\int_0^{\pi}y\frac{dx}{d\theta}d\theta$$ ← θ_1 の値が必要なくなった！

$$=-2\int_0^{\pi}(\underbrace{2\sin\theta-\sin 2\theta}_{y})\cdot(\underbrace{-2\sin\theta+2\sin 2\theta}_{\frac{dx}{d\theta}})d\theta$$

$$=-2\int_0^{\pi}(-4\underbrace{\sin^2\theta}_{\frac{1-\cos 2\theta}{2}}+6\underbrace{\sin\overset{\alpha}{(2\theta)}\sin\overset{\beta}{(\theta)}}_{-\frac{1}{2}(\cos 3\theta-\cos\theta)\ (\alpha+\beta)\ (\alpha-\beta)}-2\underbrace{\sin^2 2\theta}_{\frac{1-\cos 4\theta}{2}})d\theta$$ ← 積→差の公式

$$=-2\int_0^{\pi}\{-2+2\cos 2\theta-3(\cos 3\theta-\cos\theta)-1+\cos 4\theta\}d\theta$$

$$=2\int_0^{\pi}\{2-2\cos 2\theta+3(\cos 3\theta-\cos\theta)+1-\cos 4\theta\}d\theta$$

$$=2\int_0^{\pi}(3-3\cos\theta-2\cos 2\theta+3\cos 3\theta-\cos 4\theta)d\theta$$

$$=2\Big[3\theta-3\sin\theta-\sin 2\theta+\sin 3\theta-\frac{1}{4}\sin 4\theta\Big]_0^{\pi}$$

$=2\times 3\pi=6\pi$ ……………………………………（答）

テーマ12 体積・曲線の長さの計算

● バウムクーヘン型積分も自然に使いこなそう！

今回は，"**体積と曲線の長さの計算**"の解説に入ろう。この体積計算も，媒介変数表示された曲線など，他分野との融合問題として出題されることが多く，本物の実践力が試される分野と言えるんだ。今回も，それぞれ特徴ある良問を集めておいたから，シッカリ練習するといいよ。それでは，今回扱うメインテーマを下に書いておこう。

(1) 媒介変数表示された曲線の y 軸のまわりの回転体の体積

(2) バウムクーヘン型積分による y 軸のまわりの回転体の体積計算

(3) 斜軸回転体の体積計算

(4) 曲線の長さの典型問題

(1) では，演習問題 **56** (**P160**) と同様の操作で，まず媒介変数表示された曲線の概形をつかむことが大切だよ。後は，y 軸のまわりの回転体の体積を求めればいいんだね。

(2) の y 軸のまわりの回転体の体積を求めるには，

バウムクーヘン型積分の公式：$V=2\pi\int_a^b x\{f(x)-g(x)\}dx$

を使うと，とても楽になるんだね。

(3) では，斜軸回転体の体積計算についても解説しよう。ここでは傘型積分という積分手法が有効だ。これについても詳しく教えるつもりだ。ここではさらに，東工大の問題で傘型積分を使わない場合の斜軸回転体の体積計算の手法についても教えるつもりだ。楽しみにしてくれ。

(4) では，曲線の長さの公式

$L=\int_\alpha^\beta\sqrt{\left(\frac{dx}{d\theta}\right)^2+\left(\frac{dy}{d\theta}\right)^2}\,d\theta$，$L=\int_a^b\sqrt{1+\{f'(x)\}^2}\,dx$ を使えばいいんだね。

典型問題を **2** 題解いて練習しておこう。

媒介変数表示された曲線のy軸のまわりの回転体の体積

演習問題 58 難易度 ★★★ CHECK1 CHECK2 CHECK3

曲線 C：$\begin{cases} x = \sin 2t \\ y = (t-1)^2 \end{cases}$ $(0 \leqq t \leqq 1)$ がある。

この曲線と x 軸および y 軸で囲まれる部分を，y 軸のまわりに 1 回転してできる立体の体積を求めよ。 （関西大）

Baba のレクチャー

演習問題 56 (P160) のときと同様の手順で，xy 座標平面上における曲線 C の概形を求めてみるよ。

（Ⅰ）まず，$x = \sin 2t$，$y = (t-1)^2$ $(0 \leqq t \leqq 1)$ のグラフを描くんだね。

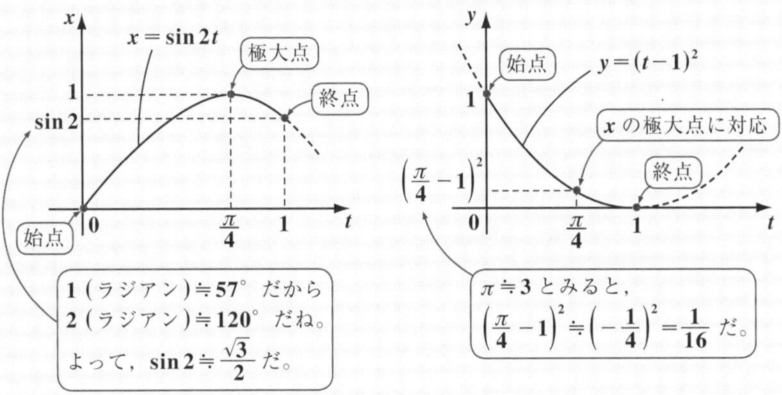

1（ラジアン）≒ **57°** だから
2（ラジアン）≒ **120°** だね。
よって，$\sin 2 \fallingdotseq \dfrac{\sqrt{3}}{2}$ だ。

$\pi \fallingdotseq 3$ とみると，
$\left(\dfrac{\pi}{4} - 1\right)^2 \fallingdotseq \left(-\dfrac{1}{4}\right)^2 = \dfrac{1}{16}$ だ。

（Ⅱ）これから，始点，終点，x の極大点（特徴的な点）が押さえられる。

$$t \ : \ 0 \ \to \ \frac{\pi}{4} \ \to \ 1$$

$$(x,\ y) : (0,\ 1) \to \left(1,\ \left(\frac{\pi}{4} - 1\right)^2\right) \to (\sin 2,\ 0)$$

（$\left(\frac{\pi}{4} - 1\right)^2 \fallingdotseq \frac{1}{16}$，$\sin 2 \fallingdotseq \frac{\sqrt{3}}{2}$）

（Ⅲ）以上より，この 3 点をなめらかな曲線で結んで，曲線 C が完成するんだね。
これで，本当にグラフの描き方の要領がつかめたはずだ！

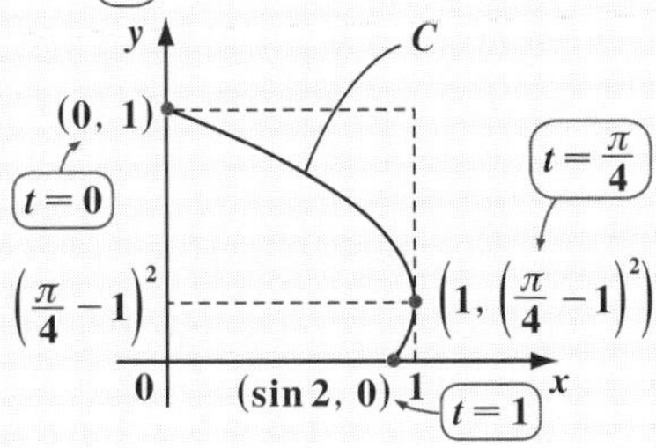

解答＆解説

曲線 C：$\begin{cases} x=\sin 2t \\ y=(t-1)^2 \end{cases}$ $(0 \leqq t \leqq 1)$ について，

t の値と，始点，終点，特徴的な点の座標 $(x,\ y)$ を対応させて示すと，

$$t\ :\ 0 \rightarrow \frac{\pi}{4} \rightarrow 1$$

$$(x,\ y):(0,\ 1) \rightarrow \left(1, \left(\frac{\pi}{4}-1\right)^2\right) \rightarrow (\sin 2,\ 0)$$

となる。よって，xy 座標平面上で，曲線 C の概形は次図の赤線部のようになる。

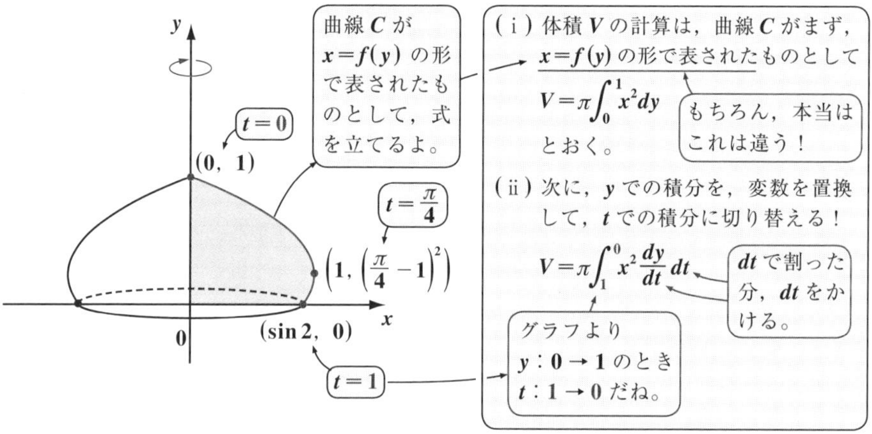

曲線 C と，x 軸，y 軸とで囲まれた部分を y 軸のまわりに回転してできる回転体の体積を V とおくと，

$$V=\pi\int_0^1 x^2dy=\pi\int_1^0 x^2\cdot\frac{dy}{dt}\,dt$$

y での積分を t での積分に切り替える。
$x^2=\sin^2 2t,\ \frac{dy}{dt}=\{(t-1)^2\}'=2(t-1)$ より，
$x^2\cdot\frac{dy}{dt}=(t$ の関数$)$ を t で積分するので，何の問題もないね。

$$=\pi\int_1^0 \underline{\sin^2 2t}\cdot 2(t-1)\,dt$$

$\sin^2 2t=\frac{1-\cos 4t}{2}$ ← 半角の公式

$(t-1)=-(1-t)$ として，この -1 で積分区間を $[1,\ 0]$ から $[0,\ 1]$ に変えた！

$$=\pi\int_0^1(1-\cos 4t)(1-t)\,dt$$

$$=\pi\int_0^1\left(t-\frac{1}{4}\sin 4t\right)'(1-t)\,dt$$

$$=\pi\left\{\left[\left(t-\frac{1}{4}\sin 4t\right)(1-t)\right]_0^1-\int_0^1\left(t-\frac{1}{4}\sin 4t\right)\cdot(-1)\,dt\right\}$$

部分積分の公式：
$\int_0^1 f'\cdot g\,dt=[f\cdot g]_0^1-\int_0^1 f\cdot g'\,dt$ を使った！

$$=\pi\int_0^1\left(t-\frac{1}{4}\sin 4t\right)dt$$

$$=\pi\left[\frac{1}{2}t^2+\frac{1}{16}\cos 4t\right]_0^1$$

$$=\pi\left(\frac{1}{2}+\frac{1}{16}\cos 4-\frac{1}{16}\right)$$

$$=\frac{\pi}{16}(7+\cos 4)$$ ……………………………………(答)

演習問題 59　難易度 ★★★　CHECK1　CHECK2　CHECK3

xy 平面上において 2 曲線 $y=e^x+e^{-x}$，$y=e^x-e^{-x}$ と 2 直線 $x=0$，$x=1$ とで囲まれた図形を y 軸の周りに 1 回転してできる立体の体積 V を求めよ。ただし，e は自然対数の底である。（東京都立大学＊）

Baba のレクチャー

(Ⅰ) $y=f(x)=e^x+e^{-x}$ とおくと，これは $y=e^x$ と $y=e^{-x}$ の 2 つの関数の y 座標同士の和となるから，そのグラフは，図アのようになるね。

図ア

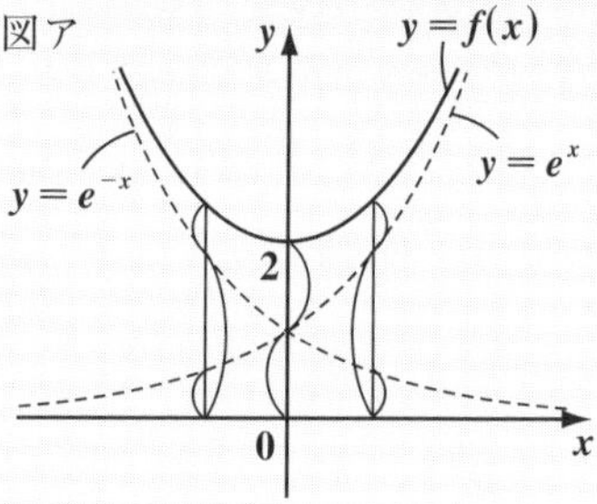

(Ⅱ) $y=g(x)=e^x+(-e^{-x})$ とおくと，これは $y=e^x$ と $y=-e^{-x}$ の 2 つの関数の y 座標同士の和となるから，そのグラフは，図イのようになるね。

差も，和の形にする！

図イ

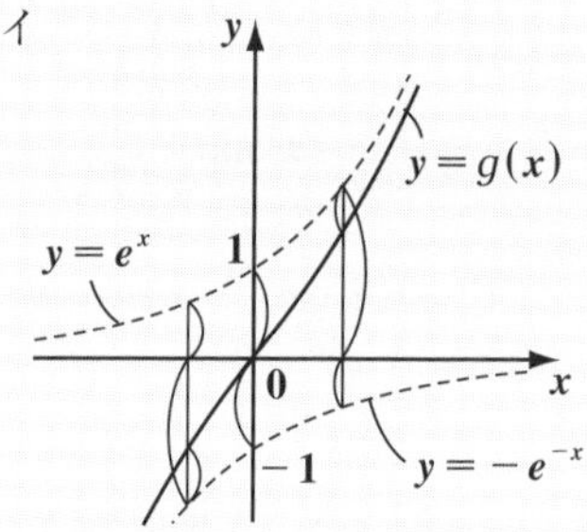

解答＆解説

$$\begin{cases} y=f(x)=e^x+e^{-x} \\ y=g(x)=e^x-e^{-x} \end{cases}$$ とおくと，

2 曲線 $y=f(x)$，$y=g(x)$，および 2 直線 $x=0$，$x=1$ で囲まれる図形は，図 1 の網目部となる。

図 1

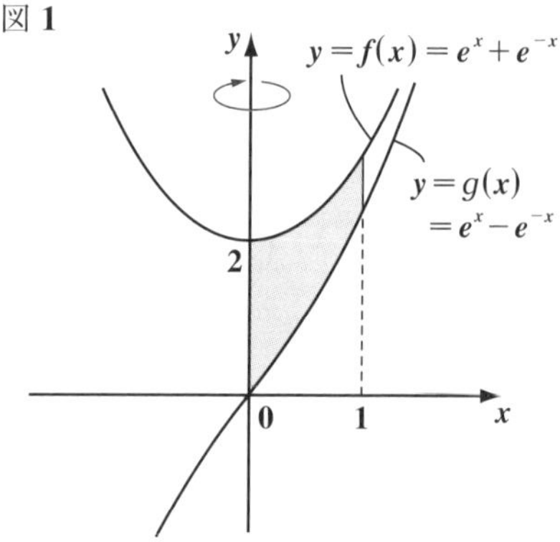

このy軸のまわりの回転体の体積 V の微小体積 dV は，第1次近似的に，

$$dV = \underbrace{2\pi x}_{\text{1周の長さ}} \cdot \underbrace{\{f(x) - g(x)\}}_{\text{高さ}} \cdot \underbrace{dx}_{\text{厚さ}}$$

$$= 2\pi x\{\cancel{e^{x}} + e^{-x} - (\cancel{e^{x}} - e^{-x})\}dx$$

$$= 4\pi x \cdot e^{-x}dx$$

となる。

図2

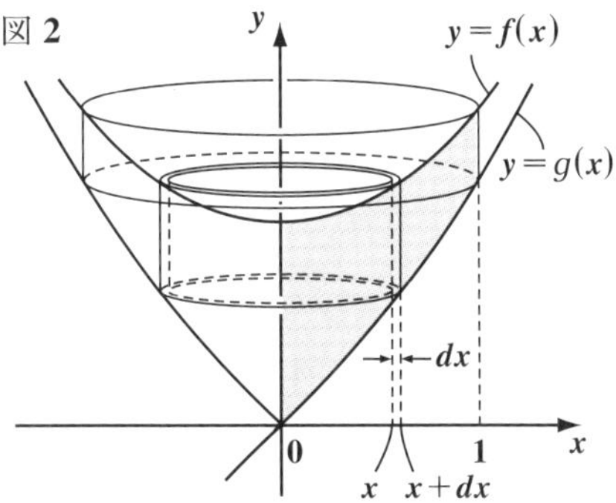

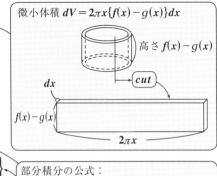

微小体積 $dV = 2\pi x\{f(x) - g(x)\}dx$

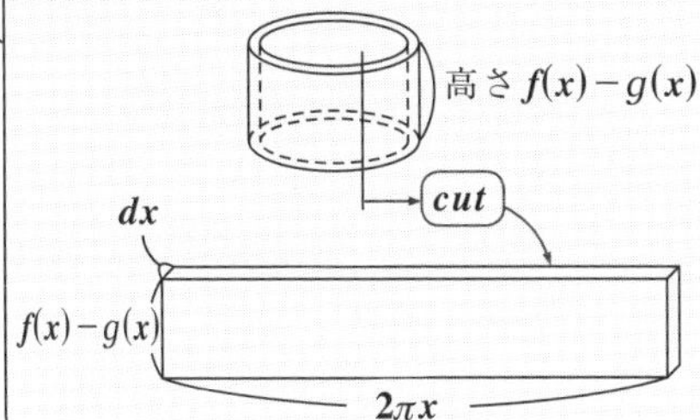

よって，求める回転体の体積 V は，

これがバウムクーヘン型積分だ！

$$V = 2\pi\int_0^1 x \cdot \{f(x) - g(x)\}dx$$

$$= 4\pi\int_0^1 x \cdot e^{-x}dx$$

$$= 4\pi\int_0^1 x \cdot (-e^{-x})'dx$$

$$= 4\pi\left\{\left[-x \cdot e^{-x}\right]_0^1 - \int_0^1 1 \cdot (-e^{-x})dx\right\}$$

部分積分の公式：$\int_0^1 f \cdot g' dx = [f \cdot g]_0^1 - \int_0^1 f' \cdot g dx$ を使った！

$$= 4\pi\left\{-e^{-1} + \left[-e^{-x}\right]_0^1\right\}$$

$$= 4\pi(-e^{-1} - e^{-1} + e^{0})$$

$$= 4\pi\left(1 - \frac{2}{e}\right) \quad \cdots\cdots\cdots\cdots\cdots\cdots(\text{答})$$

どう？ バウムクーヘン型積分の公式：$V = 2\pi\int_a^b x \cdot \{f(x) - g(x)\}dx$ にも慣れた？ よく，生徒から，バウムクーヘン型積分はどんなときに使うんですか，って質問を受けるんだけど，それは，y軸のまわりの回転体の体積で，一般の公式：$V = \pi\int_c^d x^2 dy$ を使うよりも，計算が楽になるときに使うんだよ。今回は明らかに，バウムクーヘン型の方がずっと楽だったのが分かるね。

関数の極限と斜軸回転体の体積(傘型積分)

演習問題 60　難易度 ★★★★　CHECK1　CHECK2　CHECK3

関数 $f(x)=\lim_{n\to\infty}\dfrac{x^{2n+1}+x^5+x^3}{x^{2n}+x^2+1}$ について次の問いに答えよ。

(1) 関数 $y=f(x)$ のグラフをかけ。

(2) 点 $(-1,\ -1)$ と点 $(1,\ 1)$ を結ぶ線分と $y=f(x)$ のグラフで囲まれる部分を，直線 $y=x$ を軸として回転させてできる回転体の体積を求めよ。　(信州大)

ヒント！ (1)は本質的に $\lim_{n\to\infty}x^n$ の問題だから，(ⅰ) $-1<x<1$，(ⅱ) $x=1$，(ⅲ) $x=-1$，(ⅳ) $x<-1$，$1<x$ の4通りに場合分けして，関数 $y=f(x)$ を求めればいいんだね。(2)は斜めの直線 $y=x$ を軸とする回転体の体積を求める問題なので“斜軸回転体(しゃじくかいてんたい)”の問題になる。この場合“傘型積分(かさがたせきぶん)”が有効となるので，解答&解説で詳しく説明しよう。是非マスターしてくれ！

解答&解説

(1) 関数 $f(x)=\lim_{n\to\infty}\dfrac{x^{2n+1}+x^5+x^3}{x^{2n}+x^2+1}$ について，

(ⅰ) $-1<x<1$，(ⅱ) $x=1$，(ⅲ) $x=-1$，(ⅳ) $x<-1$，$1<x$ の4通りに場合分けして調べる。

(ⅰ) $-1<x<1$ のとき，

$$f(x)=\lim_{n\to\infty}\frac{\overset{\to 0}{x^{2n+1}}+x^5+x^3}{\underset{\to 0}{x^{2n}}+x^2+1}=\frac{x^3(\cancel{x^2+1})}{\cancel{x^2+1}}=x^3$$

(ⅱ) $x=1$ のとき，

$$f(1)=\lim_{n\to\infty}\frac{1^{2n+1}+1^5+1^3}{1^{2n}+1^2+1}=\frac{3}{3}=1$$

(ⅲ) $x=-1$ のとき，

$$f(-1)=\lim_{n\to\infty}\frac{\overset{-1}{(-1)^{2n+1}}+(-1)^5+(-1)^3}{\underset{1}{(-1)^{2n}}+(-1)^2+1}=\frac{-3}{3}=-1$$

(iv) $x<-1,\ 1<x$ のとき，

$$f(x)=\lim_{n\to\infty}\frac{x+\left(\frac{1}{x}\right)^{2n-5}+\left(\frac{1}{x}\right)^{2n-3}}{1+\left(\frac{1}{x}\right)^{2n-2}+\left(\frac{1}{x}\right)^{2n}}=\frac{x}{1}=x$$

（分子・分母を x^{2n} で割った。 各項 $\left(\frac{1}{x}\right)^{2n-5}$, $\left(\frac{1}{x}\right)^{2n-3}$, $\left(\frac{1}{x}\right)^{2n-2}$, $\left(\frac{1}{x}\right)^{2n}$ → 0）

以上 (i) ～ (iv) より，

$$y=f(x)=\begin{cases}x^3 & (-1\leqq x\leqq 1)\\ x & (x<-1,\ 1<x)\end{cases}$$

となり，そのグラフは図 **1** のようになる。 ……………(答)

図 1

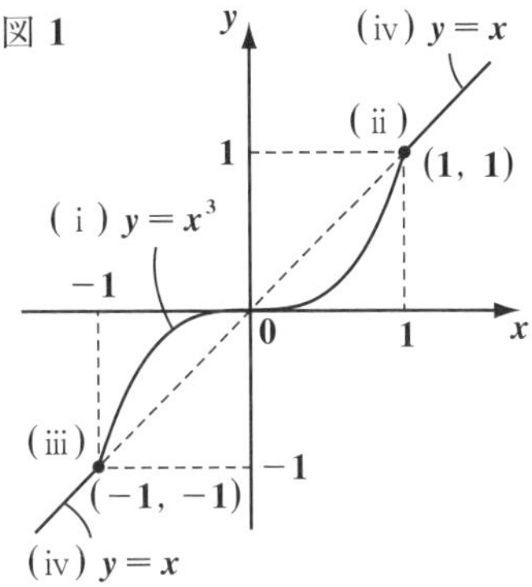

(2) $y=f(x)=x^3\ (-1\leqq x\leqq 1)$ と $y=x$ の **2** つのグラフで囲まれる部分を直線 $y=x$ のまわりに回転させてできる回転体の体積を V_0 とおこう。(図 **2** を参考にしてくれ。) ここで，$y=f(x)$ も $y=x$ も奇関数で，原点に関して対称なグラフとなるので，$y=f(x)\ (0\leqq x\leqq 1)$ と $y=x$ とで囲まれる部分の回転体の体積を V とおくと，V_0 は

$V_0=2V$ ……① となる。

[2× ]

図 2

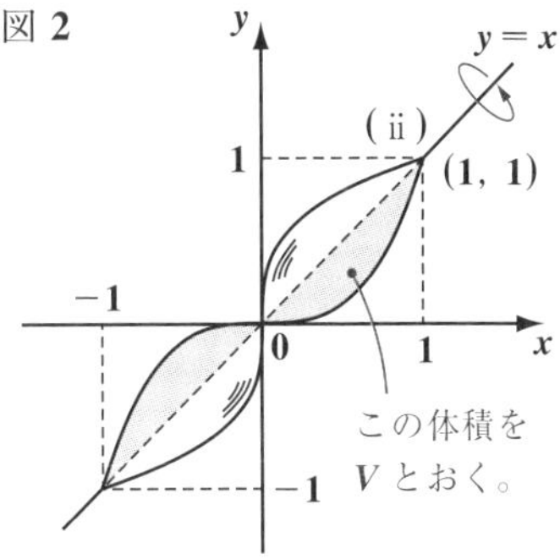

この場合，直線 $y=x$ が回転軸で，これが従来の x 軸や y 軸と違って斜めの軸となっているので，“斜軸回転体”の体積を求めることになる。ここで威力を発揮するのが，“傘型積分”と呼ばれる積分手法で，これは“バウムクーヘン型積分”と同様にマスターしておくと便利だ。

それでは，この“傘型積分”を使って，具体的に斜軸回転体の体積 V を求めてみよう。

一般に，体積計算の基本公式は積分定数 C を無視すれば，

$V=\int dV$ ……② ← $\int dV=\int 1\cdot dV=V+C$ だからね。

(V：体積，dV：微小体積) となる。

今回の問題で，この微小体積 dV を次のようにとる。図3を見てくれ。つまり，x と $x+dx$ の区間で，$y=x$ と $y=f(x)$ で挟まれる部分を，$y=x$ のまわりに回転すると，半開きの傘のような微小な厚さ dx の回転体が得られるだろう。この回転体の微小な体積を dV とおいて，これをまず求めてみよう。

図3 微小体積 dV

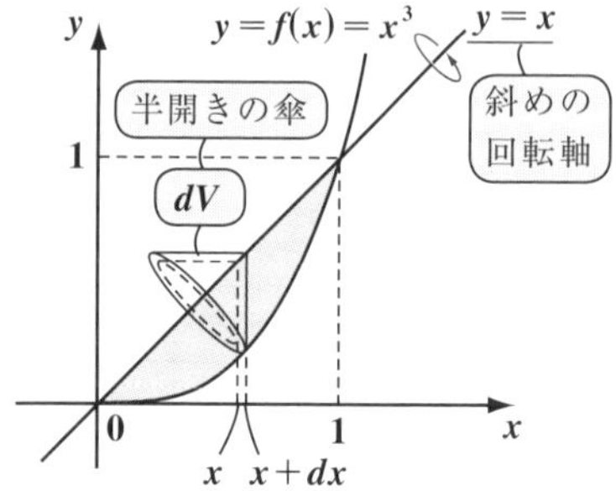

図4（i）に示すように，まずこの回転体に切り目を入れて展開すると，図4（ii）のような厚さ dx の扇形の展開図が得られるはずだ。

この扇形の中心角を θ とおき，半径を $r(=x-x^3)$ とおくと，この扇形の面積（x^3 は $f(x)$）に微小な厚さ dx をかけたものが，微小体積 dV より，

$$dV=\pi r^2\times\frac{\theta}{2\pi}\times dx$$

（r^2 は $(x-x^3)^2$）

$$=\pi(x-x^3)^2\cdot\frac{\theta}{2\pi}dx \quad\cdots\cdots③$$

となるのはいいね。ここで，$\frac{\theta}{2\pi}$ の値が分かればオシマイだね。そのためには，図4（i）の円すい形（半開きの傘）に半径 r' の底円が存在したと考えよう。すると，この底円の付いた円すいの展開図は図4（ii）となり，ここで，扇形の円弧の長さ $r\cdot\theta$ と底円の円周の長さ $2\pi r'$ とは一致するはずなので，

図4 微小体積 dV の計算

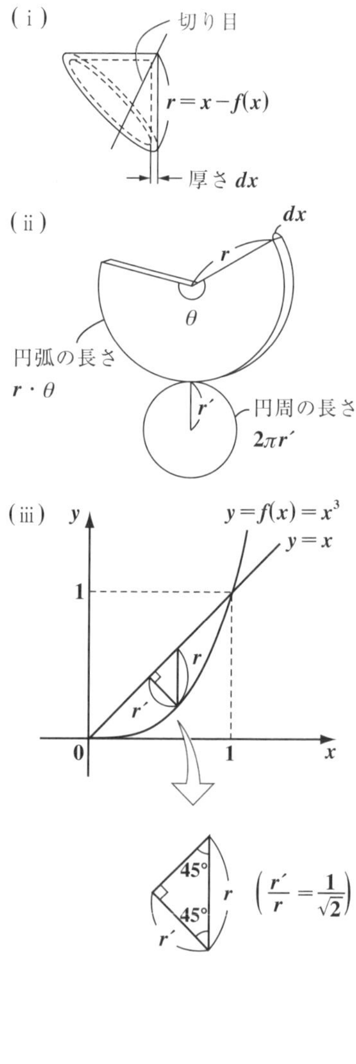

$r\cdot\theta=2\pi r'$ となる。これから $\dfrac{\theta}{2\pi}=\dfrac{r'}{r}$ となる。

この $\dfrac{r'}{r}$ は図4（iii）に示すように，元の $y=x$ と $y=f(x)=x^3$ のグラフから明らかに，$\dfrac{r'}{r}=\dfrac{1}{\sqrt{2}}$ となる。　$\therefore\ \dfrac{\theta}{2\pi}=\dfrac{r'}{r}=\dfrac{1}{\sqrt{2}}$ ……④だね。

よって，④を③に代入して，

$$dV=\pi(x-x^3)^2\cdot\frac{1}{\sqrt{2}}dx=\frac{\pi}{\sqrt{2}}(x-x^3)^2dx$$ ……③´となる。

③´を $V=\int dV$ …②に代入し，今回は積分区間 $0\leqq x\leqq 1$ での定積分になるので，

$$V=\int_0^1\frac{\pi}{\sqrt{2}}(x-x^3)^2dx=\frac{\pi}{\sqrt{2}}\int_0^1(x-x^3)^2dx$$ [] となる。

よって，①より，求める立体の体積 V_0 は，

$$V_0=2V=\sqrt{2}\pi\int_0^1(x-x^3)^2dx$$ [2× ]

$$=\sqrt{2}\pi\int_0^1(x^2-2x^4+x^6)dx$$

$$=\sqrt{2}\pi\left[\frac{1}{3}x^3-\frac{2}{5}x^5+\frac{1}{7}x^7\right]_0^1$$

$$=\sqrt{2}\pi\left(\frac{1}{3}-\frac{2}{5}+\frac{1}{7}\right)=\sqrt{2}\pi\cdot\frac{35-42+15}{105}$$

$=\dfrac{8\sqrt{2}}{105}\pi$ となる。……………………………………………………………(答)

どう？ 考え方が面白かっただろう？ これから斜軸回転の問題も，頻繁にではないけれど狙われる可能性があるから，もし出題されたら，この傘型積分の解法を使って，アッサリ解いてしまえばいいんだよ。解法のパターンさえ分かってしまえば，楽に解けてしまうからね。

では，次も斜軸回転の問題だけれど，導入により傘型積分を使わないで解く問題についてもチャレンジしてみよう。

斜軸回転体の体積

演習問題 61 難易度 ☆☆☆☆☆ CHECK 1 CHECK 2 CHECK 3

nを正の奇数とする。曲線 $y=\sin x$ $((n-1)\pi \leqq x \leqq n\pi)$ と x 軸で囲まれた部分を D_n とする。直線 $x+y=0$ を l とおき，l の周りに D_n を 1 回転させてできる回転体を V_n とする。

(1) $(n-1)\pi \leqq x \leqq n\pi$ に対して，点 $(x, \sin x)$ を P とおく。また P から l に下ろした垂線と x 軸の交点を Q とする。線分 PQ を l の周りに 1 回転させてできる図形の面積を x の式で表せ。

(2) (1)の結果を用いて，回転体 V_n の体積を n の式で表せ。（東京工業大）

ヒント！ 前問に続き，今回も斜軸回転体の体積を求める問題だけれど，今回は傘型積分を用いない。(1)で，この回転体を回転軸（直線 l）に垂直な平面で切ってできる断面積を求めるように導入があるので，この流れに乗って(2)では，これを回転軸方向に積分して，体積を求める式を立て，これを置換して x 軸方向の積分に切り替えればいいんだね。この計算手法もマスターしよう！

解答＆解説

図 1

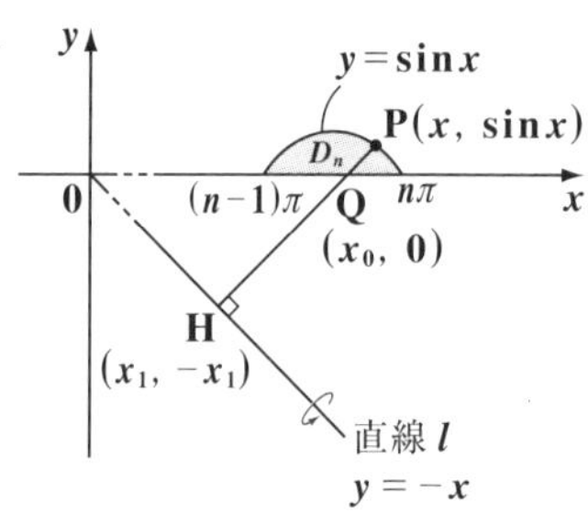

図 1 に示すように，曲線 $y=\sin x$ $((n-1)\pi \leqq x \leqq n\pi$，$n$：正の奇数) と x 軸とで囲まれる領域 D_n を直線 $l: y=-x$ のまわりに回転してできる回転体の体積 V_n を求める。

(1) 曲線上の点 $P(x, \sin x)$ $((n-1)\pi \leqq x \leqq n\pi)$ から l に下した垂線と x 軸との交点を $Q(x_0, 0)$ とおき，l との交点を $H(x_1, -x_1)$ とおいて，線分 PQ を l のまわりに 1 回転してできる図形の面積を S_n とおいて，これを求める。

この面積 S_n は，回転体を回転軸 l に垂直な平面で切ってできる回転体の断面積のことなんだね。したがって，これを l に沿って積分すれば，回転体の体積 V_n が求まるんだね。

3 点 H, P, Q を通る直線は，直線 $l: y=-x$ と垂直なので，その傾きは 1 である。よって，

(i) 線分 QP の傾き：$\dfrac{\sin x - 0}{x - x_0} = 1$ より，$\sin x = x - x_0$

$\therefore x_0 = x - \sin x$ ……① となる。

(ⅱ) 線分 HP の傾き：$\frac{\sin x+x_1}{x-x_1}=1$ より，$\sin x+x_1=x-x_1$

$\therefore x_1=\frac{x-\sin x}{2}$ ……② となる。

よって，図 2 より，

$$\begin{cases} HP=\sqrt{2}(\sin x+x_1) \cdots\cdots③ \\ HQ=\sqrt{2}x_1 \cdots\cdots④ \end{cases}$$ となるので，

線分 PQ を l のまわりに H を中心として回転してできる図形 (円環) の面積 S_n は，③, ④より，

図 2

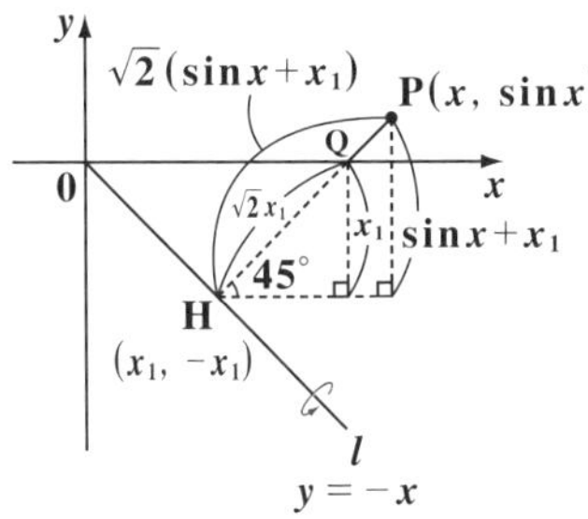

$S_n=\pi HP^2-\pi HQ^2$

$=\pi\cdot 2(\sin x+x_1)^2-\pi\cdot 2x_1^2$

$=2\pi(\sin^2 x+2x_1\sin x+x_1^2-x_1^2)$

$x_1=\frac{x-\sin x}{2}$ (②より)

$=2\pi\{\sin^2 x+(x-\sin x)\cdot\sin x\}$

(②より)

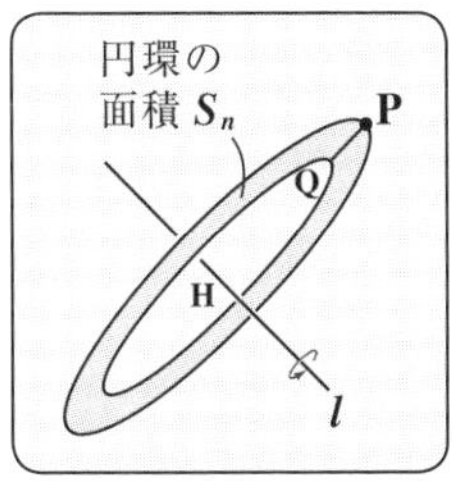

∴求める面積 S_n は，

$S_n=2\pi x\sin x$ ……⑤ $((n-1)\pi\leqq x\leqq n\pi)$ である。 ……(答)

Baba のレクチャー

(1)の結果として，S_n が求められたけれど，これは題意の回転体を回転軸 l に垂直な平面で切った断面の断面積のことなんだね。したがって，この回転体の体積 V_n を求めるためには，右図に示すように，直線 l と重なるように，原点 0 をもつ t 軸を新たに設定することにする。

すると，$(n-1)\pi\leqq x\leqq n\pi$ に対応する

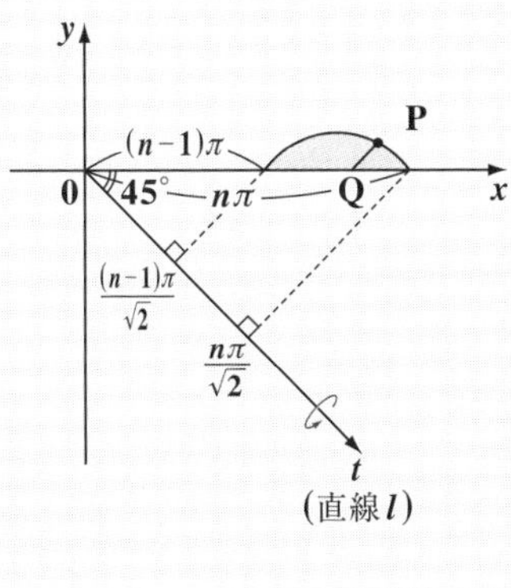

t の区間は，図より明らかに，$\frac{(n-1)\pi}{\sqrt{2}} \leqq t \leqq \frac{n\pi}{\sqrt{2}}$ となるため，これを積分区間として，微小体積 $dV_n = S_n \cdot dt$ を積分すればよいことになる。

$\therefore$ 求める体積 $V_n = \int_{\frac{(n-1)\pi}{\sqrt{2}}}^{\frac{n\pi}{\sqrt{2}}} S_n dt$ となるんだね。

（S_n ＝ $2\pi x \cdot \sin x$ ← x の式）

ただし，S_n を $S_n = 2\pi x \cdot \sin x$ として，x の式として求めているので，x と t との関係式が必要となる。

ここで，最後のポイントになるんだけれど，$t = \frac{x}{\sqrt{2}}$ としてはいけない！

（これは，間違い！）

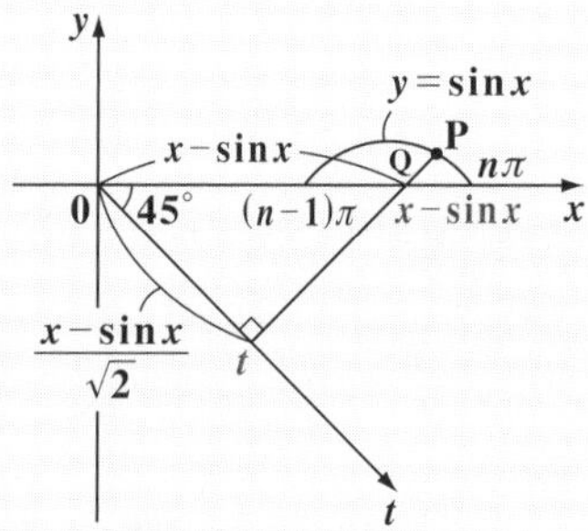

右図から分かるように，t 座標の座標 t に対応するのは，点 Q の x 座標 $x_0 = x - \sin x$ ……①

であるため，t と x との関係式は，$t = \frac{x - \sin x}{\sqrt{2}}$ となることに気を付けよう。

(2) (1)の結果より，線分 PQ を l のまわりに回転してできる図形の面積 S_n が，

$S_n = 2\pi x \sin x$ ……⑤ と求められたので，

直線 l と重なるように原点 0 をもつ t 軸を設定すると，領域 D_n を t 軸のまわりに回転してできる回転体の体積 V_n は，

$V_n = \int_{\frac{(n-1)\pi}{\sqrt{2}}}^{\frac{n\pi}{\sqrt{2}}} S_n dt$ ……⑥ となる。

ここで，t と x との関係式は，図形的に考えて，$t = \frac{x - \sin x}{\sqrt{2}}$ となるので，

$t: \frac{(n-1)\pi}{\sqrt{2}} \to \frac{n\pi}{\sqrt{2}}$ のとき，$x: (n-1)\pi \to n\pi$，また，

$dt = \frac{1 - \cos x}{\sqrt{2}} dx$ となる。よって，⑥を x での積分に置き換えて，V_n を求めると，

$$V_n = \int_{(n-1)\pi}^{n\pi} \underbrace{2\pi x \cdot \sin x}_{S_n} \cdot \underbrace{\frac{1-\cos x}{\sqrt{2}} dx}_{dt}$$

$$= \sqrt{2}\pi \int_{(n-1)\pi}^{n\pi} x \cdot \underbrace{\sin x \cdot (1-\cos x)}_{(\sin x - \sin x \cos x) = \left(\sin x - \frac{1}{2}\sin 2x\right)} dx$$

$$= \sqrt{2}\pi \int_{(n-1)\pi}^{n\pi} x \cdot \left(\sin x - \frac{1}{2}\sin 2x\right) dx$$

$$= \sqrt{2}\pi \int_{(n-1)\pi}^{n\pi} x \cdot \left(-\cos x + \frac{1}{4}\cos 2x\right)' dx$$

部分積分
$\int f \cdot g' dx = f \cdot g - \int f' \cdot g dx$

$$= \sqrt{2}\pi \left\{ \left[x\left(-\cos x + \frac{1}{4}\cos 2x\right)\right]_{(n-1)\pi}^{n\pi} - \int_{(n-1)\pi}^{n\pi} 1 \cdot \left(-\cos x + \frac{1}{4}\cos 2x\right) dx \right\}$$

$$n\pi\left(-\underbrace{\cos n\pi}_{(-1)} + \frac{1}{4}\underbrace{\cos 2n\pi}_{1}\right)$$

$$-(n-1)\pi\left(-\underbrace{\cos(n-1)\pi}_{1} + \frac{1}{4}\underbrace{\cos 2(n-1)\pi}_{1}\right)$$

$$= n\pi\left(1+\frac{1}{4}\right) - (n-1)\pi\left(-1+\frac{1}{4}\right)$$

$$= \frac{5}{4}n\pi + \frac{3}{4}(n-1)\pi = 2n\pi - \frac{3}{4}\pi$$

$\left(\because n\text{は正の奇数より}, \cos n\pi = -1,\ \cos(n-1)\pi = 1\right)$

$$\left[-\sin x + \frac{1}{8}\sin 2x\right]_{(n-1)\pi}^{n\pi} = 0$$

$\therefore V_n = \sqrt{2}\pi\left(2n\pi - \frac{3}{4}\pi\right) = \frac{\sqrt{2}\pi^2}{4}(8n-3)$ である。……………………(答)

曲線の長さと最大値の融合

演習問題 62 難易度 ☆☆☆ CHECK 1 CHECK 2 CHECK 3

媒介変数 t を用いて $x=\cos^3 t$，$y=\sin^3 t$ $\left(0 \leqq t \leqq \frac{\pi}{2}\right)$ で表される曲線を C とし，$t=0$ のときの C 上の点を A とする。$0<\theta<\frac{\pi}{2}$ を満たす θ に対して，C 上の点 $\mathrm{P}(\cos^3\theta,\ \sin^3\theta)$ における C の接線と x 軸との交点を Q とする。曲線 C の A から P までの部分の長さを $l_1(\theta)$ とし，線分 AQ の長さを $l_2(\theta)$ とする。関数 $l_1(\theta)-l_2(\theta)$ の最大値を求めよ。（九州大）

ヒント！ これは，アステロイド曲線の長さと，その接線に関する問題なんだね。ここでは，曲線の長さの公式 $L=\int_\alpha^\beta \sqrt{\left(\frac{dx}{dt}\right)^2+\left(\frac{dy}{dt}\right)^2}\,dt$ を利用しよう。

解答＆解説

アステロイド曲線 C：$x=\cos^3 t$ …①，$y=\sin^3 t$ …② $\left(0 \leqq t \leqq \frac{\pi}{2}\right)$ とおく。

①，②を t で微分して，

$$\begin{cases} \frac{dx}{dt}=3\cos^2 t\cdot(\cos t)'=-3\sin t\cos^2 t \quad \cdots\cdots ③ \\ \frac{dy}{dt}=3\sin^2 t\cdot(\sin t)'=3\sin^2 t\cos t \quad \cdots\cdots ④ \end{cases}$$

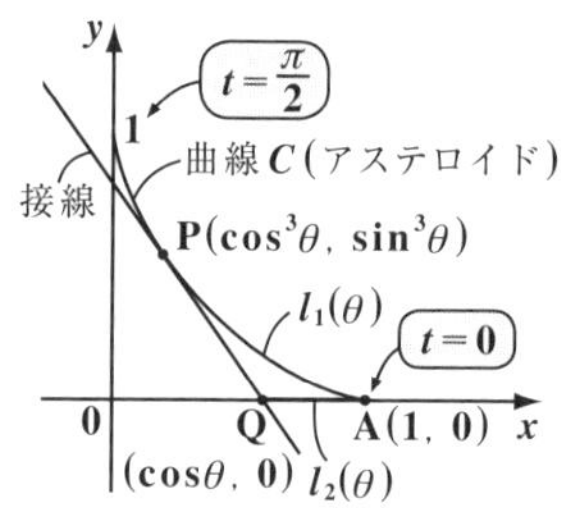

よって，C 上の点 $\mathrm{P}(\cos^3\theta,\ \sin^3\theta)$ における接線の方程式は，③，④より，その傾きが

$$\frac{dy}{dx}=\frac{3\sin^2\theta\cos\theta}{-3\sin\theta\cos^2\theta}=-\frac{\sin\theta}{\cos\theta}=-\tan\theta$$

だから，

$$y=-\tan\theta(x-\cos^3\theta)+\sin^3\theta \quad \cdots\cdots ⑤$$

⑤に $y=0$ を代入して，$\tan\theta(x-\cos^3\theta)=\sin^3\theta$

$$\tan\theta\cdot x-\sin\theta\cdot\cos^2\theta=\sin^3\theta$$

$$\frac{\sin\theta}{\cos\theta}\cdot x=\sin\theta\cdot(\underbrace{\sin^2\theta+\cos^2\theta}_{1})$$

よって，点 Q の x 座標は，$x=\cos\theta$ となる。

ここで，A(1, 0) より，

$l_2(\theta)=\mathrm{AQ}=1-\cos\theta$ ……⑥ $\left(0<\theta<\frac{\pi}{2}\right)$ となる。

次に，曲線 C の A から P までの長さ $l_1(\theta)$ は，

$$l_1(\theta)=\int_0^\theta\sqrt{\left(\frac{dx}{dt}\right)^2+\left(\frac{dy}{dt}\right)^2}\,dt$$

$(-3\sin t\cos^2 t)^2+(3\sin^2 t\cos t)^2$ （③，④より）
$=9\sin^2 t\cos^2 t\cdot(\cos^2 t+\sin^2 t)=9\sin^2 t\cos^2 t$　（$\cos^2 t+\sin^2 t=1$）

$$=3\int_0^\theta\sqrt{\sin^2 t\cos^2 t}\,dt$$

$|\sin t\cdot\cos t|=\sin t\cdot\cos t\quad\left(\because 0\leqq t\leqq\theta<\frac{\pi}{2}\right)$

$$=3\int_0^\theta\sin t\cos t\,dt=\frac{3}{2}\left[\sin^2 t\right]_0^\theta$$

（$\sin t\cos t=f\cdot f'$）

$3\int_0^\theta f\cdot f'\,dt=3\cdot\left[\frac{1}{2}f^2\right]_0^\theta$ だからね。

$\therefore\ l_1(\theta)=\frac{3}{2}\sin^2\theta$ ……⑦ となる。

ここで，$h(\theta)=l_1(\theta)-l_2(\theta)$ $\left(0<\theta<\frac{\pi}{2}\right)$ とおくと，⑥，⑦より

$$h(\theta)=\frac{3}{2}\sin^2\theta-(1-\cos\theta)=\frac{3}{2}(1-\cos^2\theta)-1+\cos\theta$$
$$=-\frac{3}{2}\cos^2\theta+\cos\theta+\frac{1}{2}$$
$$=-\frac{3}{2}\left(\cos^2\theta-\frac{2}{3}\cos\theta+\frac{1}{9}\right)+\frac{1}{2}+\frac{1}{6}$$

2で割って2乗

$$=-\frac{3}{2}\left(\cos\theta-\frac{1}{3}\right)^2+\frac{2}{3}\quad\left(0<\theta<\frac{\pi}{2}\text{ より，}0<\cos\theta<1\right)$$

$h(\theta)$ を $\cos\theta$ の2次関数 $g(\cos\theta)$ とし，さらに

$\cos\theta=u$ とおくと，

$$g(u)=-\frac{3}{2}\left(u-\frac{1}{3}\right)^2+\frac{2}{3}$$

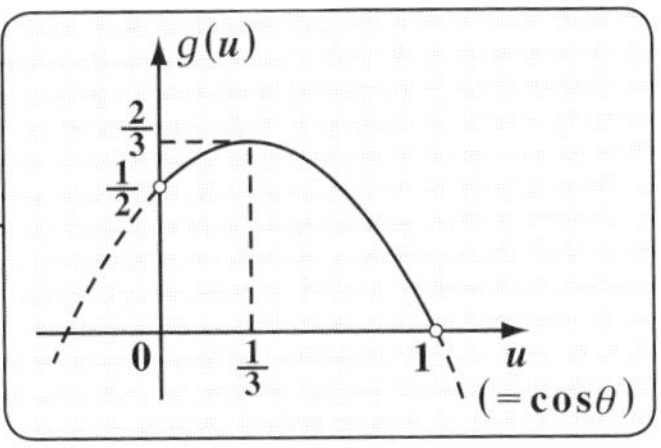

$u=\cos\theta=\frac{1}{3}$ のとき，$g(u)$，

すなわち $h(\theta)=l_1(\theta)-l_2(\theta)$ は

最大値 $\frac{2}{3}$ をとる。……………………………(答)

動点の速度と道のり(曲線の長さ)

演習問題 63　難易度 ★★★　CHECK1　CHECK2　CHECK3

座標平面上を動く点 P の座標 (x, y) が時刻 t (t はすべての実数値をとる) を用いて

$x = 6e^t$, $y = e^{3t} + 3e^{-t}$

で与えられている。このとき，次の各問いに答えよ。

(1) 与えられた式から t を消去して，x と y の満たす方程式 $y = f(x)$ を導け。

(2) 点 P の軌跡を図示せよ。

(3) 時刻 t での点 P の速度 $\vec{v}$ を求めよ。

(4) 時刻 $t = 0$ から $t = 3$ までに点 P の動く道のりを求めよ。(同志社大)

ヒント！ (1) で $y = f(x)$ の形の関数も求めているので，この曲線の長さ L は，
$L = \int_0^3 |\vec{v}|dt = \int_0^3 \sqrt{\left(\frac{dx}{dt}\right)^2 + \left(\frac{dy}{dt}\right)^2}\,dt$ と，$L = \int_a^b \sqrt{1 + \{f'(x)\}^2}\,dx$ のいずれでも求まる。

解答&解説

(1) 動点 $P(x, y)$ に対して，$x = 6e^t$ …①，$y = e^{3t} + 3e^{-t}$ …② (t：時刻) とおく。①より，$e^t = \frac{x}{6}$ これを②に代入すると，動点 P の描く曲線を次のように $y = f(x)$ の形で表せる。

$$y = f(x) = \left(\frac{x}{6}\right)^3 + 3\cdot\left(\frac{x}{6}\right)^{-1} = \frac{x^3}{216} + \frac{18}{x} \cdots③ \cdots(答)$$

(ただし，$x > 0$)

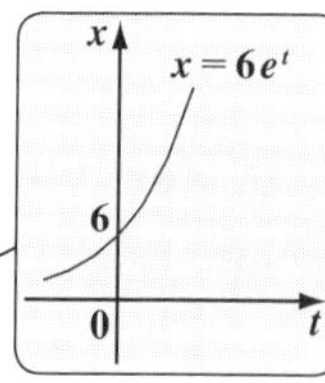

(2) $f'(x) = \frac{3x^2}{216} - \frac{18}{x^2} = \frac{x^2}{72} - \frac{18}{x^2}$ より，

$f'(x) = 0$ のとき $\frac{x^2}{72} = \frac{18}{x^2}$

$x^4 = 18 \times 72 = 2 \cdot 3^2 \cdot 2^3 \cdot 3^2 = 2^4 \cdot 3^4 = 6^4$ より

$x = 6$ ($\because x > 0$)

$f(6) = \frac{6^3}{216} + \frac{18}{6} = 1 + 3 = 4$

よって，$y = f(x)$ ($x > 0$) の増減表は次のようになる。

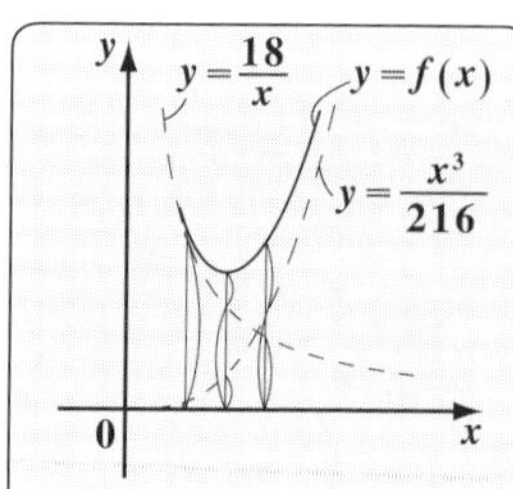

$y = f(x)$ は上のように極小値を 1 つもつグラフになる。

また，$\displaystyle\lim_{x\to+0} f(x)=\lim_{x\to+0}\left(\underbrace{\frac{x^3}{216}}_{\to 0}+\underbrace{\frac{18}{x}}_{\to\infty}\right)=\infty$

$$\lim_{x\to+\infty} f(x)=\lim_{x\to+\infty}\left(\underbrace{\frac{x^3}{216}}_{\to\infty}+\underbrace{\frac{18}{x}}_{\to 0}\right)=\infty$$

$f(x)$ の増減表 $(x>0)$

x	(0)		6	
$f'(x)$		$-$	0	$+$
$f(x)$		↘	4	↗

よって，点 P の軌跡（$y=f(x)$ のグラフの概形）は，右のようになる。……………(答)

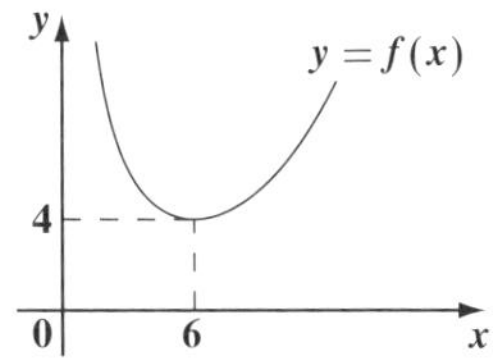

(3) ①，②を t で微分して，

$$\frac{dx}{dt}=6e^t,\quad \frac{dy}{dt}=3e^{3t}-3e^{-t}$$

よって，動点 P の速度 $\vec{v}$ は，

$\vec{v}=(6e^t,\ 3e^{3t}-3e^{-t})$ ……………………………………………………(答)

(4) t が $0\leqq t\leqq 3$ の範囲で，P の動く道のり L を求めると，

$$L=\int_0^3\sqrt{\left(\frac{dx}{dt}\right)^2+\left(\frac{dy}{dt}\right)^2}\,dt=3\int_0^3\sqrt{(\underbrace{e^{3t}+e^{-t}}_{\oplus})^2}\,dt$$

$$(6e^t)^2+(3e^{3t}-3e^{-t})^2=36e^{2t}+9e^{6t}-18e^{2t}+9e^{-2t}$$
$$=9(e^{6t}+2e^{2t}+e^{-2t})=9(e^{3t}+e^{-t})^2$$

$$=3\int_0^3(e^{3t}+e^{-t})\,dt=3\left[\frac{1}{3}e^{3t}-e^{-t}\right]_0^3$$

$$=3\left\{\frac{1}{3}e^9-e^{-3}-\left(\frac{1}{3}-1\right)\right\}=e^9-3e^{-3}+2$$ ……………………………(答)

(4)の別解

$$y=f(x)=\frac{x^3}{216}+\frac{18}{x},\quad f'(x)=\frac{x^2}{72}-\frac{18}{x^2}$$

$t:0\to3$ のとき，$x:6\to6e^3$ より，求める P の動いた道のり L は，

$$L=\int_6^{6e^3}\sqrt{1+\{f'(x)\}^2}\,dx=\int_6^{6e^3}\left(\frac{x^2}{72}+\frac{18}{x^2}\right)dx$$

$$1+\left(\frac{x^2}{72}-\frac{18}{x^2}\right)^2=1+\frac{x^4}{72^2}-2\cdot\frac{18}{72}+\frac{18^2}{x^4}=\left(\frac{x^2}{72}+\frac{18}{x^2}\right)^2$$

$=\left[\dfrac{x^3}{216}-\dfrac{18}{x}\right]_6^{6e^3}=e^9-3e^{-3}+2$ と求めてもいいんだね。大丈夫？

テーマ13 空間座標と体積計算

● 立体の断面積に着目しよう！

それでは，“**空間座標と体積計算**”のテーマについて解説しよう。これは難関大が好んで出題してくる分野の1つなので，空間座標の考え方についても慣れておく必要があるんだね。また，xyz 座標空間上の立体の体積を求める場合，立体の形状がよく分からなくてもかまわない。大事なことは，その立体をたとえば z 軸に垂直な平面 $z=t$ などで切ったときの切り口の断面積 $S(t)$ を求めることなんだ。そして t が $a \leqq t \leqq b$ の範囲の変数のとき，この区間で定積分することにより，求める立体の体積 V は

$V=\int_a^b S(t)dt$ と計算できるんだね。断面積に着目すること，これが重要なポイントだね。それでは，今回の具体的なテーマを下に書いておこう。

(1) 空間座標と体積計算の標準問題
(2) 2つの円柱の交わりの部分(共通部分)の体積
(3) 三角形の回転体の体積
(4) 円錐の回転体の体積

どれも，“**空間座標と体積計算**”で出題される頻出典型問題なので，これらの問題をシッカリ解いておけば，自信が持てるようになるはずだ。

それではここで，空間座標の基本的な考え方について解説しておこう。

図1 xy 座標平面上での $x=1$

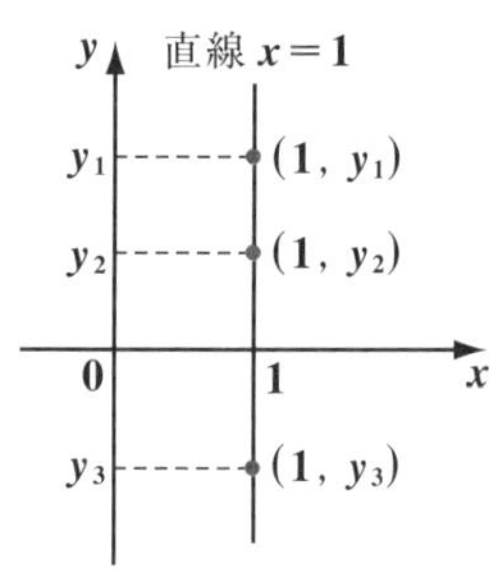

まず，xy 座標平面上において，$x=1$ は y 軸に平行な直線になるのはいいね。この方程式では，x 座標のみは1に制約しているけれど，y については何も言っていないので，図1に示すように，y 座標は，$\cdots y_1$，y_2，y_3，$\cdots$と自由

に動けるからだ。

では，次，xyz 座標空間上における $x=1$ についても考えよう。今回は x 座標だけが 1 となる制約条件が付いているけれど，y 座標，z 座標は自由に値を取れるので，…，$(1,\ y_1,\ z_1)$，$(1,\ y_2,\ z_2)$，$(1,\ y_3,\ z_3)$，…と，図 2 に示すように，$x=1$ は点 $(1,\ 0,\ 0)$ を通る yz 平面に平行な平面を表すんだね。大丈夫？

図 2 xyz 座標空間上での $x=1$

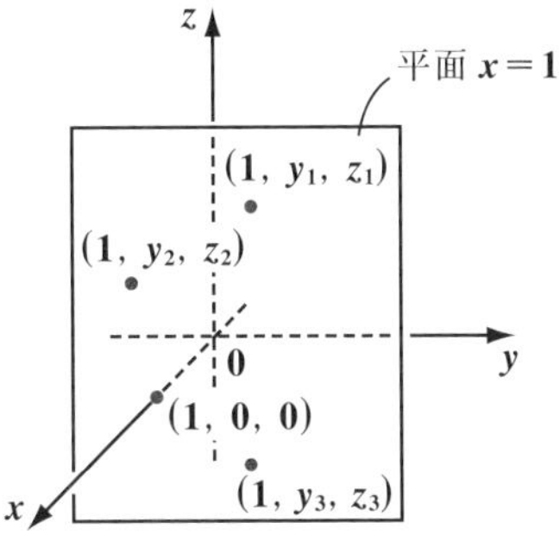

では，次，方程式 $x^2+y^2=1$ についても考えてみよう。

（ⅰ）xy 座標平面上においては図 3（ⅰ）に示すように，これは中心が原点，半径 1 の円を表す。これはいいね。

（ⅱ）しかし，同じ $x^2+y^2=1$ でも，xyz 座標空間上においては，これは z 座標については何も言っていないので，z 軸方向には点は自由に動ける。よってこれは，図 3（ⅱ）に示すように z 軸を中心軸とする半径 1 の直円柱面を表すことになるんだね。図 3（ⅱ）では図の都合上，上下途中までの直円柱面として示したけれど，これは本当は上下に果てしなく続く無限円柱面を表すんだね。納得いった？

図 3 $x^2+y^2=1$ について

（ⅰ）xy 座標平面上では円になる。 （ⅱ）xyz 座標空間上では円柱面になる。

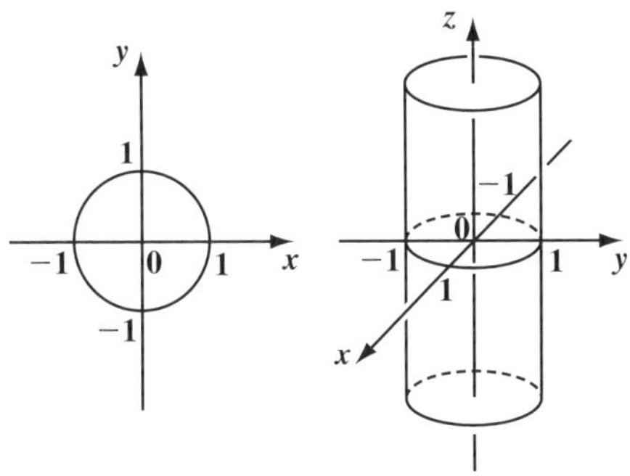

さらに，空間座標が絡んだ問題では，“視点をどこにおくか？”，“断面をどのようにしてとるか？”などが重要なポイントになるんだよ。これらについては，実際に問題を解きながら解説していくことにしよう。

空間座標と体積計算

演習問題 64　難易度 ★★★　CHECK1　CHECK2　CHECK3

空間の2点A(1, 0, 0), B(0, 2, 1)を通る直線lを，y軸のまわりに1回転して得られる曲面をSとする。2平面$y=0$, $y=2$とSとで囲まれる立体の体積を求めよ。　　(群馬大・医)

ヒント！ 直線lの回転体を平面$y=t$で切るとその切り口は円になる。この円の面積をtの関数で表して，積分するといいよ。

Babaのレクチャー(Ⅰ)

一般に，点$A(x_1, y_1, z_1)$を通り，方向ベクトル$\vec{d}=(l, m, n)$の直線L上を動く動点を$P(x, y, z)$とおくと，

$\overrightarrow{OP}=\overrightarrow{OA}+t\vec{d}$　(t：媒介変数)

$(x, y, z)=(x_1, y_1, z_1)+t\cdot(l, m, n)$

$(x, y, z)=(x_1+tl, y_1+tm, z_1+tn)$

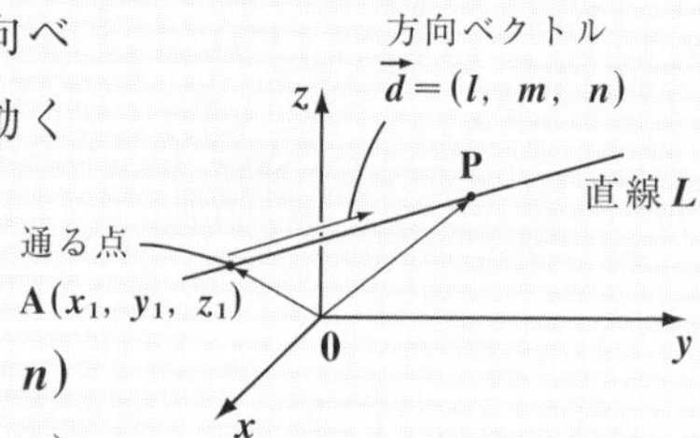

これから，この直線Lの方程式は，

$$L:\frac{x-x_1}{l}=\frac{y-y_1}{m}=\frac{z-z_1}{n}\ (=t)$$ と表すことができる。

(通る点Aの座標：x_1, y_1, z_1／方向ベクトル$\vec{d}$の成分：l, m, n)

Babaのレクチャー(Ⅱ)

直線l(AB)は，回転軸であるy軸に対して，図のようにねじれの位置にあるけど，結局その回転体を平面$y=t$で切った切り口は円になるのはいいね。

ここで，平面$y=t$と直線lとの交点をP，この平面とy軸との交点をQ(0, t, 0)とおくと，この立体を平面$y=t$で切った切り口の円の面積A(t)はA(t)$=\pi\cdot PQ^2$となるね。

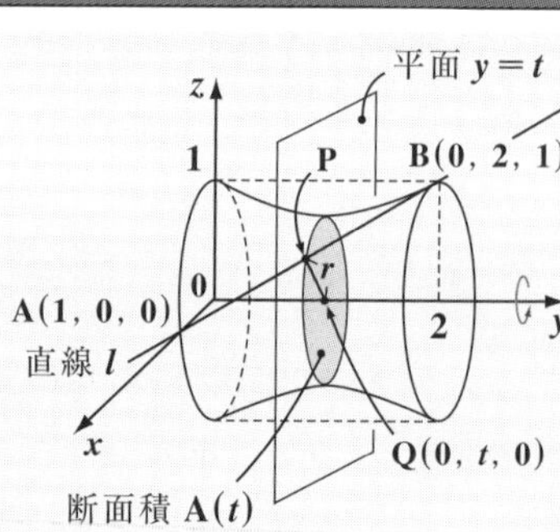

これをtの関数で表して積分するんだよ。

解答&解説

2点 A(1, 0, 0), B(0, 2, 1) を通る直線 l は，点 A(1, 0, 0) を通り，その方向ベクトル $\overrightarrow{AB}=\overrightarrow{OB}-\overrightarrow{OA}=(0,\ 2,\ 1)-(1,\ 0,\ 0)=(-1,\ 2,\ 1)$ の直線より，

A(1, 0, 0)

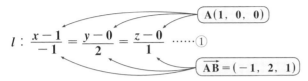

$$l:\ \frac{x-1}{-1}=\frac{y-0}{2}=\frac{z-0}{1}\ \cdots\cdots①$$

$\overrightarrow{AB}=(-1,\ 2,\ 1)$

この直線 l(AB) と平面 $y=t$ $(0\leqq t\leqq 2)$ との交点を P とおくと，①に $y=t$ を代入して，

$$\frac{x-1}{-1}=\frac{t}{2}=z$$

$$x=-\frac{t}{2}+1,\quad z=\frac{t}{2}\qquad \therefore\ \mathrm{P}\left(-\frac{t}{2}+1,\ \ t,\ \ \frac{t}{2}\right)$$

また，平面 $y=t$ と y 軸との交点を Q とおくと，Q(0, t, 0)

よって，この回転体を平面 $y=t$ で切った切り口の円の半径 r は $r=\mathrm{PQ}$ より，この円の面積を A(t) とおくと，

$$\mathrm{A}(t)=\pi\cdot\mathrm{PQ}^2$$
$$=\pi\cdot\left\{\left(-\frac{t}{2}+1\right)^2+(t-t)^2+\left(\frac{t}{2}\right)^2\right\}$$
$$=\pi\cdot\left(\frac{1}{2}t^2-t+1\right)$$

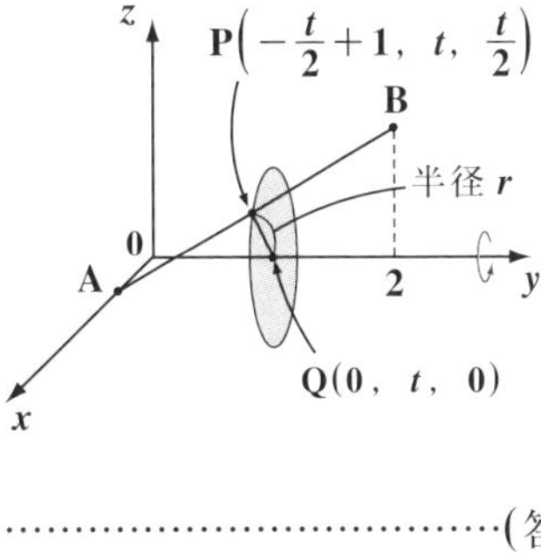

以上より，求める回転体の体積を V とおくと

$$\mathrm{V}=\int_0^2\mathrm{A}(t)dt=\pi\int_0^2\left(\frac{1}{2}t^2-t+1\right)dt$$
$$=\pi\cdot\left[\frac{1}{6}t^3-\frac{1}{2}t^2+t\right]_0^2$$
$$=\frac{4}{3}\pi\ \text{となる。}$$ ……………………………………(答)

直交する2つの円柱の共通部分の体積

演習問題 65	難易度 ★★★	CHECK 1	CHECK 2	CHECK 3

xyz 座標空間上で，2 つの不等式

$y^2+z^2 \leqq a^2$ …①　と　$x^2+z^2 \leqq a^2$ …②　$(a>0)$

で表される 2 つの領域の交わり（共通部分）として得られる立体を T とおく。立体 T を，平面 $z=t$ $(-a \leqq t \leqq a)$ で切ったときにできる切り口の断面積 $S(t)$ を求めて，立体 T の体積 V を求めよ。　(日本女子大＊)

ヒント！ ①は x 軸を中心軸とする半径 a の円柱（円柱面とその内部）で，②は y 軸を中心軸とする半径 a の円柱のことだね。ここで，この 2 つの直交する円柱の共通部分 T がどのような形をしているか，考える必要はないよ。平面 $z=t$ で切った切り口の断面積 $S(t)$ を求めることに集中し，体積 V を $\int_{-a}^{a} S(t)dt$ の定積分から求めればいいんだね。頑張ろう！

解答＆解説

xyz 座標空間上で図 1 に示すように，

(i) $y^2+z^2 \leqq a^2$ …① は

　x 軸を中心軸にもつ半径 a の円柱を，

また

(ii) $x^2+z^2 \leqq a^2$ …② は

　y 軸を中心軸にもつ半径 a の円柱を

表す。

①と②の 2 つの円柱の共通部分 T を

平面 $z=t$ …③ $(-a \leqq t \leqq a)$

で切った切り口の断面積 $S(t)$ を求めよう。

図 1

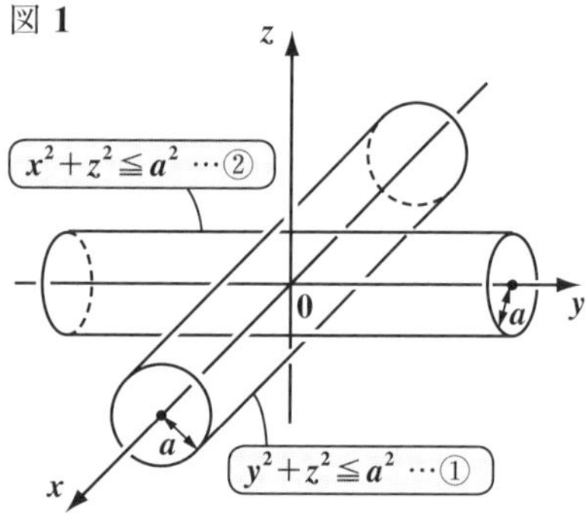

2 つの円柱の共通部分 T がどんな形になるのか分からないって？これに時間を費やすことはないよ。T の体積 V を求めればいいだけなんだからね。

ここでポイントは，積分計算に入る前まで，t を定数と考えることなんだ。たとえば，t は $\frac{a}{2}$ なら $\frac{a}{2}$ の定数と思って，これからの式変形を見てくれ！

(ⅰ) ③を①に代入して，

（$t^2 \leqq a^2$ より，これは 0 以上の定数とみる。）

$y^2+t^2 \leqq a^2 \qquad y^2 \leqq a^2-t^2$

$\therefore -\sqrt{a^2-t^2} \leqq y \leqq \sqrt{a^2-t^2}$

（$y^2 \leqq 2$ から $-\sqrt{2} \leqq y \leqq \sqrt{2}$ とするのと同じ）

(ⅱ) ③を②に代入して，

$x^2+t^2 \leqq a^2 \qquad x^2 \leqq a^2-t^2$

$\therefore -\sqrt{a^2-t^2} \leqq x \leqq \sqrt{a^2-t^2}$

（$x^2 \leqq 2 \Longleftrightarrow -\sqrt{2} \leqq x \leqq \sqrt{2}$ と同じ）

図 **2**

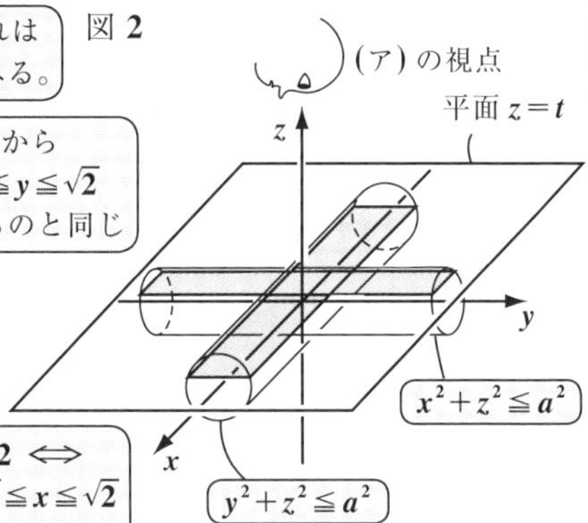

①と②の円柱を平面 $z=t$ で切ったときの切り口を図 **2** に網目部で示した。これをさらに(ア)の視点で見たときの様子を図 **3** に示す。

図 **3** (ア)の視点で見た図

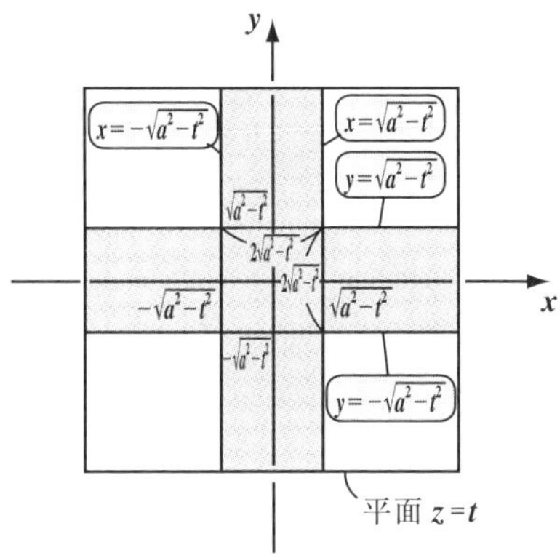

図 **3** から分かるように，平面 $z=t$ による立体 T の切り口は **4** つの直線
$x=-\sqrt{a^2-t^2}$，$x=\sqrt{a^2-t^2}$，
$y=-\sqrt{a^2-t^2}$，そして $y=\sqrt{a^2-t^2}$ で囲まれた，一辺の長さ $2\sqrt{a^2-t^2}$ の正方形の周と内部になる。

よって，立体 T を平面 $z=t$ で切って出来る切り口の断面積 $S(t)$ は，

$S(t)=(2\sqrt{a^2-t^2})^2=4(a^2-t^2) \quad (-a \leqq t \leqq a)$ となる。………………(答)

立体 T が，xy 平面に関して上下対称な形状であることを考慮して，その体積 V は，

$$V=\int_{-a}^{a}S(t)dt=2\int_0^a S(t)dt$$

（これまでは，t は定数として考えてきたけれど，最後は変数 t として t で積分する。）

$$=2\int_0^a 4(a^2-t^2)dt$$

$$=8\left[a^2t-\frac{1}{3}t^3\right]_0^a$$

$$=8\left(a^3-\frac{1}{3}a^3\right)=\frac{16}{3}a^3$$ となる。………………………………(答)

三角形の回転体の体積

演習問題 66	難易度 ☆☆☆	CHECK 1	CHECK 2	CHECK 3

座標空間において，原点 $\mathbf{O}(0,\ 0,\ 0)$，点 $\mathbf{P}(1,\ 0,\ 1)$，点 $\mathbf{Q}(2,\ 1,\ 0)$ を頂点とする三角形 $\mathbf{OPQ}$ がある。この三角形 $\mathbf{OPQ}$ を y 軸のまわりに回転したときの回転体の体積 V を求めよ。 （上智大＊）

ヒント！ 座標空間上の $\triangle\mathbf{OPQ}$ を y 軸のまわりに回転して出来る回転体のイメージは求めづらいと思う。この場合，まず y 軸に垂直な平面 $y=t$ で $\triangle\mathbf{OPQ}$ を切って出来る線分 $\mathbf{RS}$ を求めるんだね。そして，この線分 $\mathbf{RS}$ が y 軸のまわりに回転して出来る円環の面積を $S(t)$ とおき，これを求めて積分すればいいんだね。頑張ろう！

解答＆解説

xyz 座標空間上の 3 点 $\mathbf{O}(0,\ 0,\ 0)$，$\mathbf{P}(1,\ 0,\ 1)$，$\mathbf{Q}(2,\ 1,\ 0)$ を頂点とする $\triangle\mathbf{OPQ}$ を図 1 に示す。これを y 軸のまわりに回転して出来る回転体の体積 V を求めよう。

図 1

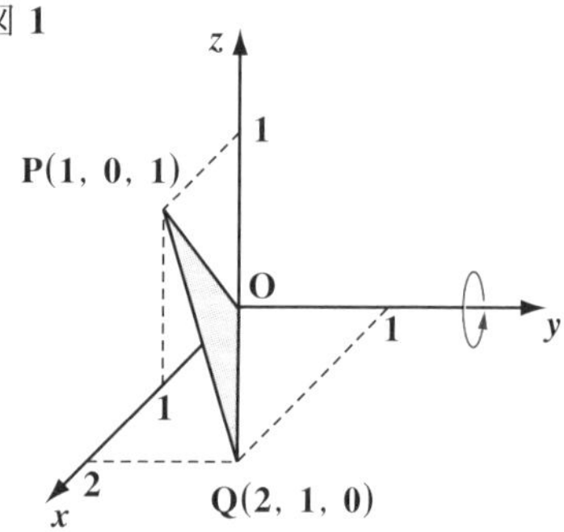

図 2 に示すように，y 軸と垂直な平面を，

平面 α：$y=t$ …① $(0 \leqq t \leqq 1)$ とおき，

・平面 α と y 軸との交点を $\mathbf{T}(0,\ t,\ 0)$，

・平面 α と線分 $\mathbf{PQ}$ との交点を $\mathbf{R}$，

・平面 α と線分 $\mathbf{OQ}$ との交点を $\mathbf{S}$

とおく。また，$\mathbf{U}(0,\ 1,\ 0)$ とおく。

すると，$\mathbf{TS} /\!/ \mathbf{UQ}$，$\mathbf{SR} /\!/ \mathbf{OP}$，かつ

$\mathbf{OT} : \mathbf{TU} = t : (1-t)$ より，

$\mathbf{OS} : \mathbf{SQ} = \mathbf{PR} : \mathbf{RQ} = t : (1-t)$

となる。

ここで，$\overrightarrow{\mathbf{OP}} = (1,\ 0,\ 1)$，$\overrightarrow{\mathbf{OQ}} = (2,\ 1,\ 0)$ より，

$\overrightarrow{\mathbf{OS}} = t\overrightarrow{\mathbf{OQ}} = t(2,\ 1,\ 0) = (2t,\ t,\ 0)$

となり，

図 2

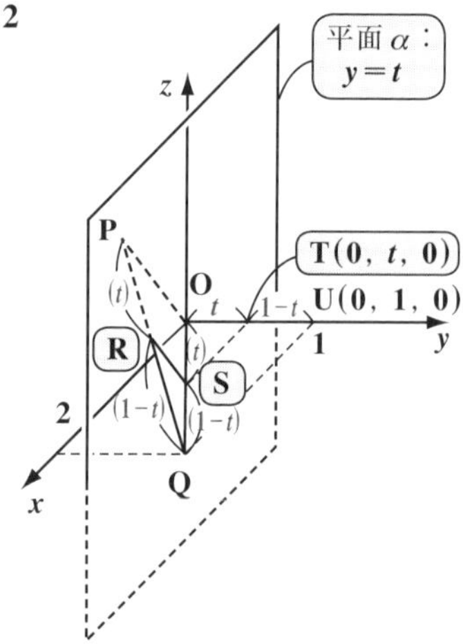

また，$\overrightarrow{OR} = (1-t)\overrightarrow{OP} + t\overrightarrow{OQ}$

$= (1-t)(1,\ 0,\ 1) + t(2,\ 1,\ 0)$

$= (1-t,\ 0,\ 1-t) + (2t,\ t,\ 0)$

$= (1+t,\ t,\ 1-t)$　となる。

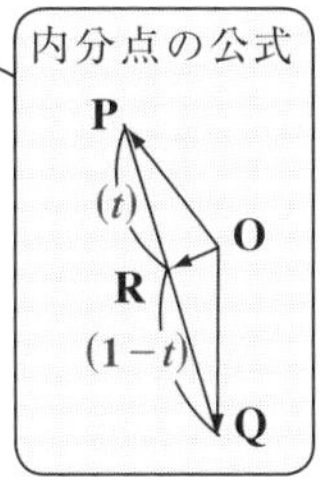

よって，3 点 T，R，S の座標は，
$T(0,\ t,\ 0)$，$R(1+t,\ t,\ 1-t)$，
$S(2t,\ t,\ 0)$ となる。

図 3

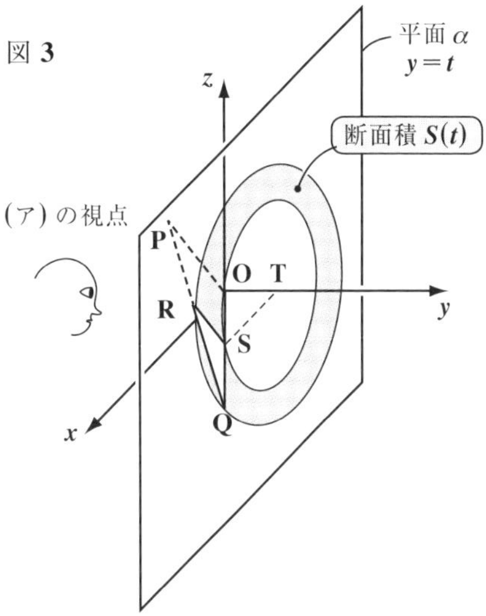

ここで，図 3 に示すように，△OPQ と平面 α ($y=t$) との交わりが線分 RS となるので，これを y 軸のまわりに回転させたものが，△OPQ を y 軸のまわりに回転させて出来る回転体を平面 α で切った切り口になる。この切り口の断面積を $S(t)$ ($0 \leqq t \leqq 1$) とおいて，これを求めてみよう。

図 3 の (ア) の視点から見た図を図 4 に示す。これから，断面積 $S(t)$ は，TR を半径とする大円から TS を半径とする小円を除いた円環の面積に等しい。

図 4 (ア) の視点から見た図

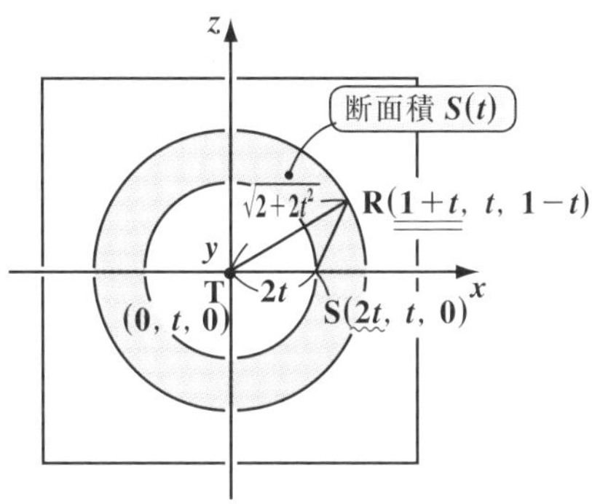

（$0 \leqq t \leqq 1$ より，R の x 座標 $1+t$ と S の x 座標 $2t$ では，$2t \leqq 1+t$ の関係になる。）

ここで，

$$\begin{cases} TR^2 = (1+t)^2 + (1-t)^2 = 2 + 2t^2 \\ TS^2 = (2t)^2 = 4t^2 \end{cases}$$ より，

$S(t) = \pi \cdot TR^2 - \pi \cdot TS^2$

$= \pi(TR^2 - TS^2)$

$= \pi(2 + 2t^2 - 4t^2)$

$= 2\pi(1-t^2)$　$(0 \leqq t \leqq 1)$

となる。

以上より，△**OPQ** を y 軸のまわりに回転して出来る回転体の体積 V は，

$$V=\int_0^1 S(t)\,dt=2\pi\int_0^1(1-t^2)\,dt$$

$$=2\pi\left[t-\frac{1}{3}t^3\right]_0^1=2\pi\left(1-\frac{1}{3}\right)$$

$=\dfrac{4}{3}\pi$ となる。……………………………………………………………(答)

最後の積分計算はあっけない位簡単だったね。要は考え方が勝負ってことなんだ！

Babaのレクチャー

解説では，点 **R** の座標をベクトルの内分点の公式から求めたけれど，次のように，空間座標における直線の方程式から求めることもできる。

直線 **PQ** は，点 **P**$(1,\ 0,\ 1)$ を通り，

方向ベクトル $\overrightarrow{PQ}=\overrightarrow{OQ}-\overrightarrow{OP}$

$=(2,\ 1,\ 0)-(1,\ 0,\ 1)$

$=(1,\ 1,\ -1)$

の直線なので，その方程式は

$\dfrac{x-1}{1}=\dfrac{y-0}{1}=\dfrac{z-1}{-1}$ より，

空間座標における直線の方程式

点 $A(a,\ b,\ c)$ を通り，

方向ベクトル $\vec{d}=(l,\ m,\ n)$ の

直線 L の方程式は，

$\dfrac{x-a}{l}=\dfrac{y-b}{m}=\dfrac{z-c}{n}$ となる。

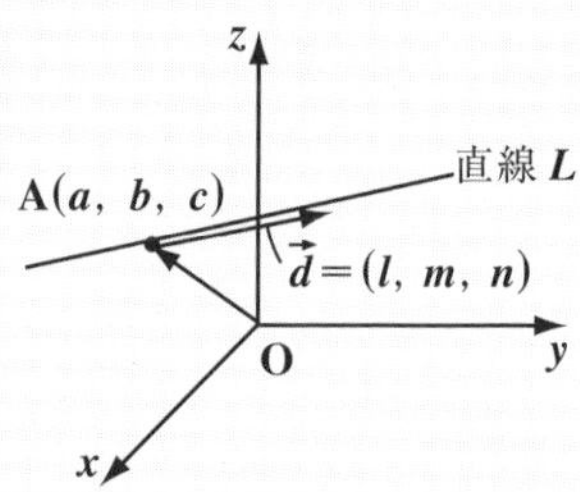

$x-1=y=-z+1$ …㋐ となる。

$y=t$ (平面 α) のとき，これを㋐に代入して

$x-1=t=-z+1$

(ⅰ) $x-1=t$　(ⅱ) $t=-z+1$

∴ (ⅰ) より，$x=1+t$，(ⅱ) より，$z=1-t$ となるので，

点 **R** の座標は $R(1+t,\ t,\ 1-t)$ となる。これも良い解き方だ！

直円錐の回転体の体積

演習問題 67 難易度 ★★★★ CHECK 1 CHECK 2 CHECK 3

xyz 空間内の 3 点 O(0, 0, 0), A(1, 0, 0), B(1, 1, 0) を頂点とする三角形 OAB を x 軸の周りに 1 回転させてできる円錐を V とする。円錐 V を y 軸の周りに 1 回転させてできる立体の体積を求めよ。 (大阪大)

ヒント! まず，△OAB を x 軸のまわりに回転させてできる円すい V の側面の方程式は側面上の点を $\mathrm{P}(x, y, z)$ とおくと，$\overrightarrow{\mathrm{OA}}\cdot\overrightarrow{\mathrm{OP}}=|\overrightarrow{\mathrm{OA}}|\cdot|\overrightarrow{\mathrm{OP}}|\cos 45^\circ$ から求められる。次に円すい V を y 軸のまわりに回転させてできる立体の体積は，これを平面 $y=t$ で切った切り口の断面積を求めて，積分して求めればいいんだね。

Baba のレクチャー

右図に示すように，直円すいを平面で切ってできる断面の曲線は，

(i) 底面に平行な平面で切ると，円になり，

(ii) 少し傾けた平面で切ると，だ円になり，

(iii) 中心線の正反対の側面上の直線と平行な平面で切ると，放物線になり，

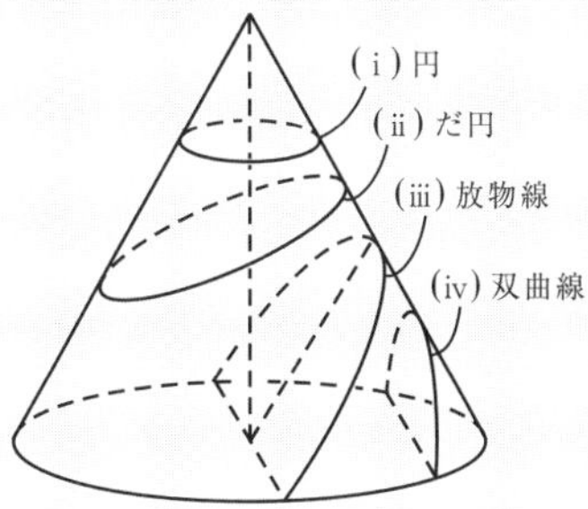

(iv) 底面と垂直な平面で切ると，双曲線になるんだね。

(ii) のだ円と (iii) 放物線については，演習問題 **34** で扱った。そして，(iv) の双曲線については，これから，この問題で扱うことにしよう。

解答＆解説

図 1

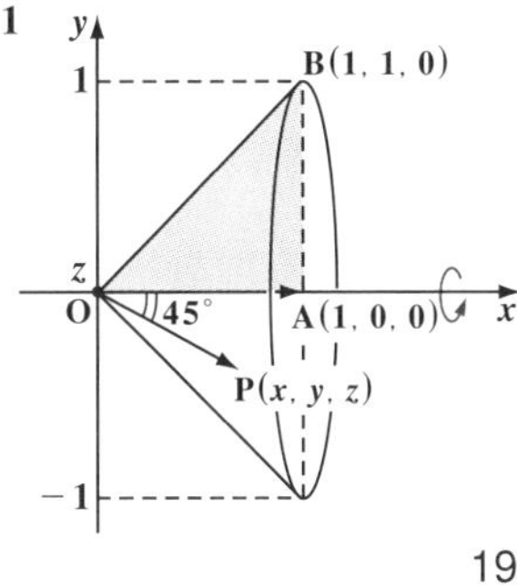

図のように，3 点 O, A(1, 0, 0), B(1, 1, 0) を頂点とする△OAB を x 軸のまわりに回転してできる円すいの側面上の任意の点を $\mathrm{P}(x, y, z)$ とおくと，

$\overrightarrow{\mathrm{OA}}=(1, 0, 0)$ と $\overrightarrow{\mathrm{OP}}=(x, y, z)$ のなす
（中心線のベクトル）

角は，常に 45° で一定である。よって

$\overrightarrow{OA}\cdot\overrightarrow{OP}=|\overrightarrow{OA}||\overrightarrow{OP}|\cos 45^\circ$ より，　　$\sqrt{2}x=\sqrt{x^2+y^2+z^2}$

（$\overrightarrow{OA}\cdot\overrightarrow{OP}=1\cdot x+0\cdot y+0\cdot z$，$|\overrightarrow{OA}|=1$，$|\overrightarrow{OP}|=\sqrt{x^2+y^2+z^2}$）

両辺を 2 乗してまとめると，$2x^2=x^2+y^2+z^2$ より

円すい V の側面の方程式が次のように求まる。

$x^2=y^2+z^2\quad(0\leqq x\leqq 1)$ ……①

そして，この円すい V の y 軸のまわりの回転体の体積 W を求める。

この回転体は，zx 平面に関して上下対称となるので，まず円すい V を図 2 に示すように，

平面 $y=t$ ……② $(0\leqq t\leqq 1)$

で切った切り口の断面を調べる。

図 2

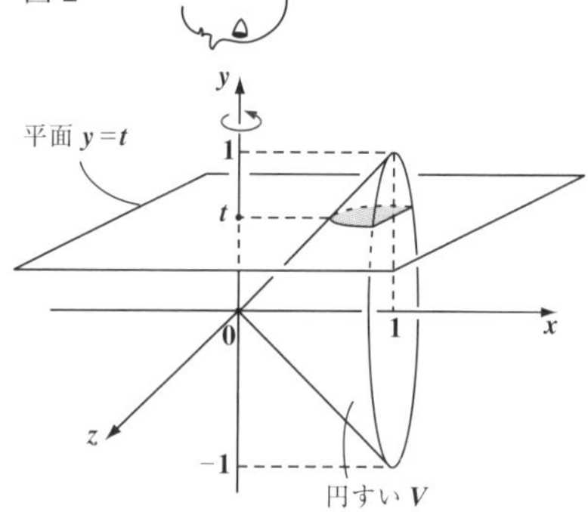

②を①に代入すると，

$x^2=t^2+z^2$

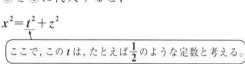

ここで，この t は，たとえば $\frac{1}{2}$ のような定数と考える。

$z^2-x^2=-t^2$ ……③

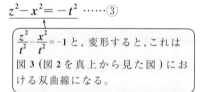

$\frac{z^2}{t^2}-\frac{x^2}{t^2}=-1$ と，変形すると，これは図 3（図 2 を真上から見た図）における双曲線になる。

図 3

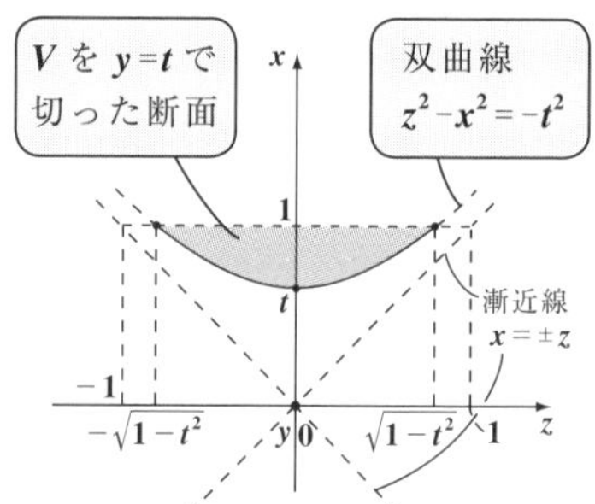

$x=1$ を③に代入して，　$z^2=1-t^2$　　$\therefore z=\pm\sqrt{1-t^2}$

$z=0$ を③に代入して，　$x^2=t^2$　　$\therefore x=t$　　$(\because x>0)$

よって，円すい V を平面 $y=t$ で切った切り口の断面を y 軸のまわりに回転してできる図形は，図 4 に示すように，半径 $R=\sqrt{\left(\sqrt{1-t^2}\right)^2+1^2}=\sqrt{2-t^2}$ の大円から半径 $r=t$ の小円をくり抜いた円環になる。

そして，この円環が，V を y 軸のまわりに回転してできる回転体を平面 $y=t$ で切ってできる断面になる。よって，この断面積を $S(t)$ とおくと，次のようになる。

$$S(t)=\pi R^2-\pi r^2$$

$$=\pi\left(\underbrace{R^2}_{2-t^2}-\underbrace{r^2}_{t^2}\right)$$

$$=2\pi\left(1-t^2\right)\ \cdots\cdots ④$$

図 4　V を y 軸のまわりに回転した回転体を平面 $y=t$ で切ってできる断面

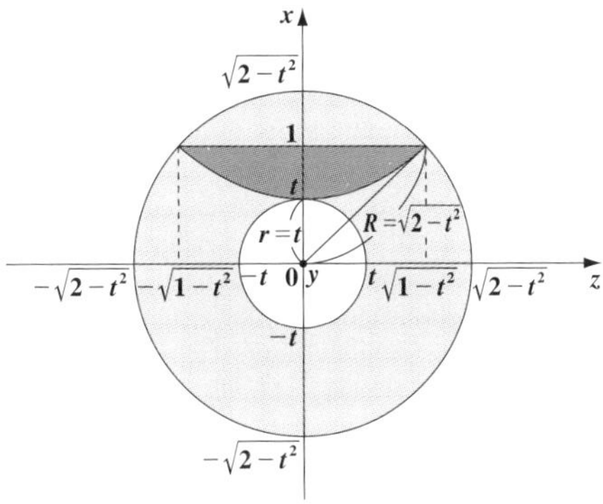

円環の小円の半径 $r=t$,

大円の半径 $R=\sqrt{\left(\sqrt{1-t^2}\right)^2+1^2}$

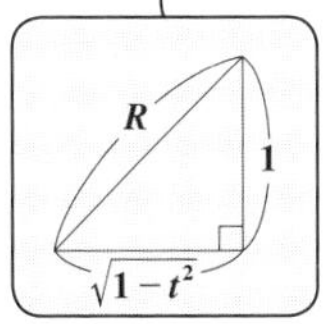

したがって，求める回転体の体積 W は，次のように求まる。

$$W=\underline{2\cdot\int_0^1 S(t)\,dt}$$

この回転体は，zx 平面に関して上下対称だから，区間 $[0,\ 1]$ で積分したものを 2 倍する。

$$=4\pi\int_0^1\left(1-t^2\right)dt\qquad (④より)$$

$$=4\pi\left[t-\frac{1}{3}t^3\right]_0^1$$

$$=4\pi\left(1-\frac{1}{3}\right)=\frac{8}{3}\pi$$ ……………………………………………………(答)

この最後の積分計算も，前問と同様に本当にあっけない程簡単だったね。これが，このような問題の特徴でもあるんだね。面白かった？

テーマ14 立体図形と平面図形

● 図形問題で思考力を磨こう！

東大・東工大などの最難関大が好んで出題してくる分野が，論証問題と図形問題だってことは，既に話したよね。いよいよその"**図形問題**"をここで扱おう。

なぜ最難関大が図形的な問題をよく出題するのかというと，さまざまな分野との融合形式にして，思考力や応用力を試す問題が作れるからだろうね。

それでは，今回の問題の主要テーマを示そう。

(1) 有限な高さの正三角柱を切ってできる直角三角形の面積

(2) 四面体の体積の最大値問題

(3) だ円を利用する平面図形の問題

(4) だ三角形に内接するだ円の面積の最大化

(1), **(2)** が立体図形の問題で，**(3)**, **(4)** は平面図形の問題だ。

(1) は，東工大の問題で，どのように断面をとり，変数をどこにとるかがポイントだ。最終的には，分数関数の最大・最小問題に帰着する。

(2) は，東大の問題で，思考力を試すのに最適な問題なんだね。四面体の体積を最大化するために，町大会のチャンピオン，地方大会のチャンピオン，そしてグランドチャンピオンへとステップを踏みながら考えていくことがポイントになるんだね。

(3) は，東京大の問題だ。だ円を利用することに気付くことができるかどうかがポイントになる。アイデア勝負の問題なんだね。

(4) も，東京大の問題だけど，最終的には **3** 次関数の微分法の最大値問題に帰着する。しかし，そこに至るまでに，図形的な発想が必要なんだね。

初めは難しく感じるかも知れないけれど，繰り返し練習することにより，図形問題を解く糸口をつかめるようになり，さらにはスラスラと最後まで解けるようになるはずだ。楽しみながらマスターしていこう！

正三角柱の断面の直角三角形

演習問題 68 難易度 ★★★★ CHECK 1 CHECK 2 CHECK 3

1 辺の長さが **1** の正三角形を底面とし，高さが **2** の三角柱を考える。この三角柱を平面で切り，その断面が **3** 辺とも三角柱の側面上にある直角三角形であるようにする。そのような直角三角形の面積がとりうる値の範囲を求めよ。 （東京工業大）

Baba のレクチャー

題意の正三角柱 **ABC－A´B´C´** に対して，その断面が **3** 辺とも三角柱の側面上にある直角三角形 **PQR** を，右図のように，**P** が **A** と一致するようにおく。

また，**BQ**＝x，**CR**＝y $(0<x<y\leqq 2)$ とおいても，一般性を失わないね。

△**PQR** は，三角柱内の範囲で平行移動してもかまわないからね。

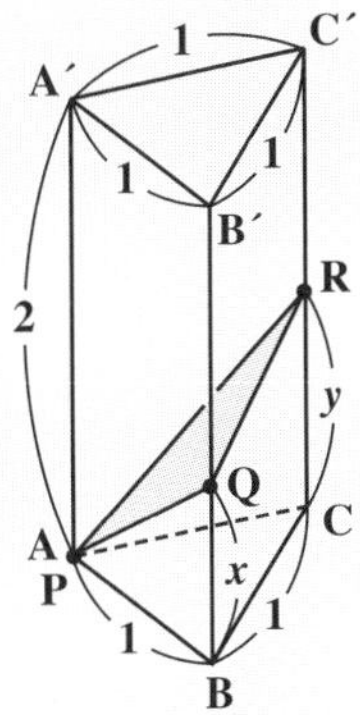

そして，最終的には，△**PQR** の面積 S を，x（または y）のみの関数で表せばいいんだね。

図形的な問題では，このように，まず大枠を考えて解くといいんだよ。

解答＆解説

題意の正三角柱 **ABC－A´B´C´** に対して，題意の直角三角形 **PQR** を **AP**＝**0**，**BQ**＝x，**CR**＝y $(0<x<y\leqq 2)$ となるようにおいても，一般性を失わない。

$$PQ=\sqrt{1+x^2},\ \ QR=\sqrt{1+(y-x)^2},\ \ RP=\sqrt{1+y^2}$$

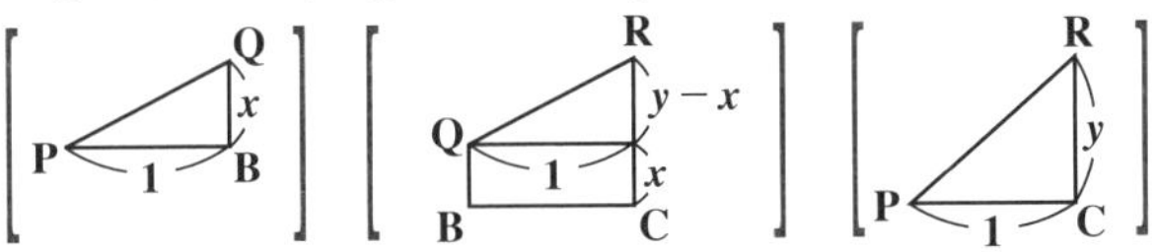

明らかに **RP**＞**PQ**，**QR** より，**RP** が直角三角形 **PQR** の斜辺になる。

よって，三平方の定理より，

$$\underbrace{1+y^2}_{RP^2}=\underbrace{1+x^2}_{PQ^2}+\underbrace{1+(y-x)^2}_{QR^2}$$ これをまとめて，

$$x^2+1-2xy+x^2=0 \qquad \underline{y=x+\frac{1}{2x}} \quad \cdots\cdots ①$$

（$x>0$ より，$y>0$ の条件は自動的にみたされる。）

ここで，$y \leqq 2$ より，　$x+\dfrac{1}{2x} \leqq 2$　（①より）

（$2x>0$ を両辺にかけて，）

$$2x^2-4x+1 \leqq 0 \qquad \therefore \frac{2-\sqrt{2}}{2} \leqq x \leqq \frac{2+\sqrt{2}}{2}$$

直角三角形 PQR の面積を S とおくと，

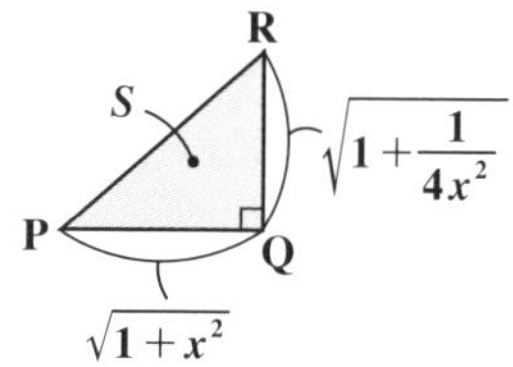

$$S=\frac{1}{2}\cdot \mathrm{PQ}\cdot \mathrm{QR}=\frac{1}{2}\sqrt{1+x^2}\cdot\sqrt{1+(y-x)^2}$$

（$y = x+\dfrac{1}{2x}$（①より））

$$=\frac{1}{2}\sqrt{(x^2+1)\left(1+\frac{1}{4x^2}\right)}=\frac{1}{2}\sqrt{x^2+\frac{1}{4x^2}+\frac{5}{4}}$$

（$x^2+\dfrac{1}{4x^2}+\dfrac{5}{4} = f(x)$）

ここで，$f(x)=x^2+\dfrac{1}{4}\cdot x^{-2}+\dfrac{5}{4}$　$\left(\dfrac{2-\sqrt{2}}{2} \leqq x \leqq \dfrac{2+\sqrt{2}}{2}\right)$ とおく。（$\dfrac{2-\sqrt{2}}{2} \fallingdotseq 0.3$，$\dfrac{2+\sqrt{2}}{2} \fallingdotseq 1.7$）

$$f'(x)=2x-\frac{1}{2}\cdot x^{-3}=\frac{4x^4-1}{2x^3}=\frac{(2x^2+1)(\sqrt{2}x+1)(\sqrt{2}x-1)}{2x^3}$$

（$\dfrac{(2x^2+1)(\sqrt{2}x+1)}{2x^3}$ は ⊕，$\widetilde{f'(x)} = \sqrt{2}x-1$ は ⊕，0，⊖）

$f'(x)=0$ のとき，$x=\dfrac{1}{\sqrt{2}}$

増減表 $\left(\dfrac{2-\sqrt{2}}{2} \leqq x \leqq \dfrac{2+\sqrt{2}}{2}\right)$

x	$\frac{2-\sqrt{2}}{2}$		$\frac{\sqrt{2}}{2}$		$\frac{2+\sqrt{2}}{2}$
$f'(x)$		$-$	0	$+$	
$f(x)$		↘	極小	↗	

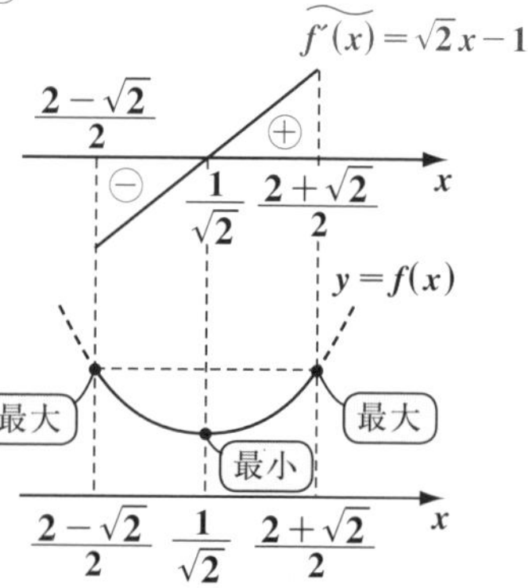

$$f\left(\frac{1}{\sqrt{2}}\right)=\frac{1}{2}+\frac{1}{2}+\frac{5}{4}=\frac{9}{4} \longleftarrow f(x)\text{ の最小値}$$

$$f\left(\frac{2\pm\sqrt{2}}{2}\right)=\frac{6\pm4\sqrt{2}}{4}+\frac{1}{4}\cdot\frac{4}{6\pm4\sqrt{2}}+\frac{5}{4}=\frac{17}{4} \longleftarrow f(x)\text{ の最大値}$$

（$\dfrac{1}{4}\cdot\dfrac{4}{6\pm4\sqrt{2}} = \dfrac{6\mp4\sqrt{2}}{4}$）

よって，求める面積 S のとりうる値の範囲は，

$$\frac{1}{2}\cdot\sqrt{\frac{9}{4}} \leqq S \leqq \frac{1}{2}\cdot\sqrt{\frac{17}{4}} \qquad \therefore \frac{3}{4} \leqq S \leqq \frac{\sqrt{17}}{4} \quad \cdots\cdots(\text{答})$$

空間図形と最大値の問題(Ⅰ)

演習問題 69	難易度 ★★★★	CHECK1	CHECK2	CHECK3

空間内の点 **O** に対して，**4** 点 **A**，**B**，**C**，**D** を

OA = **1**，**OB** = **OC** = **OD** = **4** をみたすようにとるとき，

四面体 **ABCD** の体積の最大値を求めよ。　　(東京大)

Baba のレクチャー

OB = **OC** = **OD** = **4** より，**3** 点 **B**，**C**，**D** は，**O** を中心とする半径 **4** の球面上にあるはずだ。

また，**3** 点 **B**，**C**，**D** が与えられると，それを通る平面 **BCD** が定まる。よって，右図のように，**3** 点 **B**，**C**，**D** は，半径 **4** の球面を平面 **BCD** で切った切り口の円周上にあるんだね。つまり，△ **BCD** はこの円に内接する三角形となる。

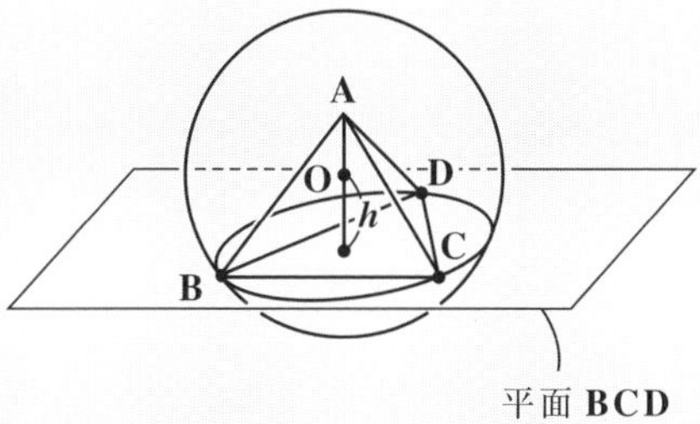

ここで，中心 **O** と平面 **BCD** との距離を h とおくと，四面体 **ABCD** の体積を最大にするために，図のように，点 **A** は，平面 **BCD** と垂直な方向に **O** に関して反対側 (上側) にとればいいんだね。

以上より，四面体 **ABCD** の体積の最大値は，次の手順で求めればいいことがわかるかな？

(ⅰ) h がある値のとき，体積 $V = \frac{1}{3} \times (1 + h) \times$ △**BCD** より，

△**BCD** の面積を最大化する！ ← 地方大会のチャンピオンだ！

(ⅱ) 次に，h を変数として，$0 \leqq h < 4$ まで変化させて，本当の体積の最大値を求める。 ← これがグランドチャンピオンだ！

解答＆解説

題意より，3点B，C，Dは，Oを中心とする半径4の球面と平面BCDとの交円の周上に存在する。

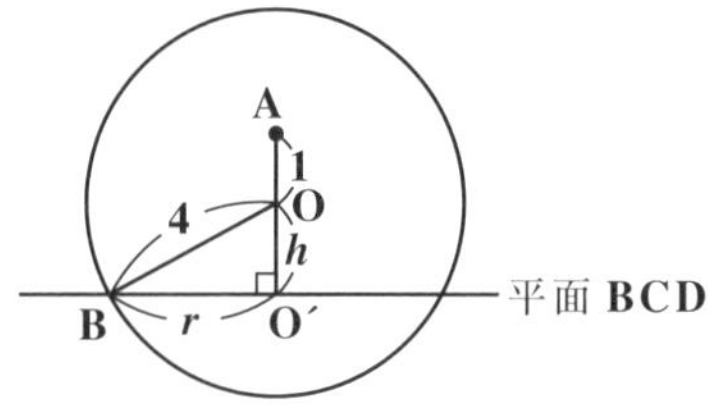

中心Oと平面BCDとの間の距離を h $(0 \leqq h < 4)$ とおき，この交円の半径を r とおくと，右図より，三平方の定理を用いて

$r = \sqrt{16 - h^2}$ ……①

四面体ABCDの底面△BCDの面積を S とおく。また，この体積を最大にするために，高さが $1+h$ となるように，点Aをとる。

この四面体の体積を V とおくと，

$V = \dfrac{1}{3} \cdot \underbrace{(1+h)}_{\text{高さ}} \cdot \underbrace{S}_{\text{底面積△BCD}}$ ……② ←これをまず最大にする！

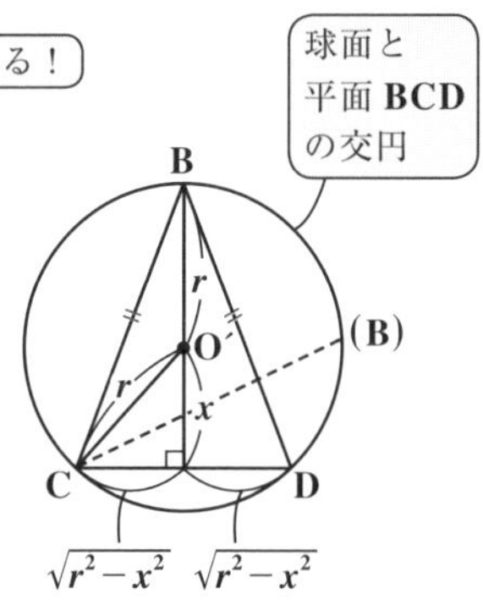

中心O´，半径 r の交円に内接する△BCDの面積 S の最大値を求める。辺CDの位置を定め，O´と辺CDの距離を x とおくと，△BCDは右図のように，高さ $x+r$ の二等辺三角形のときに，面積は最大になる。←これは，町大会のチャンプかな？

この二等辺三角形BCDの面積を S とおくと，

$S = \dfrac{1}{2} \cdot \underbrace{2\sqrt{r^2-x^2}}_{\text{底辺}} \cdot \underbrace{(r+x)}_{\text{高さ}} = \sqrt{\underbrace{(r^2-x^2)(r+x)^2}_{f(x)}}$

ここで，$f(x) = (r-x)(r+x)^3$ $(0 \leqq x < r)$ とおくと，$f(x)$ が最大のとき S (△BCD) も最大になる。

$f'(x) = -1 \cdot (r+x)^3 + (r-x) \cdot 3(r+x)^2$

$= \underbrace{2(r+x)^2}_{\oplus} \underbrace{(r-2x)}_{\widetilde{f'(x)} = \begin{cases} \oplus \\ 0 \\ \ominus \end{cases}}$

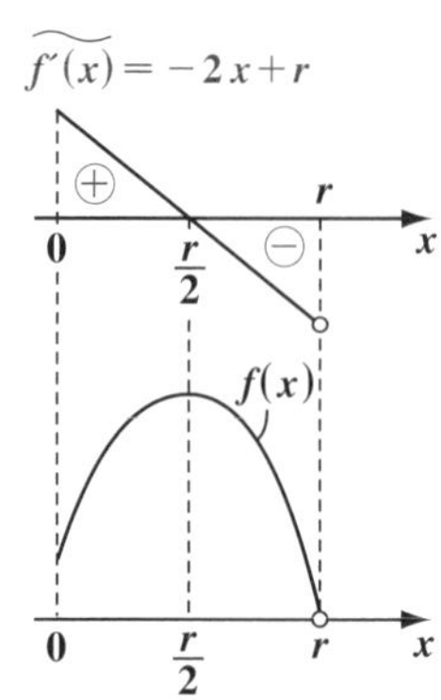

$f'(x) = 0$ のとき，$x = \dfrac{r}{2}$

$\therefore\ x=\dfrac{r}{2}$ のとき，$f(x)$，すなわち S は最大になる。

最大値 $S=\sqrt{r^2-\left(\dfrac{r}{2}\right)^2}\cdot\left(r+\dfrac{r}{2}\right)$ ← △BCD が正三角形のときだね。

$$=\frac{3\sqrt{3}}{4}r^2=\frac{3\sqrt{3}}{4}\cdot(16-h^2)\ \cdots\cdots③\quad(①より)$$

③を②に代入して，$V=g(h)$ とおくと，

$$V=g(h)=\frac{1}{3}\cdot(1+h)\cdot\frac{3\sqrt{3}}{4}(16-h^2)$$

$$=\frac{\sqrt{3}}{4}(-h^3-h^2+16h+16)\quad(0\leqq h<4)$$ ← 地方大会のチャンプ！

$$g'(h)=\frac{\sqrt{3}}{4}(-3h^2-2h+16)$$

$$=\frac{\sqrt{3}}{4}(3h+8)(-h+2)$$

（$\dfrac{\sqrt{3}}{4}(3h+8)$ は ⊕，$g'(h)=\begin{cases}⊕\\0\\⊖\end{cases}$ は $-h+2$ の符号による）

$g'(h)=0$ のとき，$h=2$

$\therefore\ h=2$ のとき，四面体 ABCD の体積 V は最大となる。

増減表 $(0\leqq h<4)$

h	0		2		(4)
$g'(h)$		$+$	0	$-$	
$g(h)$		↗	極大	↘	

最大値 $V=g(2)=\dfrac{\sqrt{3}}{4}(1+2)\cdot(16-2^2)=9\sqrt{3}$ ……………………………(答)

↑ これがグランドチャンプだ！
優勝オメデトウ…

抽象的に思えた問題も，どんどん具体化していくことにより，問題が解けていく楽しさが分かったかな？　このような良問で，立体図形の問題も繰り返し解いておくと，本番の試験で，たとえ立体図形の難問に直面しても，部分点は確実に取れるようになっているんだね。つまり，合格に大きく近づくということだ。頑張って，シッカリ練習しておこう！

だ円を利用する平面図形の問題

演習問題 70	難易度 ★★★	CHECK1	CHECK2	CHECK3

直線 l 上に 10 メートル離れた 2 定点 A，B があり，l に平行な直線 m 上を点 P が秒速 1 メートルで一定の向きに動いている。A，P 間の距離と B，P 間の距離の和は，ある時刻に測ったとき 15 メートル，その 5 秒後に測ったときも 15 メートルであった。2 直線 l，m の間の距離は何メートルか。 (東京大)

Baba のレクチャー

直線 l 上の 2 定点 A，B に対して，l と平行な直線 m 上を動点 P が移動する。そして，この P が，AP＋BP＝15 となる点が 2 ヶ所あると言ってるんだね。これから，「このときの点 P は，2 点 A，B を焦点とするだ円周上の点になる」とひらめいた人，大正解だ！
ここで，だ円の復習を簡単にやっておこう。

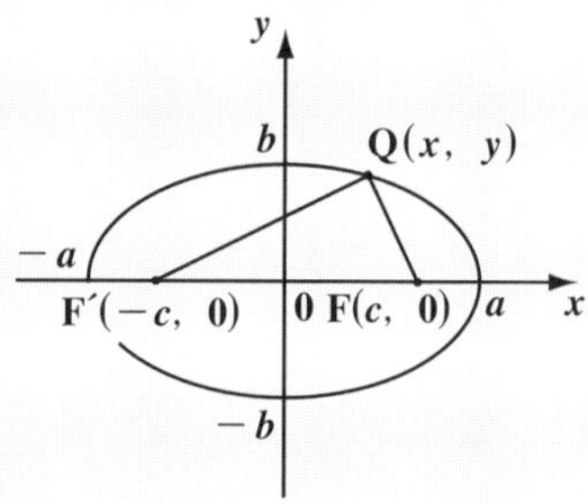

xy 平面上の横長だ円は，

$$\frac{x^2}{a^2}+\frac{y^2}{b^2}=1 \quad (a>b>0)$$

で表され，中心は原点で，
長軸の長さは $2a$，短軸の長さは $2b$ だね。
また，2 つの焦点を F$(c,\ 0)$，F′$(-c,\ 0)$ とおくと，
$c=\sqrt{a^2-b^2}$ で表せる。
さらに，だ円周上の点を Q$(x,\ y)$ とおくと，公式
F′Q＋FQ＝$\underbrace{2a}_{\text{長軸の長さ}}$ が成り立つんだね。この公式が今回の問題の重要なポイントだったんだ！

解答＆解説

題意より，図 1 に示すように，直線 l を x 軸に，また，l 上の 2 点 A，B でできる線分 AB の垂直二等分線を y 軸にとる。すると，AB＝10 より，

2点A，Bの座標は，$A(-5,\ 0)$，$B(5,\ 0)$ となる。ここで，l (x軸) と平行な直線 m を $m：y=y_1$ $(y_1>0)$ とおく。

動点Pは m 上を秒速1メートルで動き，あるときの点Pの位置を P_1 とおき，その5秒後の点Pの位置を P_2 とおき，さらに，それぞれが，

$AP_1+BP_1=15$，$AP_2+BP_2=15$ をみたすものとする。すると，この2点 P_1，P_2 は，原点を中心とし，2つの焦点A，Bをもつ，横長だ円の周上の点になることがわかる。線分 P_1P_2 の大きさは5で，だ円の y 軸に関する対称性から，2点 P_1，P_2 の座標は，

図1

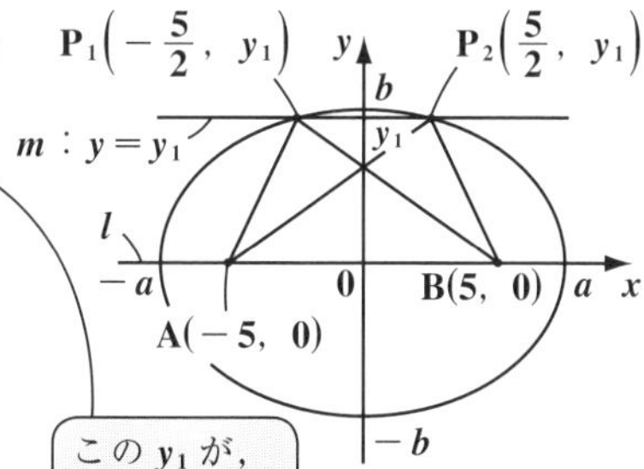

このy_1が，l，m間の距離になる。

$P_1\left(-\dfrac{5}{2},\ y_1\right)$，$P_2\left(\dfrac{5}{2},\ y_1\right)$ とおける。

以上より，2点 P_1，P_2 がその周上に存在するだ円の方程式を，

$\dfrac{x^2}{a^2}+\dfrac{y^2}{b^2}=1$ ……①とおくと，だ円の性質から，

$a>b>0$，$\underbrace{2a}_{AP_1+BP_1}=15$ ……②，$a^2-b^2=\underbrace{5^2}_{c^2}$ ……③となる。

(cは，焦点Bのx座標のこと)

よって，②より $a=\dfrac{15}{2}$　これを③に代入して，

$b^2=\left(\dfrac{15}{2}\right)^2-5^2=\dfrac{225-100}{4}=\dfrac{125}{4}$　$\therefore\ a^2=\dfrac{225}{4}$，$b^2=\dfrac{125}{4}$ となる。

よって①は，$\dfrac{4x^2}{225}+\dfrac{4y^2}{125}=1$ ……①′ となる。

ここで，点 $P_2\left(\dfrac{5}{2},\ y_1\right)$ は，①′のだ円周上の点より，これを①′に代入して，

$\dfrac{4}{225}\cdot\left(\dfrac{5}{2}\right)^2+\dfrac{4}{125}\cdot{y_1}^2=1$，${y_1}^2=\dfrac{125}{4}\cdot\left(1-\dfrac{1}{9}\right)=\dfrac{250}{9}$

ここで，$y_1>0$ より，$y_1=\sqrt{\dfrac{250}{9}}=\dfrac{5\sqrt{10}}{3}$ となる。

以上より，2直線 l と m の間の距離は $\dfrac{5\sqrt{10}}{3}$ メートルである。 ………(答)

三角形に内接するだ円の面積の最大値

演習問題 71	難易度 ★★★	CHECK 1	CHECK 2	CHECK 3

$AB=AC$，$BC=2$ の直角二等辺三角形 ABC の各辺に接し，ひとつの軸が辺 BC に平行なだ円の面積の最大値を求めよ。 (東京大)

ヒント！ xy 座標平面上に $A(0,\ 1)$，$B(1,\ 0)$，$C(-1,\ 0)$ とおくと，直角二等辺三角形 ABC に内接するだ円の方程式は，$\dfrac{x^2}{a^2}+\dfrac{(y-b)^2}{b^2}=1$ とおけるから，b を a で表し，だ円の面積の公式 $S=\pi ab$ に代入すればいい。

解答＆解説

$\triangle ABC$ は，$AB=AC$，$BC=2$ の直角二等辺三角形より，3 点 A，B，C を xy 座標平面上に，$A(0,\ 1)$，$B(1,\ 0)$，$C(-1,\ 0)$ となるようにとる。このとき，右図のように，$\triangle ABC$ の各辺に接し，1 つの軸が辺 BC と平行なだ円の方程式は，

$$\frac{x^2}{a^2}+\frac{(y-b)^2}{b^2}=1 \quad \cdots\cdots①$$

$$\left(0<a<1,\ 0<b<\frac{1}{2}\right)$$

とおける。 ($0<2b<1$ より)

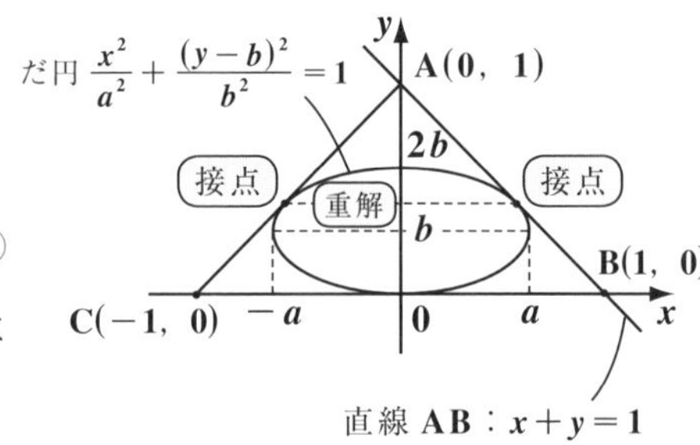

ここで，直線 AB：$x+y=1$ ……②

と①のだ円は接するので，①，②より x を消去すると，

$$\frac{(1-y)^2}{a^2}+\frac{(y-b)^2}{b^2}=1$$

$$b^2(1-y)^2+a^2(y-b)^2=a^2b^2$$

$$(a^2+b^2)y^2-2b(a^2+b)y+b^2=0 \quad \cdots\cdots③$$

③の y の 2 次方程式は重解をもつ。よって，この判別式を D とおくと，

$$\frac{D}{4}=\boxed{b^2(a^2+b)^2-b^2(a^2+b^2)=0}$$

両辺を b^2 で割って，$a^4+2a^2b-a^2=0 \quad (\because\ b>0)$

さらに，この両辺を a^2 で割って，$a^2+2b-1=0 \quad (\because\ a>0)$

$$\therefore\ b=\frac{1-a^2}{2}\ \cdots\cdots④$$

一般に，だ円：$\frac{x^2}{a^2}+\frac{y^2}{b^2}=1$ の面積 S は，$S=\pi ab$ だ！
特に，$a=b=r\ (>0)$ のとき，$S=\pi r^2$ となって，円の面積になるんだね。

①のだ円の面積を S とおくと，

$$S=\pi ab\ \cdots\cdots⑤$$

④を⑤に代入し，$S=f(a)$ とおくと，

$$S=f(a)=\pi a\cdot\frac{1-a^2}{2}=\frac{\pi}{2}\cdot(-a^3+a)\quad(0<a<1)$$

S は a の 3 次関数になった！

$S=f(a)$ を a で微分して，

$$f'(a)=\frac{\pi}{2}\cdot(-3a^2+1)$$

$f'(a)=0$ のとき，

$$a=\frac{1}{\sqrt{3}}$$

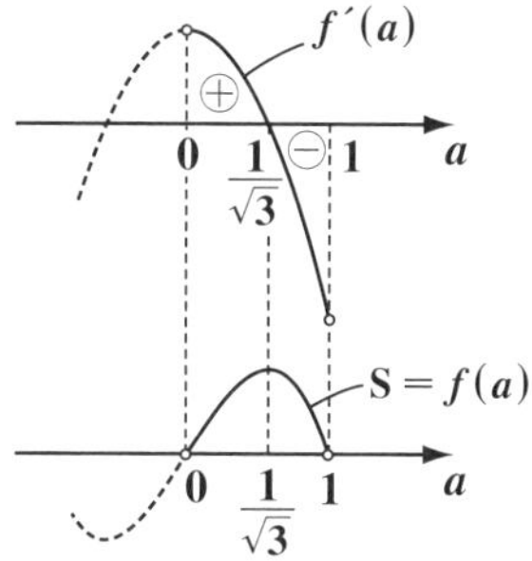

よって，$a=\frac{1}{\sqrt{3}}$ のとき，だ円の面積 S は最大になる。

$$\text{最大値}\ S=f\left(\frac{1}{\sqrt{3}}\right)$$
$$=\frac{\pi}{2}\cdot\frac{1}{\sqrt{3}}\cdot\left(1-\frac{1}{3}\right)$$
$$=\frac{\pi}{3\sqrt{3}}=\frac{\sqrt{3}}{9}\pi\quad\cdots\cdots(\text{答})$$

増減表 $(0<a<1)$

a	(0)		$\frac{1}{\sqrt{3}}$		(1)
$f'(a)$		$+$	0	$-$	
$f(a)$		↗	極大	↘	

今回の問題では，xy 座標平面をうまく使うと，話が簡単になるんだね。東京大が難しいといったって，理 I・理 II の場合，2 次試験で 5 割程度解ければ合格できるんだから，そんなに緊張することはないんだね。京都大や東工大だって，同様だ。

テーマ15 媒介変数表示と極方程式

● $x=r(\theta)\cdot\cos\theta$, $y=r(\theta)\cdot\sin\theta$ の形に注意しよう！

曲線の媒介変数表示と極方程式は，どちらも，最近の受験問題の中でよく出題されている。ここでは，この**2**つの融合形式の問題について，詳しく解説しよう。

今回，円の媒介変数表示：$x=r\cos\theta$, $y=r\sin\theta$ の r が変数 θ の関数，すなわち $r=f(\theta)$ の形になっている問題が，**1**つのメインテーマなんだね。これは，

(Ⅰ) $x=r(\theta)\cdot\cos\theta$, $y=r(\theta)\cdot\sin\theta$ とおくと，
　曲線の媒介変数表示になり，

(Ⅱ) $r=f(\theta)$ とみると，
　偏角 θ に関する極方程式ということになるんだね。

問題を解く場合，この**2**つの性質をうまく使い分けることがポイントなんだね。特に，(Ⅱ)の極方程式からグラフを描くときには，"円の半径 r が θ によって変化する" と考えればいいんだ。ここで，r はもちろん負にもなり得ることは要注意だ！

それでは，今回教えるメインテーマを下に挙げておこう。

(1) 媒介変数表示と極方程式の標準問題
(2) 媒介変数表示と極方程式の発展問題（斜軸回転体）

(1) は，筑波大(医学群)と甲南大で出題された問題だ。これらは，ウォーミングアップとして，この手の問題の解法に慣れるために最適な問題だよ。**(2)** は，京都大で出題された問題で，斜軸に関する回転体の体積まで計算しなければならない，かなり応用度の高い問題だ。でも，**(1)** の筑波大の問題をシッカリマスターした上で，解説を読むと，その意味がよくわかると思うよ。ステップ・バイ・ステップに実力を上げていけるんだからね。楽しみにしてくれ。

媒介変数表示と極方程式 (I)

演習問題 72　難易度 ★★★　CHECK 1　CHECK 2　CHECK 3

xy 平面上において，点 $A(2,\ 0)$ を中心とする半径 1 の円を C とする。C 上の点 Q における C の接線に原点 $O(0,\ 0)$ から下した垂線の足を P とする。図のように x 軸と線分 AQ のなす角を θ とする。ただし，θ は $-\pi < \theta \leqq \pi$ を動くものとする。

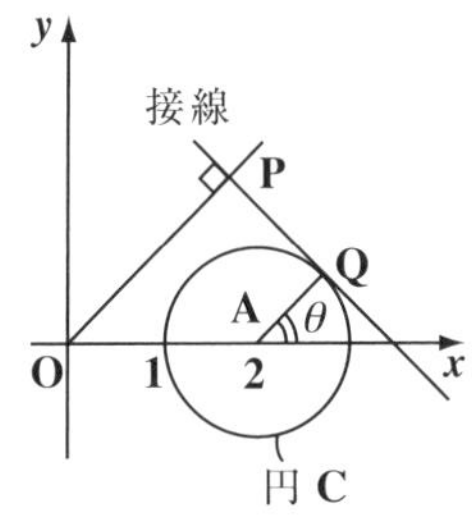

(1) 点 $P(x,\ y)$ の座標 $(x,\ y)$ を θ を用いて表せ。

(2) 点 $P(x,\ y)$ の x 座標が最小となるとき，P の座標 $(x,\ y)$ を求めよ。

(3) 直線 $x=k$ が点 P の軌跡と相異なる 4 点で交わるとき，k のとりうる値の範囲を求めよ。

(筑波大・医)

ヒント！ (1) で，点 P の座標 $(x,\ y)$ は，$x=r\cdot\cos\theta$，$y=r\cdot\sin\theta$ の形で表されるよ。この r が定数ならば，単なる円の方程式だけど，今回は $r=f(\theta)$ の形になる。これは極方程式なので，これから，点 P の軌跡が図示できるよ。この図がわかれば，(3) は簡単だ。頑張って，解いてごらん。

解答＆解説

(1) 点 Q における円 C の接線と x 軸との交点を R とおくと，

$$\frac{\overset{1}{AQ}}{RA}=\cos\theta \text{ より，} RA=\frac{1}{\cos\theta}$$

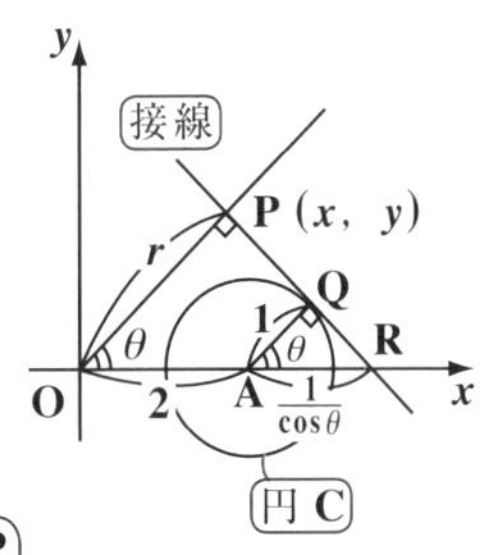

ここで，$OP=r$ とおくと，

$$\triangle RAQ \backsim \triangle ROP \text{ より，} \underset{\frac{1}{\cos\theta}}{RA} : \underset{2+\frac{1}{\cos\theta}}{RO} = \underset{1}{AQ} : \underset{r}{OP}$$

$$\frac{1}{\cos\theta} : \left(2+\frac{1}{\cos\theta}\right)=1 : r, \qquad \frac{r}{\cos\theta}=2+\frac{1}{\cos\theta}$$

$$r=2\cos\theta+1 \quad \leftarrow \boxed{r=f(\theta) \text{ の形！}}$$

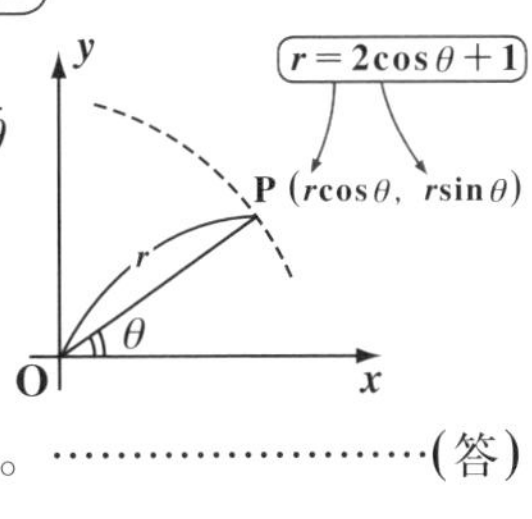

$\therefore$ $P(x,\ y)$ の座標を θ で表すと，

$$\begin{cases} x=(2\cos\theta+1)\cdot\cos\theta \\ y=(2\cos\theta+1)\cdot\sin\theta \end{cases} \quad (-\pi < \theta \leqq \pi) \text{ となる。} \cdots\cdots\cdots(\text{答})$$

Baba のレクチャー（Ⅰ）

一般に，円：$x^2+y^2=r^2$ を媒介変数 θ を用いて表示すると，

$$\begin{cases} x=r\cos\theta \\ y=r\sin\theta \end{cases}$$ となるね。

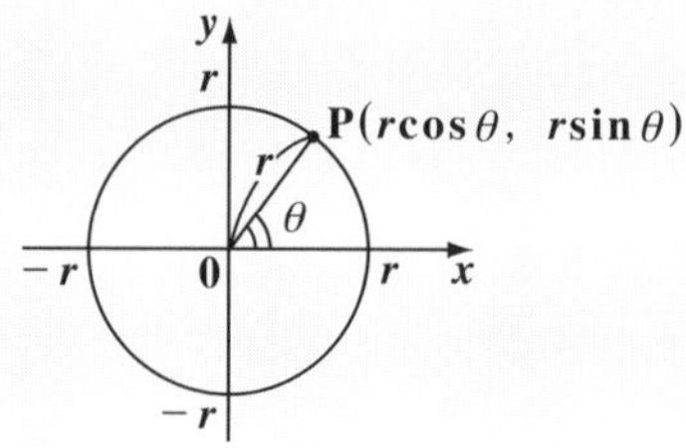

ここで，この r が一定ならば，

文字通り，これは円を表すわけだけど，

この r が θ の関数，すなわち，$r=f(\theta)$ の形になると，偏角 θ の値によって，r が変動することになるから，下図のようなイメージをもってくれたらいい。

この $r=f(\theta)$ の形の方程式を極方程式と呼ぶ。極方程式の場合，$r<0$ の場合もあるので，要注意だよ。

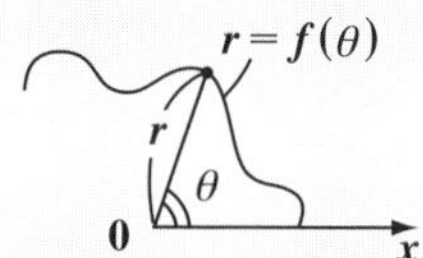

(2) $x=(2\cos\theta+1)\cdot\cos\theta$

ここで，$\cos\theta=t$ とおき，さらに

$x=g(t)$ とおくと，$-\pi<\theta\leqq\pi$ より，

$-1\leqq t\leqq 1$　よって，

$$x=g(t)=2t^2+t$$

$$=2\left(t+\frac{1}{4}\right)^2-\frac{1}{8}\ (-1\leqq t\leqq 1)$$

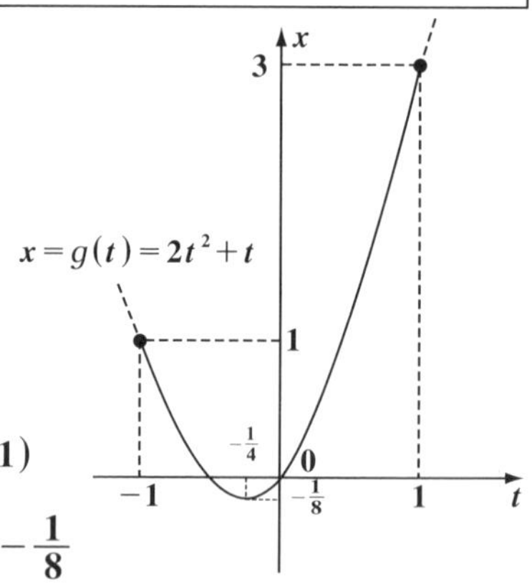

$\therefore\ t=\cos\theta=-\dfrac{1}{4}$ のとき，x は最小値 $-\dfrac{1}{8}$

をとる。このとき，$\sin\theta=\pm\sqrt{1-\cos^2\theta}=\pm\dfrac{\sqrt{15}}{4}$

$$\therefore\ y=(2\underbrace{\cos\theta}_{-\frac{1}{4}}+1)\cdot\underbrace{\sin\theta}_{\pm\frac{\sqrt{15}}{4}}=\pm\frac{\sqrt{15}}{8}$$

以上より，x が最小となるときの点 P の座標は

$\mathrm{P}\left(-\dfrac{1}{8},\ \pm\dfrac{\sqrt{15}}{8}\right)$ となる。 ……………………………………(答)

Babaのレクチャー(Ⅱ)

この問題では，**(2)** の $x=g(t)$ のグラフから，**(3)** の解を求めることもできるけれど(また，出題者の意図もそうだろうけど)，ここでは，極方程式のグラフの良い例題となるので，$r=f(\theta)$ の形から点 **P** のグラフを描くことにするよ。

$r=f(\theta)=2\cos\theta+1\ (0\leqq\theta\leqq\pi)$ について調べる。

(ⅰ) $0\leqq\theta\leqq\frac{2}{3}\pi$ のとき

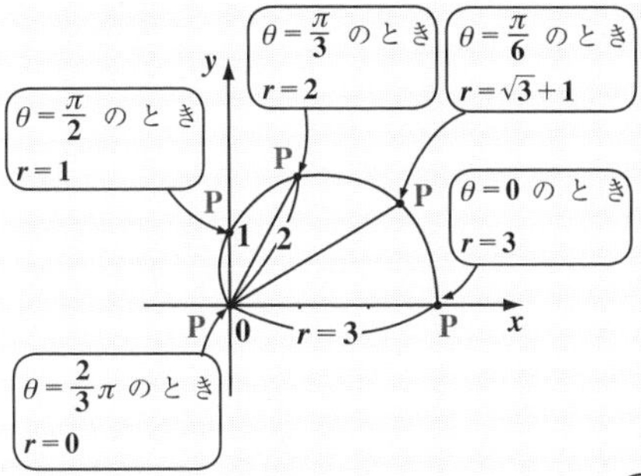

(ⅱ) $\frac{2}{3}\pi\leqq\theta\leqq\pi$ のとき

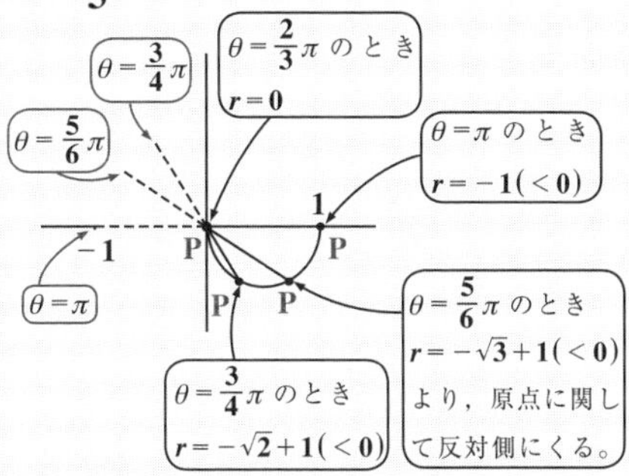

回転しながら半径が縮んで，$\theta=\frac{2}{3}\pi$ のとき $r=0$ となるんだね。

$\frac{2}{3}\pi<\theta\leqq\pi$ のとき，$r<0$ となるので，点 **P** は，原点に関して対称な位置に出てくるんだね。

$-\pi<\theta\leqq0$ のときも同様に考えてごらん。← x 軸に関して対称なグラフ

(3) 動点 **P** を極座標 $\mathrm{P}(r,\ \theta)$ で考えると，その極方程式は

$$r=f(\theta)=2\cos\theta+1$$
$$(-\pi<\theta\leqq\pi)$$

よって，動点 **P** は右図のようなグラフを描く。

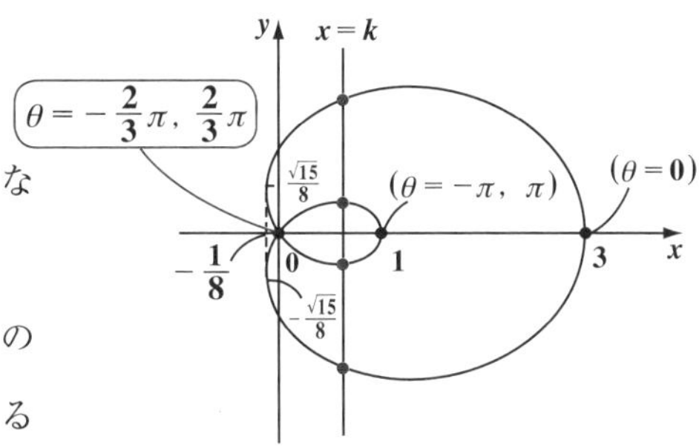

これより，直線 $x=k$ と点 **P** の軌跡が，相異なる **4** 点で交わる k の値の範囲は明らかに，

$-\frac{1}{8}<k<0,\ 0<k<1$ となる。 ……………………………(答)

媒介変数表示と極方程式(II)

演習問題 73	難易度 ★★★	CHECK1	CHECK2	CHECK3

座標平面上の曲線 C_1 上を動く点 $\mathbf{P}(x, y)$ が媒介変数 t によって, $x=\dfrac{-4}{1+t^2}$, $y=\dfrac{4t}{1+t^2}$ で表されているとする。また, 曲線 C_2 は極方程式によって $r=4\cos\left(\theta-\dfrac{\pi}{4}\right)$ と表されているとする。

(1) t を消去して, 曲線 C_1 を x と y を用いて表せ。

(2) 曲線 C_2 を直交座標に関する方程式で表せ。

(3) 原点を O, 原点から最も遠い曲線 C_2 上の点を A, 曲線 C_1 と C_2 の交点を B とする。このとき, △OAB の面積を求めよ。　(甲南大)

ヒント！ (1) では, 媒介変数表示の曲線 (円) C_1 を x と y の方程式で表すため, まず, $\dfrac{y}{x}=-t$ を用いて, t を消去すればいい。(2) では, 曲線 (円) C_2 を表す極方程式から x と y の方程式に変換するために, 公式: $r^2=x^2+y^2$, $x=r\cos\theta$, $y=r\sin\theta$ を利用すればいいんだね。(3) では, 2 つの円 C_1 と C_2 の交点 B と原点を通る直線 l の方程式をまず求め, それから l と C_1 の交点 B の座標を求めよう。

解答＆解説

・曲線 C_1 の媒介変数表示の方程式: $\begin{cases} x=\dfrac{-4}{1+t^2} & \cdots\cdots ① \ (x<0) \\ y=\dfrac{4t}{1+t^2} & \cdots\cdots ② \end{cases}$

・曲線 C_2 の極方程式: $r=4\cos\left(\theta-\dfrac{\pi}{4}\right)$ ……………………③ が与えられている。

(1) 曲線 C_1 について,

まず, $x=-\dfrac{4}{\underbrace{1+t^2}_{\oplus}}<0$ より, $x\neq 0$ である。よって, $\dfrac{②}{①}$ を計算すると,

$$\frac{y}{x}=\frac{\frac{4t}{1+t^2}}{\frac{-4}{1+t^2}}=-\frac{4}{4}t=-t \text{ より, } t=-\frac{y}{x} \ \cdots\cdots ④ \text{ となる。}$$

④を①に代入して, 媒介変数 t を消去して, x と y の関係式 (曲線 C_1 の方程式) を求めると,

$x=\dfrac{-4}{1+\left(-\dfrac{y}{x}\right)^2}$ より，$x\left(1+\dfrac{y^2}{x^2}\right)=-4$　両辺に x をかけて，

$x^2+y^2=-4x$　$(x^2+4x+\underline{\underline{4}})+y^2=\underline{\underline{4}}$ より，求める曲線 C_1 の方程式は，

円 C_1：$(x+2)^2+y^2=4$ ……⑤ となる。
(ただし，原点 $O(0,\ 0)$ は除く。) ……(答)

円 C_1 は，中心 $(-2,\ 0)$，半径 2 の円であるが，
条件：$x<0$ より，原点 O は除く。

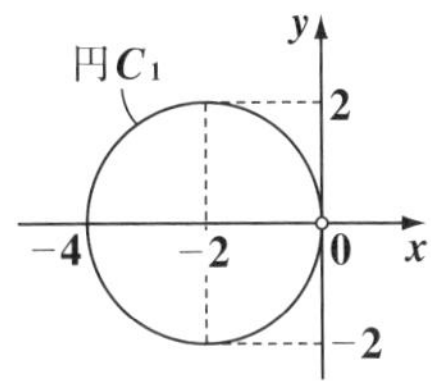

(2) 曲線 C_2 の極方程式③を変形して，x と y の方程式を求める。

③より，$r=4\cos\left(\theta-\dfrac{\pi}{4}\right)$

$=4\left(\cos\theta\cdot\underbrace{\cos\dfrac{\pi}{4}}_{\frac{1}{\sqrt{2}}}+\sin\theta\cdot\underbrace{\sin\dfrac{\pi}{4}}_{\frac{1}{\sqrt{2}}}\right)$

極方程式と x と y の方程式の変換公式：
・$\begin{cases} x=r\cos\theta \\ y=r\sin\theta \end{cases}$
・$x^2+y^2=r^2$

$\therefore\ r=2\sqrt{2}(\cos\theta+\sin\theta)$ ……③′ となる。

③′の両辺に r をかけて，

$\underbrace{r^2}_{x^2+y^2}=2\sqrt{2}\underbrace{r\cos\theta}_{x}+2\sqrt{2}\underbrace{r\sin\theta}_{y}$ より，$x^2+y^2=2\sqrt{2}x+2\sqrt{2}y$

$(x^2-2\sqrt{2}x+\underline{\underline{2}})+(y^2-2\sqrt{2}y+\underline{\underline{2}})=\underline{\underline{4}}$ より，

求める曲線 C_2 の方程式は，

円 C_2：$(x-\sqrt{2})^2+(y-\sqrt{2})^2=4$ ……⑥ となる。 ……………………………(答)

⑥より，曲線 C_2 は中心 $O'(\sqrt{2},\ \sqrt{2})$，
半径 2 の円である。
よって，右図に示すように，円 C_2
は原点 $O(0,\ 0)$ を通る円である。

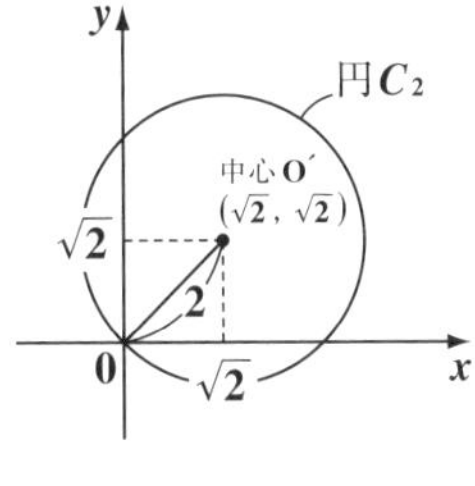

(3) (i) 図**1**に示すように，原点**O**から最も遠い円C_2上の点**A**は，直線OO'と円C_2との交点で，**O**でない点である。よって，$A(2\sqrt{2},\ 2\sqrt{2})$となる。

図**1** 円C_1とC_2

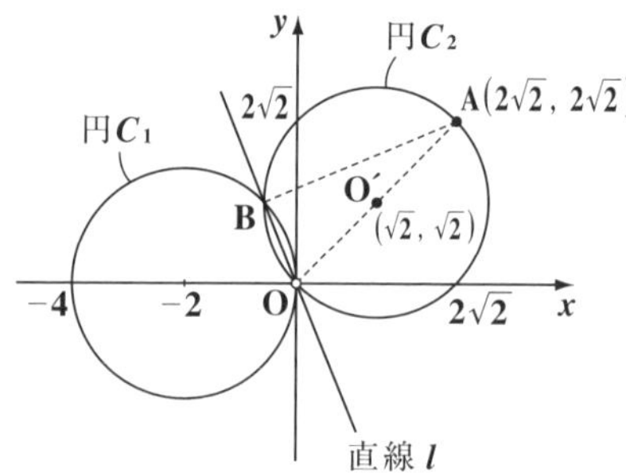

(ii) 次に，円C_1と円C_2の交点**B**の座標を求める。

> 円C_1は，原点**O**を通らないため，**O**は**2**つの円C_1とC_2の交点ではないんだね。

円C_1：$(x+2)^2+y^2=4$ ……⑤ より，
$x^2+y^2+4x=0$ ……⑤´（ただし，**O**は除く。）であり，
円C_2：$(x-\sqrt{2})^2+(y-\sqrt{2})^2=4$ ………⑥ より，
$x^2+y^2-2\sqrt{2}x-2\sqrt{2}y=0$ ……⑥´ である。

Babaのレクチャー(Ⅰ)

一般に**2**つの円C_1：$x^2+y^2+a_1x+b_1y+c_1=0$ ……㋐ と
C_2：$x^2+y^2+a_2x+b_2y+c_2=0$ ……㋑ が**2**交点をもつとき，
$(a_1,\ b_1,\ c_1,\ a_2,\ b_2,\ c_2$：実数定数$)$
この**2**交点を通る円または直線の方程式は，
$x^2+y^2+a_1x+b_1y+c_1+k(x^2+y^2+a_2x+b_2y+c_2)=0$ となる。
（および，$x^2+y^2+a_2x+b_2y+c_2=0$）
ここで，(i) $k=-1$のとき，**2**交点を通る直線を表し，
(ii) $k\neq-1$のとき，**2**交点を通る円を表す。

ここで，円C_1は**O**を除かないものとすると，円C_1と円C_2は**2**交点で交わる。よって，この**2**交点を通る直線lの方程式は，⑤´−⑥´より，次のように求められる。

$\cancel{x^2}+\cancel{y^2}+4x-(\cancel{x^2}+\cancel{y^2}-2\sqrt{2}x-2\sqrt{2}y)=0$ ←（$k=-1$とした）

$4x+2\sqrt{2}x+2\sqrt{2}y=0$　両辺を$2\sqrt{2}$で割って，

$(\sqrt{2}+1)x+y=0$ より，

直線 l：$y=-(\sqrt{2}+1)x$ ……⑦ となる。

⑦を⑤´に代入すると，

$x^2+(\sqrt{2}+1)^2x^2+4x=0$　原点は除くので，$x \fallingdotseq 0$

よって，この両辺を x で割ると，$x+(3+2\sqrt{2})x=-4$

$$x=\frac{-4}{4+2\sqrt{2}}=-\frac{\sqrt{2}}{\sqrt{2}+1}=-\frac{\sqrt{2}(\sqrt{2}-1)}{(\sqrt{2}+1)(\sqrt{2}-1)}=-(2-\sqrt{2})=\underline{-2+\sqrt{2}}$$

（これが，交点Bの x 座標）

となる。

これを⑦に代入して，交点Bの y 座標を求めると，

$$y=-(\sqrt{2}+1)(-2+\sqrt{2})=\sqrt{2}\underbrace{(\sqrt{2}+1)(\sqrt{2}-1)}_{1}=\sqrt{2} \text{ となる。}$$

以上より，交点 $B(-2+\sqrt{2},\ \sqrt{2})$ である。

Babaのレクチャー(Ⅱ)

∠OBAは，円 C_2 の直径OAに対する円周角だから，∠OBA＝90°となり，△OBAは直角三角形より，この面積 S は，$S=\frac{1}{2}OB\times BA$ となる。

しかし，ここでは，OB, BAの長さを求めるよりも，次の三角形の面積公式を利用した方が早いので，これを用いる。

$$S=\frac{1}{2}|x_1y_2-x_2y_1|$$

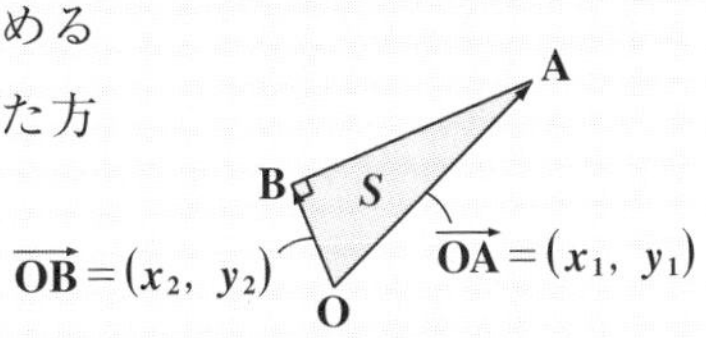

以上(i)，(ii)より，

$\overrightarrow{OA}=(2\sqrt{2},\ 2\sqrt{2})$，$\overrightarrow{OB}=(-2+\sqrt{2},\ \sqrt{2})$ だから，

△OABの面積を S とおくと，

$$S=\frac{1}{2}\underbrace{|2\sqrt{2}\times\sqrt{2}-(-2+\sqrt{2})\cdot 2\sqrt{2}|}_{\cancel{4}+4\sqrt{2}-\cancel{4}=4\sqrt{2}}=\frac{1}{2}\times 4\sqrt{2}=2\sqrt{2} \text{ である。……(答)}$$

難度はそれ程高くないんだけれど，様々な要素が含まれている良問なんだね。このような問題を，自分でスラスラ解けるようになるまで，シッカリ練習すると本物の実力が身に付くんだね。頑張ろう！

媒介変数表示曲線の回転体の体積

演習問題 74 難易度 ★★★★ CHECK 1 CHECK 2 CHECK 3

自然数 n に対し，$\mathbf{I}_n=\int_0^{\frac{\pi}{4}}\cos^n 2\theta\cdot\sin^3\theta d\theta$ とする。

(1) $\mathbf{I}_2$ の値を求めよ。

(2) xy 平面上で原点 O から点 P$(x,\ y)$ への距離を r，x 軸の正の方向と半直線 OP のなす（弧度法による）角を θ とする。

方程式 $r=\sin 2\theta\left(0\leqq\theta\leqq\frac{\pi}{2}\right)$ で表される曲線を，直線 $y=x$ の周りに回転して得られる曲面が囲む立体の体積を V とするとき，

$\mathrm{V}=3\pi\mathbf{I}_3+2\pi\mathbf{I}_2$ と表されることを示せ。 （京都大）

ヒント！ $n=2$ のとき $\mathbf{I}_2$ は，$\int_0^{\frac{\pi}{4}}f(\cos\theta)\cdot\sin\theta d\theta$ の形に変形できるので，$\cos\theta=t$ と置換すれば，必ず解けるね。(2) は，極方程式 $r=\sin 2\theta$ の形をしてるけど，これを反時計まわりに $-\frac{\pi}{4}$ だけ回転した方程式に書き変えると，x 軸のまわりの回転体の問題になる。

解答＆解説

(1) $\mathbf{I}_n=\int_0^{\frac{\pi}{4}}\cos^n 2\theta\cdot\sin^3\theta d\theta\ (n=1,\ 2,\ \cdots)$ に対して，

$n=2$ のとき，

$$\mathbf{I}_2=\int_0^{\frac{\pi}{4}}\underbrace{\cos^2 2\theta}_{(2\cos^2\theta-1)^2}\cdot\underbrace{\sin^3\theta d\theta}_{(1-\cos^2\theta)\cdot\sin\theta}$$

$$=\int_0^{\frac{\pi}{4}}\underbrace{(2\cos^2\theta-1)^2(1-\cos^2\theta)}_{f(\cos\theta)}\cdot\sin\theta d\theta$$

$\int f(\cos\theta)\cdot\sin\theta d\theta$ の場合 $\cos\theta=t$ と置換すればいいよ。

ここで，$\cos\theta=t$ とおくと，

$\theta:0\to\frac{\pi}{4}$ のとき，　$t:1\to\frac{1}{\sqrt{2}}$

また，$-\sin\theta d\theta=dt$ より，$\sin\theta d\theta=-dt$

よって，求める定積分 $\mathbf{I}_2$ の値は，

$$\mathbf{I}_2=\int_1^{\frac{1}{\sqrt{2}}}(2t^2-1)^2\cdot(1-t^2)(-1)dt$$

$$=\int_{\frac{1}{\sqrt{2}}}^{1}(-4t^6+8t^4-5t^2+1)dt$$

$$=\left[-\frac{4}{7}t^7+\frac{8}{5}t^5-\frac{5}{3}t^3+t\right]_{\frac{1}{\sqrt{2}}}^{1}$$

$$=-\frac{4}{7}+\frac{8}{5}-\frac{5}{3}+1-\left(-\frac{1}{14\sqrt{2}}+\frac{2}{5\sqrt{2}}-\frac{5}{6\sqrt{2}}+\frac{1}{\sqrt{2}}\right)$$

$$=\frac{-60+168-175+105}{105}+\frac{\sqrt{2}}{2}\cdot\frac{15-84+175-210}{210}$$

$$=\frac{38-26\sqrt{2}}{105}$$ となる。 ……………………………………………(答)

Babaのレクチャー（Ⅰ）

$r=\sin 2\theta$ $\left(0\leqq\theta\leqq\frac{\pi}{2}\right)$ のグラフを $r\theta$ 座標系で描くと，図アのようになるのはいいね。

図ア

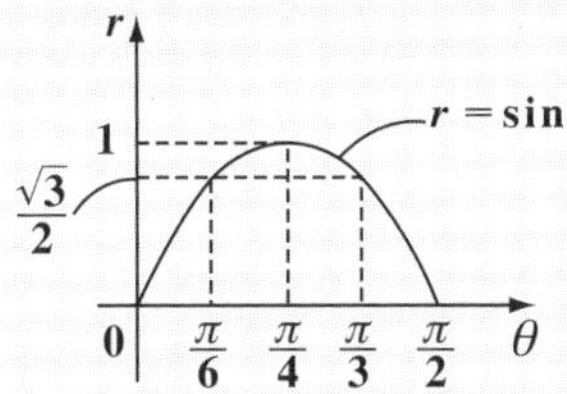

でも，この $r=\sin 2\theta$ は，動点 $\mathbf{P}(x,\ y)$ を極座標 $\mathbf{P}(r,\ \theta)$ で表したときの極方程式なので，極座標上（xy 座標と一致する）で動点 $\mathbf{P}$ の描く軌跡を図示すると，図イのようになるのは大丈夫だね。当然，このグラフは直線 $y=x$ に関して線対称なグラフだ。

図イ

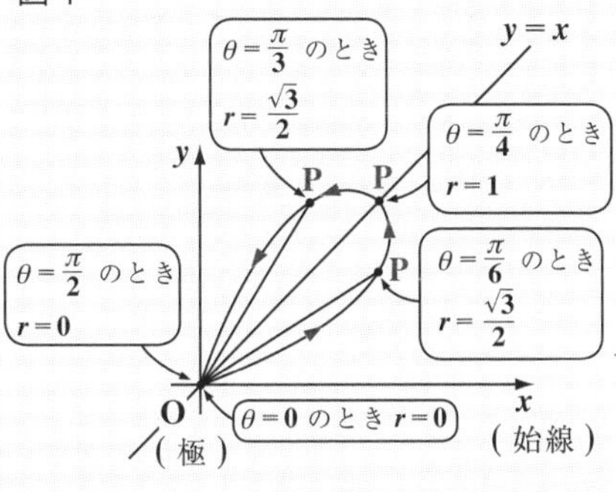

(2) では，この曲線を直線 $y=x$ のまわりに回転して得られる曲面が囲む立体の体積を求めるんだけど，この曲線を反時計回りに $-\frac{\pi}{4}$ だけ回転したグラフで考えると，x 軸のまわりの回転体の体積の問題に帰着するんだね。わかった？

(2) xy 座標平面上での点 $\mathrm{P}(x,\ y)$ を，極座標 $\mathrm{P}(r,\ \theta)$ で表すと，点 P の描く曲線は，次の極方程式で表される。

$r=\sin 2\theta$ ……①　$\left(0 \leqq \theta \leqq \dfrac{\pi}{2}\right)$

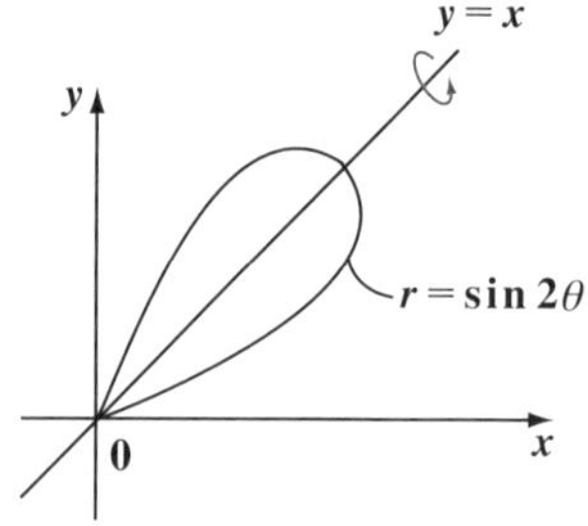

これを，直線 $y=x$ のまわりに回転して得られる回転体の体積は，①を予め反時計回りに $-\dfrac{\pi}{4}$ 回転したものを x 軸のまわりに回転して得られる回転体の体積と等しい。よって，まず，①を反時計回りに $-\dfrac{\pi}{4}$ $\left(\text{時計回りに } \dfrac{\pi}{4}\right)$ だけ回転した曲線の極方程式は，

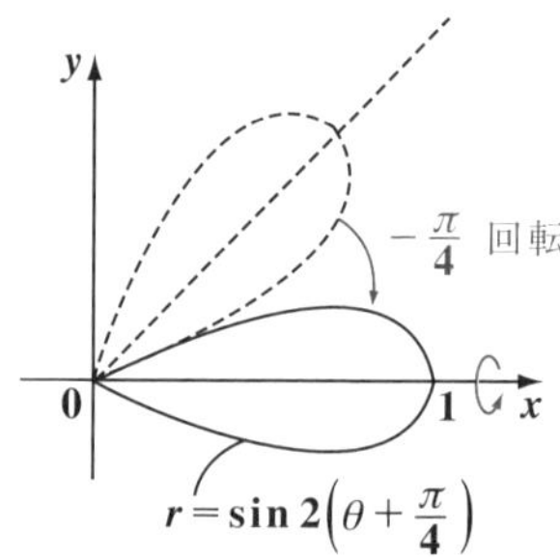

$r=\sin 2\left(\theta+\dfrac{\pi}{4}\right)$

θ 方向に $-\dfrac{\pi}{4}$ だけ回転するので，θ のかわりに $\theta+\dfrac{\pi}{4}$ を代入するんだ！

これは平行移動のときと同じ考え方だ！

$=\sin\left(2\theta+\dfrac{\pi}{2}\right)=\cos 2\theta$

$\therefore\ r=\cos 2\theta$ ……②

$\left(-\dfrac{\pi}{4} \leqq \theta \leqq \dfrac{\pi}{4}\right)$

当然，これは x 軸に関して対称なグラフになるね。

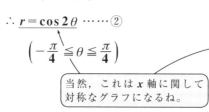

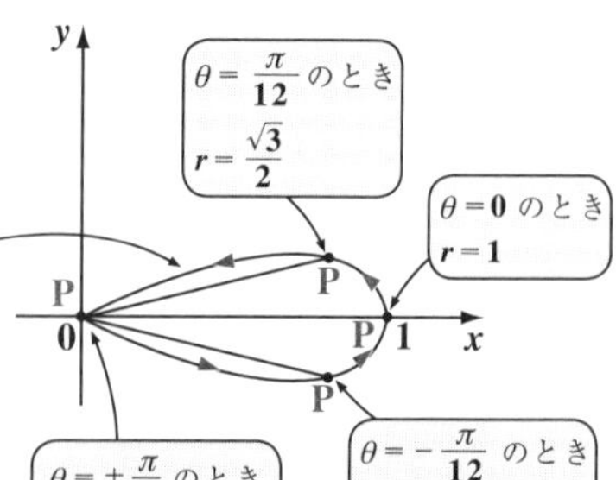

ここで，動点 P を $\mathrm{P}(x,\ y)$ で表すと，

$$\begin{cases} x=r\cdot\cos\theta=\cos 2\theta\cdot\cos\theta \\ y=r\cdot\sin\theta=\cos 2\theta\cdot\sin\theta \end{cases}$$

これは，x，y を媒介変数 θ で表示したものだね。

Baba のレクチャー(Ⅱ)

x, y が媒介変数表示された曲線の場合，x 軸のまわりの回転体の体積 $\mathbf{V}$ を求めたかったら，次のようにするんだね。

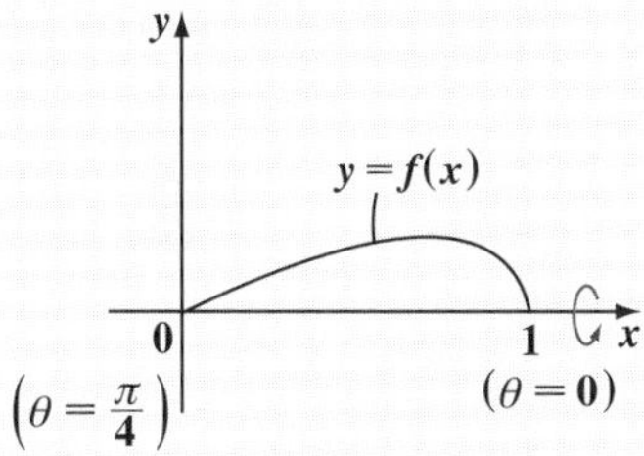

(i) まず，曲線が $y=f(x)$ と表されたものとして，

$\mathbf{V}=\pi\int_0^1 y^2dx$ とおく。

(ii) 次に，これを θ での積分に置換して，

$x:0\to1$ のとき，$\theta:\frac{\pi}{4}\to0$ より

$\mathbf{V}=\pi\int_{\frac{\pi}{4}}^0 y^2\frac{dx}{d\theta}d\theta$ として計算するんだね。

dx を $d\theta$ で割った分，$d\theta$ をかける！

以上より，求める回転体の体積 $\mathbf{V}$ は，

$$\mathbf{V}=\pi\int_0^1 y^2dx=\pi\int_{\frac{\pi}{4}}^0 y^2\frac{dx}{d\theta}d\theta$$

$$=\pi\int_{\frac{\pi}{4}}^0(\cos2\theta\cdot\sin\theta)^2\cdot(\cos2\theta\cdot\cos\theta)'d\theta$$

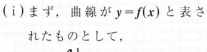

$$=\pi\int_{\frac{\pi}{4}}^0\cos^22\theta\cdot\sin^2\theta\cdot(-2\underbrace{\sin2\theta}_{2\sin\theta\cos\theta}\cdot\cos\theta-\cos2\theta\cdot\sin\theta)d\theta$$

ここで，$\mathbf{I}_n=\int_0^{\frac{\pi}{4}}\cos^n2\theta\cdot\sin^3\theta d\theta$ を思い出してくれ！

$$=\pi\int_0^{\frac{\pi}{4}}\cos^22\theta\cdot\sin^2\theta(4\underbrace{\cos^2\theta}_{\frac{1+\cos2\theta}{2}}\sin\theta+\cos2\theta\cdot\sin\theta)d\theta$$

$$=\pi\int_0^{\frac{\pi}{4}}\cos^22\theta\cdot\sin^2\theta(3\cos2\theta\cdot\sin\theta+2\sin\theta)d\theta$$

$$=\pi\Big(3\underbrace{\int_0^{\frac{\pi}{4}}\cos^32\theta\sin^3\theta d\theta}_{\mathbf{I}_3}+2\underbrace{\int_0^{\frac{\pi}{4}}\cos^22\theta\sin^3\theta}_{\mathbf{I}_2}\Big)d\theta$$

$\therefore\ \mathbf{V}=3\pi\mathbf{I}_3+2\pi\mathbf{I}_2$ となる。……………………………………(終)

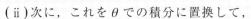

★★★難関大 理系 数学ⅠA,ⅡB,Ⅲ★★★
補充問題（additional questions）

補充問題 1	難易度 ★★★★	CHECK1	CHECK2	CHECK3

$f(x)=x^3+2x^2+2$ とする。$|f(n)|$ と $|f(n+1)|$ がともに素数となる整数 n をすべて求めよ。　（京都大）

ヒント！ 抽象度が高い問題だね。しかし，$|f(n)|$ と $|f(n+1)|$ が共に素数になるということから，具体的に素数が 2，3，5，7，11，13，17，…であること，（2：偶数）（3以降：2以外の素数はすべて奇数）

すなわち素数と言われた場合，2 のみが偶数で，それ以外の素数はすべて奇数であることに着目しよう。すると，場合分けとして，

(i) n が偶数のとき $n+1$ は奇数であり，$|f(n)|$ と $|f(n+1)|$ の奇数・偶数を調べる。
(ii) n が奇数のとき $n+1$ は偶数であり，$|f(n)|$ と $|f(n+1)|$ の奇数・偶数を調べる。

の 2 通りとなる。そして，もし $|f(n)|=$(偶数) ならば $|f(n)|=2$ と決定できるし，また，$|f(n+1)|=$(偶数) ならば $|f(n+1)|=2$ と決定できるんだね。これで，見通しが立ったはずだ。

整数 n に対して，

$f(n)=n^3+2n^2+2$
$\quad =n^3+2(n^2+1)$ …① とおく。

ここで，(i) n が偶数か，(ii) n が奇数かで場合分けして考えると，

(Ⅰ) $n=$(偶数) のとき，
$n+1=$(奇数) であり，
$f(n)=\underbrace{n^3}_{(偶数)^3}+\underbrace{2(n^2+1)}_{偶数}$
$=$(偶数)$+$(偶数)
$=$(偶数) であり，
$f(n+1)=\underbrace{(n+1)^3}_{(奇数)^3}+\underbrace{2\{(n+1)^2+1\}}_{偶数}$
$=$(奇数)$+$(偶数)
$=$(奇数) である。

ここで，$|f(n)|$ と $|f(n+1)|$ が共に素数のとき，
$|f(n)|=2$,
$|f(n+1)|=$(奇数の素数) となる。

(Ⅱ) $n=$(奇数) のとき，
$n+1=$(偶数) であり，
$f(n)=\underbrace{n^3}_{(奇数)^3}+\underbrace{2(n^2+1)}_{偶数}$
$=$(奇数)$+$(偶数)
$=$(奇数) であり，
$f(n+1)=\underbrace{(n+1)^3}_{(偶数)^3}+\underbrace{2\{(n+1)^2+1\}}_{偶数}$
$=$(偶数)$+$(偶数)$=$(偶数) である。

ここで，$|f(n)|$ と $|f(n+1)|$ が共に素数のとき，

$|f(n)| = $(奇数の素数),

$|f(n+1)| = 2$ となる。

以上より，

(i) $n =$ (偶数), $n+1 =$ (奇数) のとき，$|f(n)| = 2$ より，

$f(n) = n^3 + 2n^2 + 2 = \pm 2$

(ア) $f(n) = n^3 + 2n^2 + 2 = 2$ のとき，

$n^2(n+2) = 0$ より，

$n = 0$，または，-2

・$n = 0$ のとき，

$|f(n+1)| = |f(1)|$

$= |1 + 2 + 2| = 5$

・$n = -2$ のとき，

$|f(n+1)| = |f(-1)|$

$= |-1 + 2 + 2| = 3$

となって，いずれも奇数の素数の条件をみたす。

$\therefore$ $n = 0,\ -2$

(イ) $f(n) = n^3 + 2n^2 + 2 = -2$ のとき，

$n^2(n+2) = -4$ …① となる。

（n^2：4の正の約数で，かつ4の倍数）

①より，n^2 は4の約数であり，n は偶数より，n^2 は4の倍数である。よって，

$n^2 = 4 \quad \therefore n = \pm 2$

・$n = 2$ のとき，

$2^2 \cdot (2+2) = 16 \neq -4$ となって，①をみたさない。

・$n = -2$ のとき，

$(-2)^2(-2+2) = 0 \neq -4$

となって，①をみたさない。

よって，いずれも不適。

(ii) $n =$ (奇数), $n+1 =$ (偶数) のとき，$|f(n+1)| = 2$ より，

$f(n+1) = (n+1)^3 + 2(n+1)^2 + 2 = \pm 2$

(ア) $(n+1)^3 + 2(n+1)^2 + 2 = 2$ のとき，

$(n+1)^2(n+3) = 0$ より，

$n = -1$ または -3

・$n = -1$ のとき，

$|f(n)| = |f(-1)| = |-1 + 2 + 2| = 3$

・$n = -3$ のとき，

$|f(n)| = |f(-3)| = |-27 + 18 + 2| = 7$

となって，いずれも奇数の素数の条件をみたす。

$\therefore$ $n = -1,\ -3$

(イ) $f(n+1) = (n+1)^3 + 2(n+1)^2 + 2 = -2$

のとき，$(n+1)^2(n+3) = -4$ …②

（$(n+1)^2$：4の正の約数で，かつ4の倍数）

となり，

②より，$(n+1)^2$ は4の約数であり，$n+1$ は偶数より，$(n+1)^2$ は4の倍数である。

よって，

$(n+1)^2 = 4 \quad \therefore n+1 = \pm 2$

$n = 1$，または -3

・$n = 1$ のとき，$2^2 \cdot 4 = 16 \neq -4$

となって，②をみたさない。

・$n = -3$ のとき，$(-2)^2 \cdot (-3+3)$

$= 0 \neq -4$ となって，②をみたさない。

よって，いずれも不適。

以上 (i)(ii) より，$|f(n)|$ と $|f(n+1)|$ が共に素数となる整数 n は，全部で

$n = -3,\ -2,\ -1,\ 0$ である。

……(答)

メモ

メモ

解説がスバラシク親切な
難関大理系数学I・A, II・B, III
改訂1

マセマ

著　者　馬場 敬之
発行者　馬場 敬之
発行所　マセマ出版社

〒 332-0023 埼玉県川口市飯塚 3-7-21-502
TEL 048-253-1734　FAX 048-253-1729
Email:info@mathema.jp
https://www.mathema.jp

編　集　清代 芳生
校閲・校正　高杉 豊　秋野 麻里子
制作協力　久池井 茂　久池井 努　印藤 治
滝本 隆　野村 烈　真下 久志
石神 和幸　小野 裕汰　松本康平
間宮 栄二　町田 朱美
カバー作品　馬場 冬之
ロゴデザイン　馬場 利貞
印刷所　株式会社 シナノ

令和 2 年 10 月 14 日　初版発行
令和 4 年 6 月 17 日　改訂 1 初版発行

ISBN978-4-86615-249-3 C7041